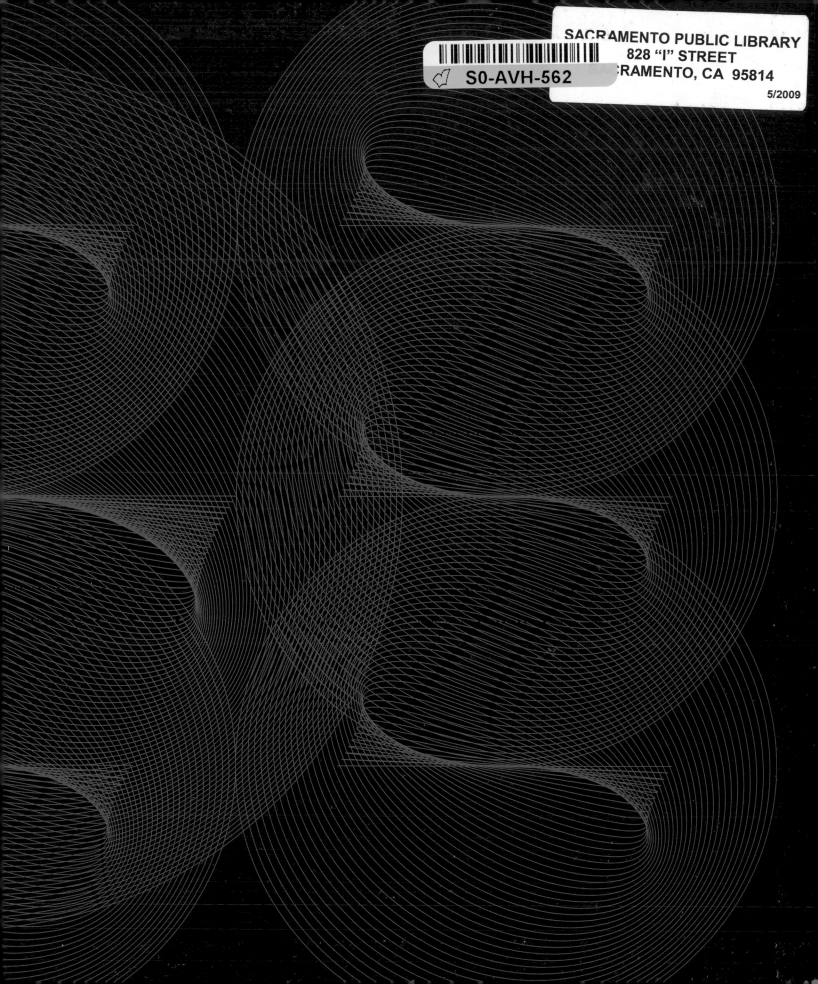

погода

энциклопедический путеводитель

Machaon

погода

энциклопедический
путеводитель

Москва
«Махаон»
2007

УДК 551.7
ББК 26.236
   П43

Авторы текста
Брюс Бакли, Эдвард Дж. Хопкинс, Ричард Уайтекер

Перевод с английского и научное редактирование
канд. геогр. наук Елена Барабанова

Редактор
Елена Бубнова

Технический редактор
Татьяна Андреева

Корректоры
Галина Левина, Ольга Левина

Верстка
Никита Козель

Дизайн обложки
Ольга Кондратьева

Автор фотографии А. Беляева
Михаил Зильбер

На с. 150, 151 использованы фото PHOTOXPRESS.RU

Печатается по изданию:
Weather. A Visual Guide. Weldon Owen Pty Ltd.
61 Victoria Street, McMahons Point. Sydney, NSW 2060, Australia.

П43   **Погода.** — М.: Махаон, 2007. — 304 с., ил.— (Энциклопедический
          путеводитель).

          ISBN 978-5-18-001184-8 (рус.)
          ISBN 0-276-42842-0 (авс.)

Почему в последнее время все чаще возникают экстремальные погодные явления? Что ждет нас в будущем? Будет ли человек управлять погодой?

Уникальный, великолепно иллюстрированный энциклопедический путеводитель посвящен погоде — последнему неуправляемому явлению природы. В нем прослеживаются многолетние изменения климата, происходившие на Земле в течение 4,6 млрд лет, объясняются сложные атмосферные процессы, влияющие на погоду, рассматривается многообразие климатов на Земле, анализируются факторы, способствующие возникновению экстремальных погодных явлений, а также дается обзор новейших исследований и прогнозов современного изменения климата.

УДК 551.7
ББК 26.236

ISBN 978-5-18-001184-8 (рус.)
ISBN 0-276-42842-0 (авс.)

Содержание

Грандиозное природное явление

Спокойную, ясную, привычную погоду не замечают. Но, капризничая, она сразу оказывается в центре всеобщего внимания. Все набрасываются на нее, несправедливо обвиняя во многих грехах. При этом мгновенно забывают, как прекрасна и величественна она в любых своих проявлениях.

Да, она может натворить немало, но чаще на нее списывают свое легкомыслие, упущения, элементарные ошибки. Забывая при этом, что она всегда права, ее языком с нами ведет нескончаемый диалог Природа. А уж аргументы ее — истина в последней инстанции.

Кажется — что она для жителей городов, защищенных основательными стенами и крышами, с их бесконечными заботами по дому, семье, работе! С ней и сталкиваешься-то в коротких меж- транспортных перебежках. Но, выбегая на улицу, по привычке взглянув вверх, пытаешься угадать: что новенького она подготовила, злодейка, мастерски маскируя свои намерения? А бесповоротно испорченные выходные?! А долгожданный отпуск! Подгадывая самое удобное, лучшее время, весь год ждешь его. И все может пойти насмарку. Начинаешь завидовать, как здорово там, где-то к югу, к морю-океану, где всегда солнце, тепло, блаженство, как на полотнах Гогена. А потом вдруг внезапно узнаешь про трагедии: торна- до, цунами, тайфупы...

И вот, при такой зависимости, мы так немного знаем о ней. Что ею движет, почему так меняется, на что способна, где и к чему это может привести, чем, в конце концов, противостоять?! А кто и как за ней наблюдает? Поддается ли она воздействию, слушается ли, когда ее пытаются предугадать? К сожалению, об этом так мало книг, где бы не профессионалу, а настоящему ее любителю и ценителю можно было все узнать.

И наконец-то вы нашли такую книгу и держите в руках. Вот она — «Погода»! Листайте, читайте ее, а покопавшись в закоулках памяти, кое-что вспомните из школы, из жизни. И тогда поймете, какое грандиозное природное явление стоит за скромными словами «по- года», «климат». Как все это менялось, к каким последствиям при- водило, да и можно ли вообще узнать, что было в далеком прошлом. А современные проблемы: парниковый эффект, озоновый слой, Эль- Ниньо? Об этом так много говорят, и все с каким-то ужасным фина- лом, как в кино. А яростные споры ученых о глобальном потеплении: что это, естественные изменения или мы чего-то натворили?

Наконец, может быть, вы поймете, как не просто прогнозиро- вать погоду. Ведь многие считают, что специалисты должны знать ее наперед и не на день, и не на два, и дальше. И само собой, зимой знать, что будет весной, летом... Увы, точно прогноз на завтра вы узнаете только... послезавтра.

Мы все живем, окруженные огромнейшим океаном, по сравне- нию с которым наши привычные могучие Тихий, Атлантический, Северный Ледовитый океаны —как капля воды в чайной ложке. Посмотрите вверх — вот он, Величайший Воздушный Океан! Его многие тайны — открытые и не очень — в этой книге. Счастливого вам плавания.

Профессор Александр Беляев

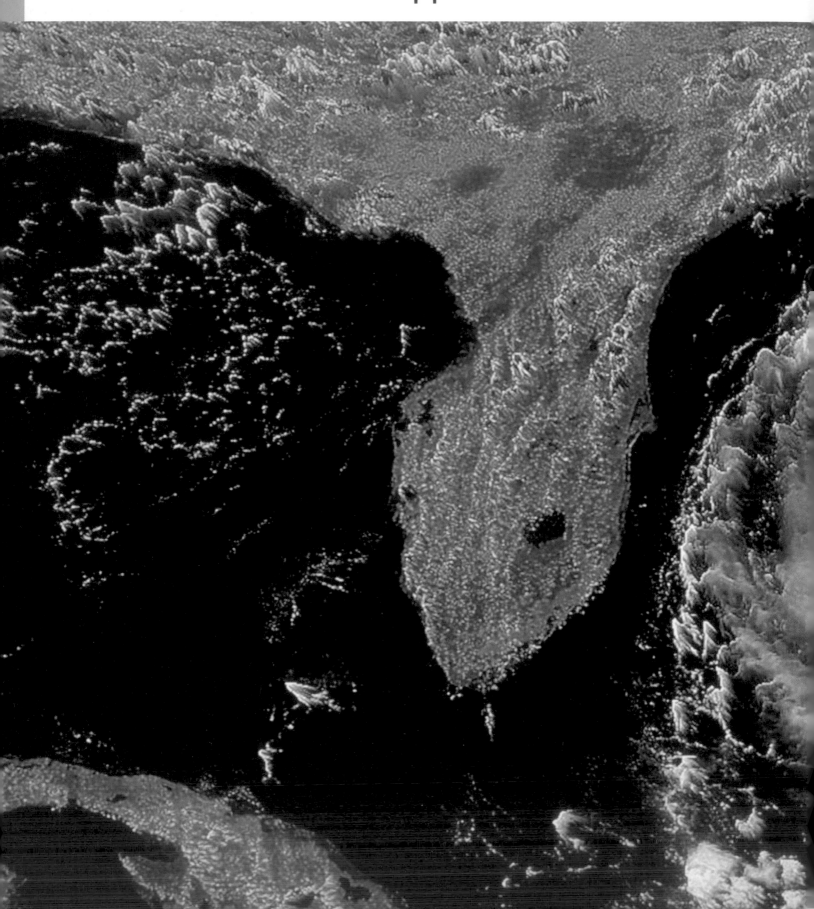

Механизмы погоды

Ураган «Фрэн» приближается к побережью Флориды (1996 г.).

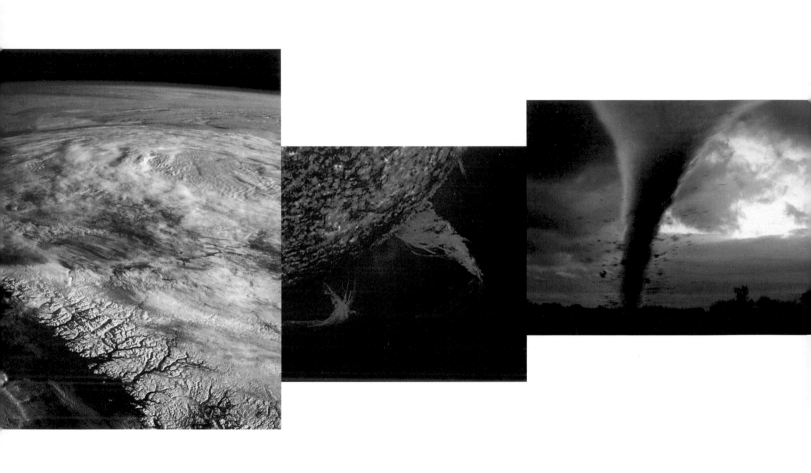

Механизмы погоды

Погоду можно определить как состояние атмосферы в рассматриваемом месте в определенный момент или за ограниченный промежуток времени (сутки, месяц, год). Она обусловлена физическими явлениями, происходящими при взаимодействии атмосферы с космосом и земной поверхностью. Основные показатели погоды — температура воздуха, осадки, атмосферное давление. Все эти элементы тесно взаимосвязаны.

Что такое погода

Наша планета окружена газовой оболочкой, которая именуется атмосферой. Ее состояние в определенный момент времени в той или иной местности мы называем погодой. Она — самая популярная тема наших разговоров, потому что определяет образ жизни, форму жилищ, одежду и даже досуг людей на всех континентах. Погода весьма капризна, она меняется от места к месту, ото дня ко дню и даже от часа к часу. Однако многолетние наблюдения позволяют заметить последовательные закономерности ее изменений, определить характерный для того или иного места климат. Чтобы судить о климате, необходимо как минимум 30 лет наблюдать за динамикой элементов погоды. Метеорологические исследования, которые ведутся лишь около 200 лет, дополняются историческими данными и огромным фактическим материалом наблюдений за живой природой, также дающими информацию об изменениях климата Земли.

ЗАЧЕМ МЫ ИЗУЧАЕМ ПОГОДУ

Человек издавна изучал и систематизировал погодные явления не только из простого любопытства. От этого во все времена зависела жизнь людей, ведь очень важно было предугадать погоду, подготовиться к чрезвычайным событиям или воспользоваться преимуществами благоприятных условий. Метеорология — наука относительно молодая. Сейчас наряду с традиционными развиваются и активно используются аэрокосмические методы исследования погоды. Фотография справа создана на основе информации, полученной с трех орбитальных спутников. У юго-западного побережья Северной Америки виден ураган «Линда», а в районе полюсов наблюдается плотная облачность. Луна на фотографии размещена при помощи фотомонтажа.

◄ **Атмосферные вихри.** Смерч — одно из наиболее ярких проявлений погоды. Этот атмосферный вихрь вращающегося воздуха, достигая поверхности земли, почти всегда производит значительные разрушения, всасывая в себя воду и предметы, встречающиеся на его пути, поднимая их высоко вверх и перенося на значительные расстояния. В США смерчи называют торнадо.

◄ **Силы природы.** Темные облака таят в себе опасность. Они предвещают бурю с дождем, громом и молнией и разрушительным ветром. Буря — проявление грозных сил природы. Причины возникновения этих явлений сложны, хотя во многих случаях вполне предсказуемы. Они возникают при сочетании нескольких процессов в атмосфере.

▲ **Волшебство света.** Радуга — восхитительное зрелище. Это оптическое явление вызвано преломлением солнечного света в каплях дождя. Кроме того, по радуге можно сделать краткосрочный местный прогноз погоды. Преобладание в ней зеленых тонов обычно указывает на последующий переход к хорошей погоде. Вид радуги позволяет судить о строении и состоянии облаков.

Солнечная радиация

Солнце, источник практически всей энергии на Земле, представляет собой огромный раскаленный шар плазмы, масса которого составляет 99,9 % массы всей Солнечной системы. Но во Вселенной это лишь одна из обычных звезд среднего возраста. Источник солнечной энергии — термоядерные реакции, происходящие в ядре. По мере превращения атомов водорода в гелий высвобождается огромное количество электромагнитного излучения, которое медленно поднимается к поверхности Солнца. Около 46 % солнечного излучения состоит из видимой части спектра, еще столько же — это инфракрасная радиация, которую мы воспринимаем как тепло. Остальное — ультрафиолетовые лучи. Кроме того, наше светило выбрасывает в межзвездное пространство непрерывный поток солнечной плазмы, формирующей солнечный ветер.

ВЗРЫВЫ НА СОЛНЦЕ

11 января 1988 г. телескоп зафиксировал на поверхности Солнца три мощных протуберанца. Эти выбросы раскаленной плазмы (70 тыс. °C), во много раз превосходящие массу Земли, изгибаются и закручиваются под влиянием мощного магнитного поля звезды. Другой формой взрывов являются солнечные вспышки — внезапные и быстротекущие динамические процессы на поверхности Солнца, в результате которых может высвободиться до 2 % солнечной энергии.

▶ **Что происходит внутри?** Для изучения Солнца ученые используют методы гелиосейсмологии. Слабые импульсы, поступающие на солнечную поверхность, распространяются внутри Солнца как звуковые волны. Зарегистрированные спутниковыми телескопами, они могут быть представлены в виде спектрограмм, по которым ученые судят о структуре и составе светила. Это обогащает наши знания о природе процессов, происходящих в нем.

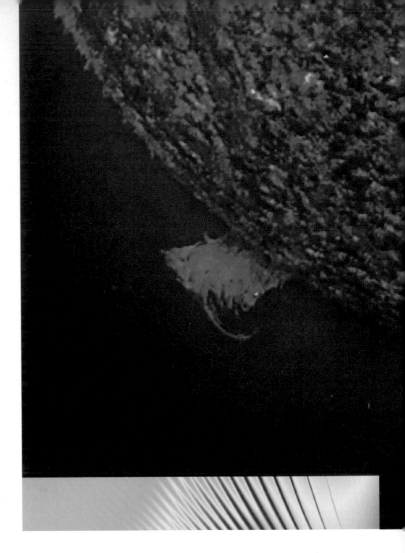

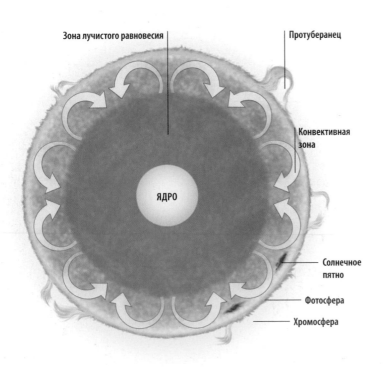

СТРОЕНИЕ СОЛНЦА

Солнце имеет слоистую структуру (рисунок слева). Термоядерные реакции в его плотном ядре проходят при температурах приблизительно 15 млн °C. Энергия из ядра распространяется в виде протонов (частиц электромагнитной энергии), проходит сквозь зону лучистого равновесия. Постепенно вещество охлаждается и начинает кипеть, приобретая в конвективной зоне (слое толщиной 150—200 тыс. км) характер восходящего движения. Солнечная атмосфера (хромосфера и солнечная корона) очень динамична, в ней наблюдаются вспышки, протуберанцы, происходит постоянное истечение вещества короны в межпланетное пространство (солнечный ветер).

СОЛНЕЧНЫЙ ВЕТЕР

Поток протонов и электронов, называемый солнечным ветром, уносится в космос из солнечной короны со скоростью приблизительно 400 км/с.

▶ **Солнечная активность.** На левой части рисунка показано истечение плазмы из солнечной короны. Взрывы газа часто, но не всегда связаны с факелами и протуберанцами. Электронные частицы, выброшенные Солнцем, движутся с огромной скоростью, образуя в солнечном ветре корпускулярные потоки.

▶▶ **Влияние на Землю.** Солнечный ветер (светлые линии на рисунке) влияет на магнитосферу Земли (голубые линии). Корпускулярные потоки вызывают такое явление, как полярное сияние, и могут создавать геомагнитные помехи вплоть до обрыва связи и прекращения энергоснабжения.

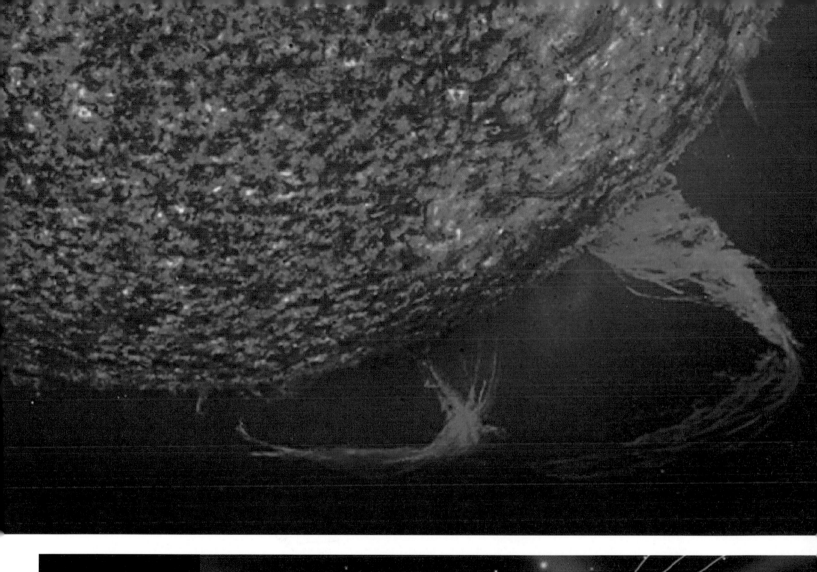

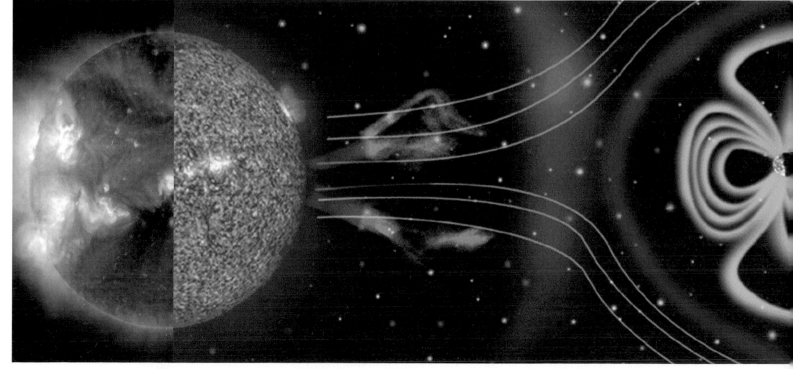

Времена года

В результате вращения Земли вокруг Солнца происходят дневные и сезонные изменения в поступлении солнечного света, что, в свою очередь, приводит к циклическим изменениям температуры. Вращаясь вокруг своей оси, Земля совершает полный оборот за 24 часа, происходит смена дня и ночи. В течение года Земля совершает один оборот вокруг Солнца. Поскольку ось вращения Земли имеет наклон в 23,5°, разные части Земли получают различное количество солнечного света в зависимости от времени года. Самый длинный день в Северном полушарии — день летнего солнцестояния, 21 июня; этот же день — самый короткий в Южном полушарии.

ПРИЧИНЫ СЕЗОННЫХ ИЗМЕНЕНИЙ

Земля расположена на расстоянии 149 млн км от Солнца и вращается вокруг него по эллиптической орбите, совершая полный оборот за 365 дней. Одновременно наша планета вращается вокруг своей оси против часовой стрелки. Ее ось (воображаемая линия, проходящая через Северный и Южный полюса) не перпендикулярна плоскости земной орбиты. Поэтому, в зависимости от времени года, некоторые широты наклонены в сторону Солнца, в то время как другие отклонены в противоположную сторону. По мере движения Земли вокруг Солнца солнечные лучи падают на поверхность Земли под разными углами. В течение полугода они почти перпендикулярно освещают Северное полушарие, полгода — Южное. Когда во время декабрьского солнцестояния земная ось наклонена от Солнца, Северное полушарие получает наименьшее количество света, и здесь царит зима, а в Южном полушарии — лето. В июне ситуация обратная. Вращение Земли вокруг Солнца приводит к смене четырех времен года: весны, лета, осени и зимы.

Весеннее равноденствие (21 марта). Солнце над экватором: в Северном полушарии весна, в Южном — осень

Зимнее солнцестояние (21 декабря). Солнце над Южным тропиком (тропиком Козерога): в Северном полушарии зима, в Южном — лето

Летнее солнцестояние (21 июня). Солнце над Северным тропиком (тропиком Рака): в Северном полушарии лето, в Южном — зима

Осеннее равноденствие (23 сентября). Солнце над экватором: в Северном полушарии осень, в Южном — весна

▼ **Сезонные изменения.** В умеренных широтах в течение года происходят значительные сезонные изменения. Колебания температуры сказываются не только на смене времен года, но влияют и на сроки посевных работ и сбора урожая. Экваториальные районы нагреваются более равномерно. Здесь сезонные изменения не так значительны.

Полярный день и полярная ночь.
Территории около полюсов шесть месяцев постоянно освещаются солнцем, а затем шесть месяцев пребывают почти в полной темноте.

Времена года в умеренных широтах.
Обращение Земли вокруг Солнца приводит к четкой смене времен года в умеренных широтах.

Тропическое постоянство. В экваториальных тропических регионах продолжительность светового дня остается одинаковой весь год. Климат здесь постоянно теплый.

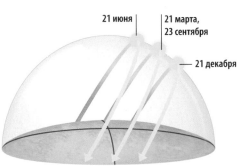

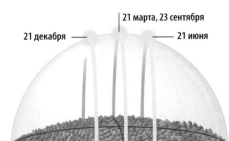

ДВИЖЕНИЕ СОЛНЦА НА СЕВЕРНОМ ПОЛЮСЕ

Если бы кто-то, расположившись на Северном полюсе, мог наблюдать за движением Солнца, то он бы заметил, что наше светило проходит вокруг него почти над горизонтом во время весеннего равноденствия в марте, затем достигает наивысшей точки в июне, в день летнего солнцестояния. В период осеннего равноденствия, в сентябре, Солнце вновь спускается к горизонту. Затем оно совсем исчезает и остается невидимым до марта следующего года.

ДВИЖЕНИЕ СОЛНЦА В УМЕРЕННЫХ ШИРОТАХ

Наблюдатель, находясь на 45° с. ш., видит, как меняется высота Солнца над горизонтом в зависимости от времени года. В дни равноденствия (21 марта — весеннее, 23 сентября — осеннее) оно находится на высоте 45° над горизонтом в течение почти 12 часов. Во время летнего солнцестояния наше светило поднимается выше и остается в небе более 15 часов. Зимой оно стоит невысоко и светит менее девяти часов.

ДВИЖЕНИЕ СОЛНЦА НА ЭКВАТОРЕ

На экваторе продолжительность светового дня практически не меняется и составляет 12 часов в течение всего года. В марте и сентябре полуденное Солнце стоит перпендикулярно к поверхности Земли. В июне оно несколько отклоняется к северу, а в декабре — к югу. Чем больше угол падения солнечных лучей, тем больше энергии приносят они на поверхность Земли. Поэтому на экваторе наиболее «жаркое» солнце.

Наша планета

Земля может рассматриваться как система, состоящая из пяти компонентов. Это атмосфера (воздух), гидросфера (вода), криосфера (лед), литосфера (твердая поверхность) и биосфера (жизнь). Эти компоненты взаимодействуют между собой, обмениваясь энергией и веществом.

Движение энергии начинается с поглощения Землей солнечной радиации, которая нагревает ее, и заканчивается, когда Земля отдает ее в космос, тем самым предотвращая перегрев. Солнечная энергия приводит в движение атмосферу и гидросферу. Часть ее расходуется на круговорот воды, которая в этом процессе изменяет свои свойства и форму, становясь твердой, жидкой или газообразной. Другие химические вещества — кислород и углекислый газ — также являются важнейшими компонентами системы.

Географическая оболочка — самый большой на Земле природный комплекс, в котором все пять компонентов, сложно переплетаясь, тесно взаимодействуют между собой.

В пределах географической оболочки возникло и развивается человечество, черпая из нее ресурсы и воздействуя на нее.

Атмосфера. Воздушная оболочка Земли защищает жизнь от влияния космоса. Без нее невозможна жизнь на Земле. Облака, частицы пыли и атмосферные газы поднимаются на высоту около 100 км.

Гидросфера. Водная оболочка Земли состоит из океанов, морей и других крупных водных объектов. Она занимает почти 71 % поверхности Земли, и в ней сосредоточена большая часть воды на планете.

Криосфера — оболочка Земли, состоящая изо льда. Она включает в себя ледники и полярные льды, сезонный снежный покров, а также системы ледяных облаков. Здесь сосредоточена бóльшая часть запасов пресной воды на планете.

ЗЕМЛЯ КАК СИСТЕМА

Взаимодействие компонентов нашей планеты прекрасно иллюстрируется снимками. Слева, на горе Святой Елены, штат Вашингтон, США, снег покрывает вершину вулкана, который является частью литосферы. На снимке, сделанном космическим кораблем «Аполлон-17» (справа), видны океаны (гидросфера), антарктическая шапка ледника (часть криосферы), облака (атмосфера), континенты (литосфера) и темная полоса тропических лесов в Экваториальной Африке (биосфера).

Литосфера — твердая часть Земли, включающая в себя почвы и горные породы. Питательные вещества из атмосферы, попадая в почву и накапливаясь здесь, используются растениями биосферы.

Биосфера. Земля является единственной планетой, на которой есть жизнь. Растительный покров, животные, микроорганизмы, органическое вещество почвы в своей совокупности составляют биосферу.

Биосферные взаимодействия. Растения содержат хлорофилл, который посредством фотосинтеза превращает солнечную энергию в углеводы. Побочный продукт фотосинтеза — кислород.

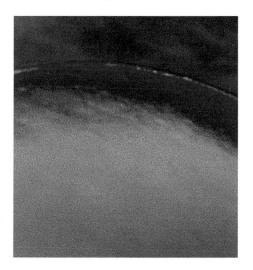

Круговорот энергии

Солнце — основной источник энергии для всех процессов, совершающихся в географической оболочке Земли. Проходя сквозь атмосферу, солнечная радиация создает устойчивую температурную среду. Часть энергии поглощается либо отражается поверхностью Земли, а также атмосферными газами и облаками. Некоторое ее количество возвращается в космос. На поверхности же Земли большая ее часть расходуется на испарение воды. Затем в атмосфере происходит конденсация пара, образуются облака и выпадают осадки. Облака отражают и поглощают как часть прямой солнечной радиации, так и радиации, отраженной поверхностью планеты. Этот постоянный круговорот энергии является основным механизмом формирования погоды.

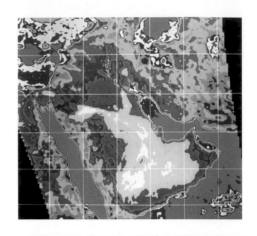

КАК РАСХОДУЕТСЯ ЭНЕРГИЯ СОЛНЦА

На рисунке показан радиационный и тепловой баланс Земли. Большая часть попавшей в атмосферу солнечной радиации — около 64 %, отражаясь от облаков и атмосферных газов, направляется обратно в межпланетное пространство. Примерно 4 % энергии с поверхности Земли отражает снег. Баланс между приходящей и уходящей радиацией создает устойчивый температурный режим Земли. Атмосфера, как одеяло, укутывает планету и сохраняет баланс между поглощенной солнечной радиацией и теплом, излученным в космическое пространство. Данные о тепловом балансе Земли используются в климатологии, гидрологии суши, океанологии; они применяются для обоснования численных моделей теории климата и для проверки результатов применения этих моделей.

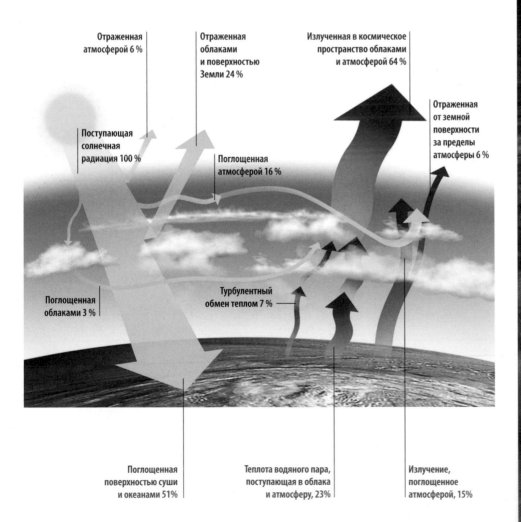

Отраженная атмосферой 6 %

Отраженная облаками и поверхностью Земли 24 %

Излученная в космическое пространство облаками и атмосферой 64 %

Поступающая солнечная радиация 100 %

Поглощенная атмосферой 16 %

Отраженная от земной поверхности за пределы атмосферы 6 %

Поглощенная облаками 3 %

Турбулентный обмен теплом 7 %

Поглощенная поверхностью суши и океанами 51 %

Теплота водяного пара, поступающая в облака и атмосферу, 23 %

Излучение, поглощенное атмосферой, 15 %

◄ **Наглядный термометр.** На инфракрасной спутниковой фотографии белым обозначены самые теплые места Аравийского полуострова, синим — наиболее холодные. Инфракрасные датчики улавливают малейшие различия в тепловом излучении поверхности.

▼ **Земные отражатели.** Показанные на спутниковой фотографии облака и снежные области Северного Ньюфаундленда являются мощными отражателями солнечной радиации в космическое пространство.

«ЗРИМОЕ» ТЕПЛО
Инфракрасные фотографии — важнейший инструмент мониторинга теплового излучения Земли. Поверхность, океаны и облака излучают различное количество тепла. Да и сама твердая поверхность по-разному отражает солнечную энергию. Лесные районы, например, имеют иные показатели отражения тепла, чем пустыни, районы, покрытые снегом, луга или городская застройка. Океаны и тропические леса поглощают до 90 % всей солнечной радиации, попадающей на них.

Инфракрасная цветовая шкала.
Инфракрасный снимок ребенка на велосипеде демонстрирует различия температур. Белому цвету соответствуют самые горячие участки, желтым и зеленым показаны переходные зоны, а самые холодные окрашены синим и фиолетовым цветами.

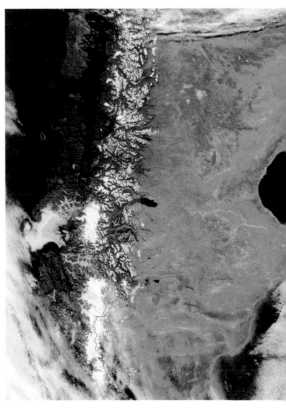

Вид из космоса. Покрытые снегом Анды резко контрастируют с более равнинным ландшафтом Аргентины. Эти регионы резко различаются по показателям отражения тепла.

Атмосфера

Атмосфера, окружающая Землю, состоит из газов, облаков и других находящихся в воздухе частиц, которые называются аэрозолями. Основные газы атмосферы — азот (78 %), кислород (21 %) и др., совокупно представляющие собой «коктейль», характерный исключительно для Земли. Атмосфера нашей планеты не имеет верхней границы, но 99,9 % ее массы сосредоточено до высоты 100 км. Вблизи поверхности Земли атмосфера достаточно плотна, но с высотой она становится все более разреженной. Она защищает Землю от губительной солнечной радиации и помогает поддерживать стабильные температуры, поэтому жизнь существует благодаря ей. Вместе с тем атмосфера чрезвычайно тонка. Если представить Землю размером с луковицу, то толщина ее атмосферы равнялась бы толщине одной луковой чешуйки. Как показано на рисунке справа, эта оболочка состоит из пяти слоев, начинающихся у поверхности Земли и простирающихся в межпланетное пространство.

ВОЗДУХ, КОТОРЫМ МЫ ДЫШИМ

На диаграмме показан процентный состав газов в тропосфере, где на 99 % формируется погода, и в стратосфере. Прочие газы включают углекислый газ, ничтожно малое количество неона, гелия, криптона, водорода и озона. Соотношение между этими газами меняется с высотой. Содержание водяного пара может достигать 4 %, что сокращает долю других компонентов. В последние годы увеличение содержания углекислого газа и сокращение количества озона вызвало беспокойство относительно «здоровья» атмосферы.

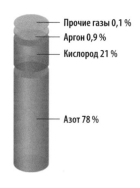

Прочие газы 0,1 %
Аргон 0,9 %
Кислород 21 %

Азот 78 %

▲ Образование грозовых облаков. Плоская наковальня грозового облака сформировалась у подножия стратосферы, где температура с высотой возрастает.

◄ Чудо ночного неба. Северное сияние возникает на высоте более 100 км.

◄◄ Слоистая атмосфера. На снимке из космоса солнечный свет виден как голубая дымка, сотканная из разрозненных молекул воздуха. Ниже — территория Северной Африки.

► Увидеть невидимое. Снимок, полученный с метеорологического спутника, демонстрирует содержание водяного пара в атмосфере Земли. Темные области — где мало паров воды — указывают на процессы опускания воздуха в верхних слоях тропосферы. Такие снимки помогают прогнозировать погоду.

МНОГОСЛОЙНАЯ АТМОСФЕРА

В толще атмосферы температура воздуха различна. В нижних 10 км она с высотой уменьшается. Поскольку понижение температуры часто усиливает вертикальные атмосферные процессы, большинство погодных явлений происходит именно в тропосфере. Над ней, в стратосфере, температура увеличивается. Верхняя граница стратосферы, расположенная на высоте приблизительно 50 км, относительно теплая, поскольку кислород и озон поглощают солнечную ультрафиолетовую радиацию. От верхней границы стратосферы до высоты примерно 80 км, в мезосфере, температура вновь понижается. А выше она стремительно растет. Нагрев воздуха в термосфере также связан с поглощением ультрафиолетовой радиации и сопровождается ионизацией атмосферы.

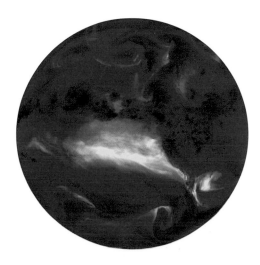

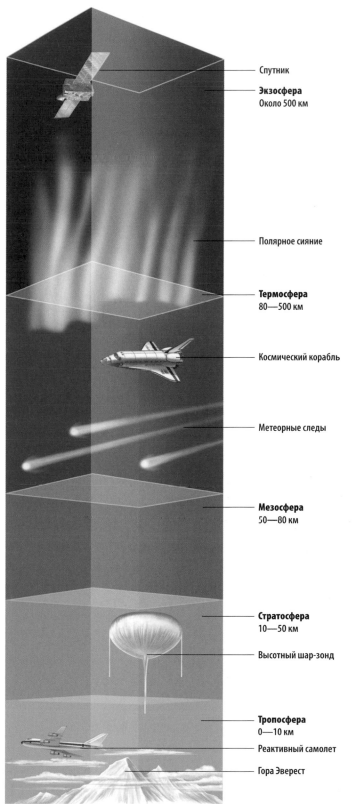

Спутник

Экзосфера
Около 500 км

Полярное сияние

Термосфера
80—500 км

Космический корабль

Метеорные следы

Мезосфера
50—80 км

Стратосфера
10—50 км

Высотный шар-зонд

Тропосфера
0—10 км

Реактивный самолет

Гора Эверест

Атмосферное давление

Атмосферное давление в любой точке Земли — это вес столба воздуха над этой точкой. Оно измеряется прибором, который называется барометром. Если одновременно измерить давление по всему земному шару и через точки с одинаковыми значениями провести линии, называемые изобарами, то мы получим причудливый узор, который можно назвать «отпечатком пальцев» погоды. Мы увидим здесь области высокого и низкого давления, которые движутся вокруг Земли по строго определенным путям. Эти барические системы тесно связаны с погодой на Земле. В зонах высокого давления обычно хорошая погода, а там, где давление низкое, погода неустойчива, часто с дождем. Атмосфера находится в постоянном движении. Стремясь к равновесию, воздух из областей с более высоким давлением устремляется в области пониженного давления. Так возникают ветры. Атмосферное давление очень тесно связано с характером погоды, поэтому метеорологи считают его главным показателем, необходимым для составления прогнозов.

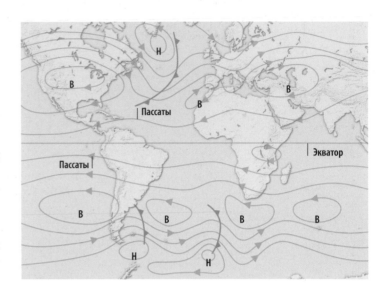

◤ **Где находится «высокое» и «низкое».** Области высокого и низкого давления, которые окружают Землю, обычно образуют четко очерченные барические зоны, или пояса. Над экватором преобладает зона пониженного давления, а в умеренных широтах в обоих полушариях располагаются обширные области высокого давления. Ближе к полюсам находятся барические системы с низким давлением.

▼ **Низкое давление — возможен дождь.** Эти огромные облака могут пролиться ливнем или разразиться грозой. Облака такого типа обычно возникают в зонах пониженного давления при подъеме теплого воздуха вверх. Когда воздух охлаждается и опускается, возникают области высокого давления.

КАК РАБОТАЕТ БАРИЧЕСКАЯ СИСТЕМА?

На рисунке показан принцип действия областей высокого и низкого давления в Северном полушарии. Воздух над поверхностью закручивается по направлению к центру области низкого давления против часовой стрелки (справа), затем поднимается и растекается в более высоких слоях атмосферы по часовой стрелке. Противоположная картина наблюдается в области высокого давления (слева). Поднимающийся воздух в системах низкого давления способствует образованию облаков, а часто и осадков. В Южном полушарии направления вращения противоположны, но области низкого давления все равно связаны с поднятием воздуха. В системе СГС атмосферное давление измеряется в миллибарах (мбар), в системе СИ — в гектопаскалях (гПа).

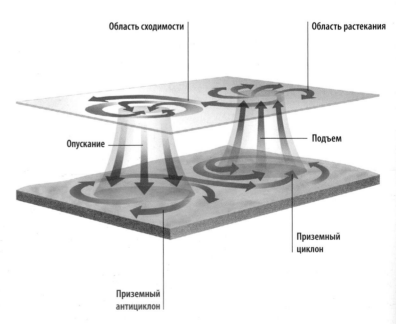

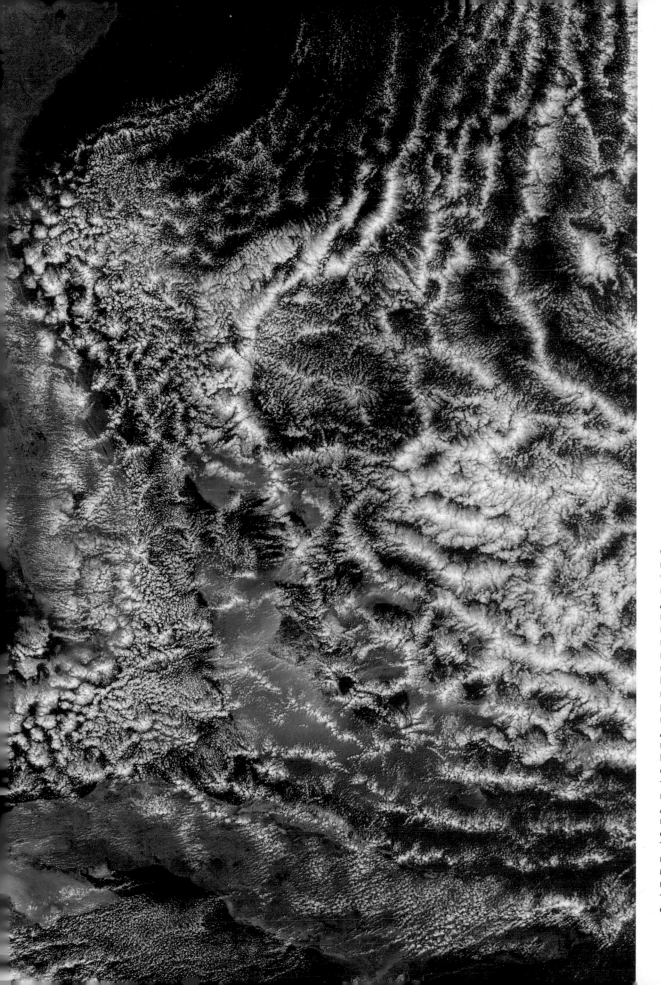

Облака над Багамами. Этот тип облаков образовался в результате движения холодного воздуха циклона над теплой поверхностью океана. Это преимущественно кучевые облака. В прогнозах погоды, наряду с температурой воздуха и влажностью, как правило, дается и атмосферное давление. Но если мы чувствуем перемены температуры и влажности, то не всегда можем заметить изменение атмосферного давления. Тем не менее резкая перемена погоды может произойти в результате относительно небольших его колебаний.

Планетарные ветры

Неравномерное нагревание Земли приводит к образованию разных моделей движения воздуха, а следовательно, и к разнообразию погодных условий. В результате интенсивного нагревания тропических областей в течение всего года образуются мощные восходящие потоки. Теплый воздух поднимается, создавая вокруг экватора пояс пониженного давления. Достигая тропосферы, воздух постепенно охлаждается и опускается вниз к поверхности Земли в районе 30-й параллели северной и южной широты. Находившийся здесь воздух выталкивается в сторону пониженного давления на экваторе. Так формируется ветер, который называется пассатом. Зона вблизи экватора, где ветры затихают, получила название экваториальной зоны затишья. Циркуляция, при которой воздух начинает подниматься в тропиках, опускается у 30-й параллели, а затем возвращается назад к экватору, называется ячейкой Гадлея. Циркуляция воздуха, возникающая между 30-й и 60-й параллелями и направленная в сторону полюсов, называется ячейкой Феррела.

Высокое давление, голубое небо. Приятная, спокойная погода, характерная для тропических островов, часто связана с антициклонами — воздух опускается, подавляя процессы образования облаков.

Полярная ячейка.
Холодный воздух на полюсах опускается и движется по направлению к экватору, затем при встрече с воздушными массами из ячейки Феррела поднимается вверх

Струйное течение.
Сильные высокоширотные западные ветры

Ячейка Гадлея. Теплый воздух поднимается от экватора и растекается в сторону полюсов, затем на широте 30° к северу и югу опускается к поверхности. Это явление названо в честь английского ученого Джорджа Гадлея, описавшего его в 1753 г.

Экваториальная зона затишья.
Безветренные области в районе экватора

Ячейка Феррела. Часть воздушной массы из ячейки Гадлея продолжает движение к полюсам и поднимается вверх приблизительно на широте 60°. Это явление названо именем Уильяма Феррела, впервые описавшего его в 1856 г.

Западный перенос.
Теплые, влажные ветры, дующие с запада

Направление вращения

Полярные восточные ветры. Холодные восточные ветры, дующие от полюсов до 60-х широт

Северо-восточные пассаты. Эти ветры дуют в сторону экватора

ВЕТЕР-РАЗРУШИТЕЛЬ

Тропические циклоны, набравшись силы у теплого океана, превращаются в ураганы разрушительной силы с проливными дождями. Они несут опустошение и разорение. Происхождение и развитие планетарных ветров обусловлено взаимодействием Солнца с атмосферой Земли.

ЭФФЕКТ КОРИОЛИСА

Понять эффект Кориолиса можно, представив, что кто-то, сидя в центре вращающегося круга (точка А на схеме внизу), бросает мяч сидящему на краю (точка Б). К тому моменту, как мяч попадет в точку Б, сидящий на краю переместится в положение В. Сидящему в центре покажется, что мяч изменил свое направление, отклонившись в сторону. Точно так же нам на вращающейся планете кажется, что свободно перемещающиеся объекты движутся по криволинейной траектории. В результате, как показано на схеме внизу справа, движущиеся объекты, включая атмосферу, отклоняются вправо в Северном полушарии и влево в Южном.

ВРАЩАЮЩАЯСЯ ПЛАНЕТА

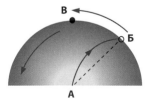

В
Б
А

ВРАЩАЮЩИЕСЯ ВЕТРЫ

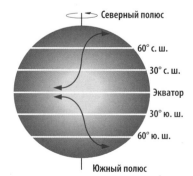

Северный полюс
60° с. ш.
30° с. ш.
Экватор
30° ю. ш.
60° ю. ш.
Южный полюс

Струйные течения

Потоки воздуха в верхних слоях атмосферы состоят из огромных вихрей, которые перераспределяют тепло от экватора к полюсам. Вихри, как правило, достаточно устойчивы, но иногда распадаются и видоизменяются. Это главным образом влияет на смену времен года на земном шаре. Повторяющиеся засухи и наводнения связаны с поведением некоторых из них. Быстродвижущиеся потоки воздуха, называемые струйными течениями, мчатся высоко в небе, порой развивая скорость до 400 км/ч. Существование такого явления было предсказано в начале XX в., но подтверждено на практике во время Второй мировой войны. Мониторинг струйных течений имеет возрастающее значение в предсказании погоды.

НЕВИДИМОЕ, НО ВЛИЯТЕЛЬНОЕ

Струйные течения — это преимущественно западные ветры, которые образуются в результате резких колебаний давления и температуры в верхних слоях атмосферы. Зимой, когда контраст температур выражен более ярко, эти течения расположены ближе к экватору. Летом они ослабевают и смещаются к полюсам. Поскольку скорость струйных течений очень велика, их толщина относительно мала — всего около километра, хотя в длину они могут достигать тысяч, а в ширину сотен километров. На существование струйного течения указывают длинные полосы облаков. Такие облака формируются, когда воздух, поднимаясь, вращается вокруг потока. Информация о расположении и силе струйных течений важна для авиации; пилоты могут сократить время полета, «оседлав» струю воздуха.

▼ **Струйное течение, вид сверху.** В 1991 г. американский космический корабль «Атлантис» сфотографировал эту вытянутую вдоль струйного течения полосу облаков в небе над Красным морем. Внизу слева река Нил.

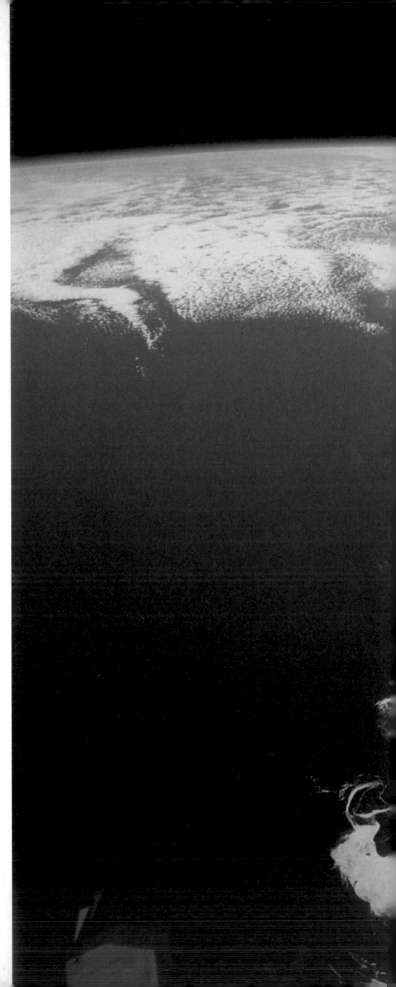

**Морские провинции
Канады.** Струйное
течение Северного
полушария, ставшее
видимым благода-
ря облакам верхне-
го яруса, движется
над канадским остро-
вом Кейп-Бретон.
В каждом полушарии
два струйных течения
пронизывают тропо-
сферу. Так как их поло-
жение постоянно
меняется, они всту-
пают во взаимодей-
ствие с крайними
точками воздушных
потоков, циркулирую-
щих в ячейках Гадлея
и Феррела (субтро-
пическое струйное
течение) и в ячейках
Феррела и полярном
звене (струйное тече-
ние полярного фрон-
та). Субтропическое
струйное течение
более мощное и рас-
положено выше, при-
близительно в 12 км
от Земли. Струйное
течение полярного
фронта располагается
на высоте 5—8 км.
Информация о рас-
положении и мощ-
ности этих потоков
важна для пилотов:
при попутном струй-
ном течении само-
лет экономит время
и горючее.

Ветры морей

Господствующие системы ветров на планете в течение веков играли заметную роль в развитии мореплавания и торговли. Капитаны парусников знали, что попутный ветер можно поймать в зоне пассатов («торговых ветров»). С другой стороны, штили внушали ужас, потому что корабли надолго оставались неподвижными и команда, члены которой в большинстве случаев были набраны в странах Европы, плохо переносила условия влажного тропического климата. До появления службы прогнозов погоды много кораблей погибло в неожиданных штормах. Частые резкие западные ветры «ревущих сороковых» особенно опасны. Моря около обоих полюсов также имеют плохую репутацию из-за плохой погоды. Глобальная циркуляция атмосферы является необходимым механизмом формирования погоды. Из областей с душными штилями теплые массы экваториального воздуха движутся в сторону полюсов, на край света, поднимаясь выше грозовых облаков. Иногда это нежный бриз; в других случаях разыгрывается ураган. Мореплавателям никогда нельзя недооценивать силу ветра.

▲ **«Нантукет» справится.** На картине Эдвина Уолтера Дикинсона изображен пароход «Нантукет», попавший в шторм. Даже суда с мощными современными двигателями могут оказаться во власти ненастной погоды. Несмотря на техническое совершенствование морских судов и применение различных правил безопасности мореплавания, количество катастроф на море остается значительным.

«РЕВУЩИЕ» ЮЖНЫЕ ШИРОТЫ

Между 40° и 60° ю. ш. господствуют западные ветры, часто достигающие штормовой силы. В этих широтах нет материков, способных ослабить мощные воздушные потоки, огибающие планету, в результате чего образуются огромные океанические волны, которые постоянно движутся с запада на восток. Расстояние между гребнями может достигать 1,2 км, а высота волны 21 м. Если эти волны не разбиваются на отдельные холмы, корабли спокойно проходят их.

▼ **Навстречу волне.** Ледокол «Капитан Хлебников» в бушующем море около острова Южная Джорджия в Атлантике. Штормовой ветер и бурное море — обычное явление в этих широтах, особенно зимой.

▼ **Откуда ветер дует.** Слабые экваториальные ветры окружены с севера и юга пассатами. Эта зона ветров сдвигается к северу и югу со сменой времен года, запуская механизм образования муссонов.

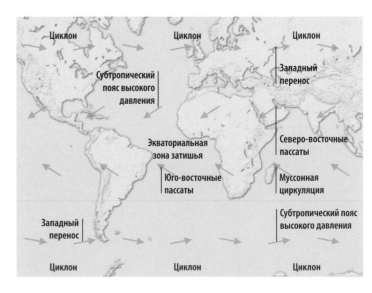

ШТИЛЬ

Если и существует что-то, чего команда парусника боится так же, как и шторма, так это штиль, когда корабль не может сдвинуться с места. Подобные условия часто наблюдаются в районе тропиков. В своем знаменитом «Сказании о старом мореходе» Сэмуэль Колридж так описывает штиль:

Стих ветр,
И парус наш повис,
И горе к нам идет,
Лишь голос наш
Звучит в тиши
Тех молчаливых вод.
   (Перевод Н. Гумилева)

Длительный штиль влечет за собой серьезные проблемы, связанные с запасами воды и провианта. Еще страшнее падение морального духа команды.

Ни дуновения. Эта яхта медленно дрейфует в безветрии. Ситуация, знакомая судам, попадающим в экваториальную зону затишья.

Фронтальные системы

Мониторинг погоды и ее прогнозирование в средних широтах связаны с движением фронтальных систем. Существует три типа фронтов — теплый, холодный и фронт окклюзии. Теплый фронт перемещается в сторону холодного воздуха и на синоптических картах обозначается линией с закрашенными полукружьями (фестонами). Холодный указывает на приближение холодной массы воздуха и на картах обозначается линией с закрашенными треугольными шипами. При смыкании теплого и холодного фронтов образуется фронт окклюзии. Теплый воздух теряет связь с земной поверхностью. Этот фронт обозначается линией с чередующимися фестонами и шипами. Чем активнее воздушные массы фронтальных зон, тем резче изменения погоды. В тропиках фронты редки, так как различия в температуре воздушных масс здесь минимальны.

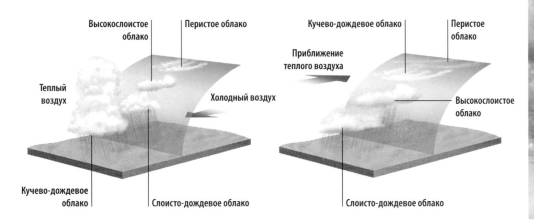

ХОЛОДНЫЙ ФРОНТ

Высокослоистое облако · Перистое облако

Теплый воздух

Холодный воздух

Кучево-дождевое облако · Слоисто-дождевое облако

ТЕПЛЫЙ ФРОНТ

Кучево-дождевое облако · Перистое облако

Приближение теплого воздуха

Высокослоистое облако

Слоисто-дождевое облако

ХОЛОДНЫЙ И ТЕПЛЫЙ ФРОНТЫ

В холодном фронте (левый рисунок) плотный холодный воздух проникает под теплую воздушную массу и выталкивает ее вверх. Этот процесс может сопровождаться ливнями и грозами. За линией фронта ливни уменьшаются. В теплом фронте (правый рисунок) теплый воздух натекает на холодную воздушную массу и спокойно поднимается по ней вверх. Образуются более плотные и низкие облака.

▲ **Разгадка в облаках.** Образование «башенок» (вертикальное развитие) у этих кучевых облаков указывает на то, что атмосфера становится более неустойчивой. Дальнейшее развитие облаков может привести к образованию мощной кучево-дождевой облачности.

◄ **Шквал приближается.** Внезапное появление низкой плотной облачности указывает на то, что, возможно, скоро наступит резкая смена ветра. Прохождение таких шквалов обычно сопровождается резким падением атмосферного давления и температуры. При этом весьма вероятны грозы с сильным, порывистым ветром.

ФРОНТ ОККЛЮЗИИ

Такой фронт может существовать до 48 часов. В его формировании принимают участие три воздушные массы. Холодный фронт, перемещаясь быстрее теплого, догоняет его. Теплый воздух, оказавшийся в пространстве между двумя фронтами, вытесняется вверх, а холодные воздушные массы двух фронтов соединяются. Теплая воздушная масса отрывается от земной поверхности и больше не оказывает влияния на погоду. Возможен небольшой дождь по линии фронта, который теперь называется фронтом окклюзии (от лат. *occlusio* — запирание, скрывание). Эта последовательность событий более типична для Северного полушария, чем для Южного, потому что на юге хорошо развитые теплые фронты редки.

ФРОНТ ОККЛЮЗИИ

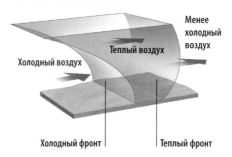

Менее холодный воздух

Теплый воздух

Холодный воздух

Холодный фронт   Теплый фронт

Менее холодный воздух

Теплый воздух

Холодный воздух

Фронт окклюзии

▶ **Быстрая смена.** Это космический снимок шкваловой линии, или линии гроз, над Атлантическим океаном к юго-востоку от Бермуд. Видно, как быстро может измениться погода с ясной на ненастную.

Циклоны и антициклоны

Области высокого давления, опоясывающие земной шар в средних широтах, играют важную роль в формировании погоды. Когда приходит антициклон, устанавливается спокойная погода с небольшим ветром. Если в приземном слое много влаги, то возможны туман или низкая облачность, но с уменьшением влажности небо проясняется и появляется солнце. В области высокого давления периодически врывается холодный полярный воздух, который приносит с собой холодную, сырую и ветреную погоду. Вторжение тропического воздуха в летние месяцы сопровождается чередой гроз. В некоторых районах переход от хорошей погоды к ненастью может произойти очень быстро. На смену погоды влияет близость горных хребтов. Горы заставляют воздушные массы подниматься вверх. Образуются облака, и на наветренной стороне выпадают осадки.

ЦИКЛОН

Циклон образуется при взаимодействии двух воздушных масс с разной температурой. На рисунке справа холодная воздушная масса встречается с теплой (1). Постепенно теплый воздух поднимается над холодным, и создается область низкого давления, в сторону которой движется холодный фронт. В поднимающемся теплом воздухе образуются облака, и идет дождь, а фронт начинает закручиваться (2). Со временем более быстро движущийся холодный фронт догоняет теплый. С падением давления увеличивается количество осадков (3). Когда холодный фронт настигает теплый, образуется фронт окклюзии. Результат — ветреная, неустойчивая погода (4). Когда фронт окклюзии полностью сформирован, поступление теплого воздуха прекращается, ветер и дождь утихают. Если две воздушные массы видоизменяются, все повторяется снова (5). Этот процесс называется циклогенезом.

На возникновение и разрушение циклонов и антициклонов влияет комплекс причин. Среди них и нагрев атмосферы Солнцем, и вращение Земли, и взаимодействие атмосферы с поверхностью земли и океанами. Циклоны и антициклоны играют важную роль в формировании погоды, поэтому точный прогноз не может обойтись без их изучения. Циклоническая деятельность способствует междуширотному обмену воздуха и является важнейшим фактором общей циркуляции атмосферы.

▶ **Барические системы.** В циклонах воздух поднимается вверх, образуются облака, и устанавливается дождливая погода. В антициклонах плотный воздух опускается вниз, и устанавливается хорошая погода. Хотя общее представление о том, как работают циклон и антициклон, появилось еще в XVII в., лишь относительно недавно удалось до конца разгадать их сложный механизм.

◀ **Пойманное мгновение.** На космическом снимке запечатлена фронтальная спираль облаков мощного циклона над Северной Атлантикой, а над Европой относительно чистое небо и антициклон.

◀◀ **Водоворот облаков.** На этом снимке из космоса хорошо видно изящное кружение спирали облаков мощного циклона, расположенного высоко над Тихим океаном.

Холодный воздух | Теплый воздух

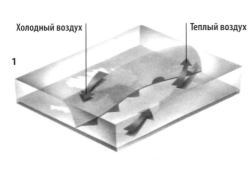

1

2

3

4

5

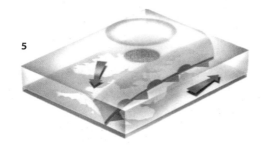

Нагревание и охлаждение

Значительное влияние на формирование погоды оказывают суточные нагревания и охлаждения Земли. Когда поверхность нагревается, воздух над ней становится более подвижным. Из нижних слоев атмосферы сюда начинают дуть ветры, иногда достаточно сильные.

Морские бризы — частое явление на побережьях. Ночью поверхность Земли быстро остывает, особенно если небо безоблачное. Возникает разница температур над морем и сушей. Над водой воздух поднимается вверх, и ветер дует с суши на море. С восходом солнца картина меняется на противоположную. Над сушей образуется пониженное давление, и ветер дует с моря на сушу.

КРУГЛОСУТОЧНЫЙ ТАНЕЦ ВЕТРА

В горах обычны ветры, дующие вверх по склону (восходящие) и вниз по склону (нисходящие). Солнце нагревает горы быстрее, чем долины. Над вершинами гор образуются термики (восходящие токи воздуха). Воздух из долин течет вверх по склону, чтобы занять место поднявшегося воздуха в термиках. Ночью воздух движется вниз по склону.

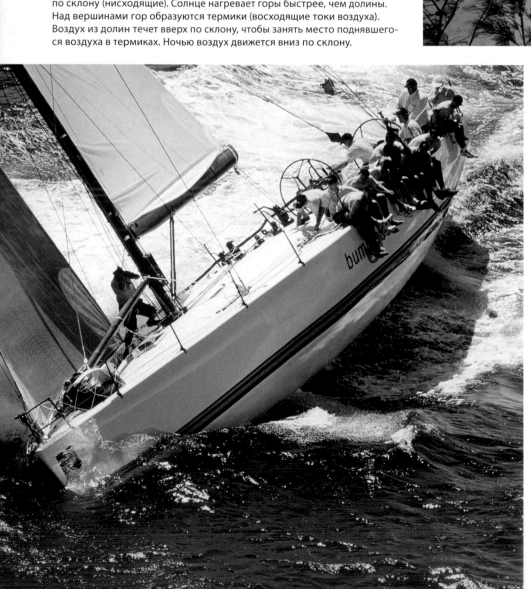

▲ **В полете.** Альбатрос парит над прибрежной полосой атолла Мидуэй в Тихом океане. Восходящие токи воздуха помогают морским птицам в их дальних перелетах.

◄ **Поймать ветер.** Для яхт, принимающих участие в кругосветных гонках, огромное значение имеют планетарные ветры. Некоторые команды пользуются консультацией метеорологов для того, чтобы проложить курс.

▼ **Ночное охлаждение.** Снимок облаков, образовавшихся в ночное время, сделан с орбитального спутника над Аляской, США. Ряды облаков спускаются вниз по склонам гор вслед за нисходящими потоками воздуха.

БЕРЕГОВОЙ И МОРСКОЙ БРИЗЫ

На берегах морей и крупных водоемов обычно возникают бризы, то есть днем и ночью ветер меняет направление. Суша нагревается быстрее, чем море, над ней образуется область пониженного давления, и воздух поднимается вверх. Более холодный воздух устремляется с моря на сушу, замещая поднимающийся теплый. Так возникает морской бриз. Обычно морские бризы набирают силу после полудня. Ночью суша остывает быстрее, чем море, и воздух над ее поверхностью становится холоднее, чем над морем. В результате он устремляется в сторону моря. Это береговой бриз.

▲ **Оседлав бриз.** Занимающиеся виндсерфингом наслаждаются крепким морским бризом около г. Нумеа в Новой Каледонии. За ними видны «паруса» Культурного центра имени Жана Марии Тжибау, спроектированного Ренцо Пьяно и названного в честь бывшего вождя местных племен канаков (новокаледонцев).

ПОСЛЕ ПОЛУДНЯ

Редкие облака в открытом море

Холодный воздух над морем

Теплый воздух над сушей

Сильный морской бриз

НОЧЬЮ

Облака

Воздух над морем остывает медленно

Воздух над сушей остывает быстро

Слабый береговой бриз

Муссон

Муссон (название произошло от арабского «маусим» — «сезон») — ветер, господствующий во многих тропических районах, как правило несущий с собой дожди и меняющий направление два раза в год (от зимы к лету и от лета к зиме). Направление ветра меняется раз в полгода с северо-восточного на юго-западное. Свое название ветер получил от мореплавателей, которые путешествовали в Аравийском море, теперь же так называют два основных сезона в тропиках.

Муссоны распространены в Азии, Африке и Австралии, но наиболее ярко муссонные ветры и ливни выражены на юге и юго-востоке Азии. На побережье Индии юго-западный муссон приносит до 75 % годовой нормы осадков. В районе населенного пункта Черапунджи, который считается самым дождливым местом на Земле, в декабре выпадает только 13 мм осадков, тогда как их основная масса, до 2695 мм, выливается в июне, в разгар муссона. А общее среднегодовое количество осадков здесь превышает 12 700 мм. Половина населения планеты зависит от муссонных дождей, ведь для жителей Индии, Бангладеш и Пакистана это жизненно важный источник пресной воды. В России муссоны распространены на Дальнем Востоке, где сухой зимний муссон выносит резко охлажденный воздух Сибири на побережье Тихого океана, а влажный летний муссон приносит туда же обильные осадки.

ЗИМНИЙ МУССОН

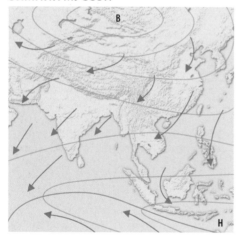

ЛЕТНИЙ МУССОН

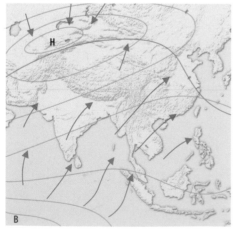

РОЖДЕНИЕ МУССОНА

Муссоны юга и юго-востока Азии являются частью общей циркуляции атмосферы. Зимой в Северном полушарии активизируется Сибирский антициклон. На огромной территории устанавливаются довольно постоянные северо-восточные ветры, дующие в сторону экватора. Они остаются сухими, пока не напитаются влагой над Южно-Китайским морем. После этого они становятся северо-восточным муссоном. Летом центр низкого давления смещается от экватора в Центральную Азию, следом за ним поворачивают и юго-восточные пассаты. Пересекая экватор, они меняют свое направление и превращаются в юго-западный муссон. Эти ветры приносят в Южную Азию проливные дожди. Осадки, которые приходят с муссонами на сушу, возрождают жизнь, превращая бесплодные поля в цветущие нивы. В отдельные годы дожди задерживаются, бывают непродолжительны и не столь обильны. В этом случае урожай гибнет, и миллионам людей угрожает голод.

▶ **Сезонная опасность.** Велорикши в Бангладеш на затопленных улицах во время муссона. Эвакуация населения, прекращение деловой жизни и занятий в школе — обычное явление в разгар муссонов. Несмотря на неприятности, которые приносит с собой муссон, от него зависит жизнь миллионов людей на Аравийском полуострове, в Индии и на юго-востоке Китая, ведь только во время муссона можно запастись водой, которой хватит на весь сухой сезон.

▶ **Прогноз погоды: дожди.** Современные технологии позволяют с большой точностью прогнозировать муссонные ливни (например, этот в г. Симла в Индии). На полуострове Индостан муссонные дожди идут с июня по октябрь. Когда ветер меняет свое направление на северо-восточный, влажность уменьшается, и дожди прекращаются. Между муссонами наблюдаются переходные, сравнительно короткие периоды с переменными ветрами.

◀ **Рады муссону.** Муссоны играют заметную роль в жизни сельского населения в индийском штате Гуджарат. Здесь люди зарабатывают на жизнь деревянными поделками. Традиционная плетеная накидка обеспечивает защиту от дождя.

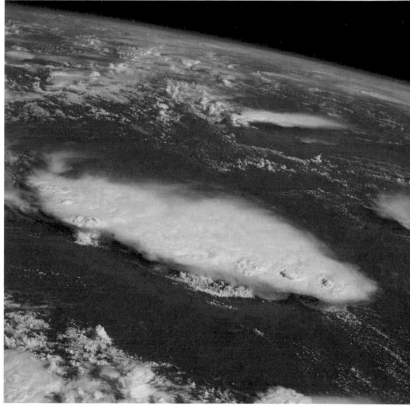

ГРОЗА СВЕРХУ

В период муссона на полуострове Индостан сильные грозы — довольно частое явление. В центре снимка видна группа хорошо развитых грозовых бурь, выше — менее активные разрушающиеся образования. Когда не было спутников и радаров, люди предсказывали приближение сезона дождей по природным признакам. В настоящее время в распоряжении метеорологов сложнейшее оборудование, при помощи которого они могут спрогнозировать приход муссона с точностью до нескольких дней.

Местные ветры

Сочетание местных условий рельефа, температуры, формы берегов и т. д. обусловливает возникновение местных ветров, характер которых может меняться от легкого дуновения до урагана. Благодаря постоянству многие из них получили специфические названия. Во Франции на побережье Средиземного моря дует мистраль. Иногда он может развивать скорость, превышающую 150 км/ч. В США и Канаде это чинук — жаркий порывистый ветер, который господствует на восточных склонах Скалистых гор. В Калифорнии есть Санта-Ана — горячий сухой ветер, типа нашего фёна в Крыму, который приносит дыхание пустыни на побережье и провоцирует многочисленные лесные пожары. В России наиболее известны новороссийская и новоземельская бора и сарма на Байкале (байкальская бора).

НАИБОЛЕЕ ИЗВЕСТНЫЕ МЕСТНЫЕ ВЕТРЫ

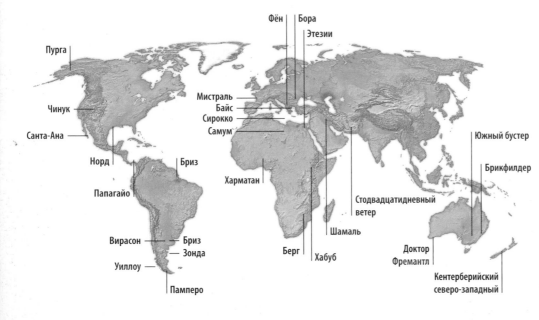

◄ **Рассвет в пустыне.** Крутые склоны гор Сьерра-Невада (Калифорния, США) создают сильное волнообразное движение воздуха. Возникает устойчивый сильный ветер, дующий в сторону горной цепи. Самолеты над этой местностью попадают в условия турбулентности.

► **Раздуваемый мистралем.** Тушение пожара, вызванного сильным мистралем во Франции. Подобные пожары опасны для жизни людей и хозяйства.

► **Долина Смерти** (Национальный парк в Калифорнии, США). Ветер образовал здесь дюны из песка. Под влиянием продолжительной жары и небольшого количества осадков (в среднем менее 5 см в год) образуется мелкий песок. Сильным ветром он переносится на огромные расстояния. Несмотря на суровые условия окружающей среды, здесь произрастает более 900 видов растений.

◄◄ **Песчаная буря Санта-Ана.** В течение нескольких часов сухой горячий ветер в Южной Калифорнии способен небольшую искру раздуть в огромный пожар.

Такие разные ветры

Местные ветры, имеющие локальное распространение, могут быть как очень горячими, так и весьма холодными. Все зависит от их происхождения и условий формирования. Если ветер зарождается в Арктике или Антарктике, то даже за тысячи километров от места своего возникновения он будет леденяще холодным. Полная противоположность — ветер пустынь, который за тысячи километров приносит пыльные бури в районы с влажным умеренным климатом. Огромный пыльный шлейф из Сахары обнаружен в Восточной Атлантике, а пыль из пустынь Центральной Азии достигает северо-западной части Тихого океана. Мощные ветры, возникающие в пустынях, поднимают тучи песка. В Сахаре за год образуется до 300 млн т пыли.

ПАМПЕРО И БОРА

Прохождение над Аргентиной мощных фронтальных систем периодически приводит к образованию памперо — очень холодного юго-западного ветра, который дует на равнинах Пампы. Расположение горных хребтов Анд способствует проникновению холодного антарктического воздуха на север Аргентины. Сильные грозы с ливнями иногда предвещают появление памперо. Наиболее суровая форма этого ветра — памперо сусьо (грязный памперо) — приносит пыльную бурю. На Адриатическом побережье в Европе есть свой холодный ветер, известный как бора. Он образуется при вторжении масс холодного воздуха, которые формируются над Россией и, переваливая через хребты гор, не успевают нагреться и обрушиваются в сторону моря.

ЮЖНЫЕ БУРИ

Сильные ветры характерны для антарктического климата. Холодная внутриматериковая воздушная масса под действием силы тяжести скатывается с ледового щита к побережью. Снежные бури с порывами ветра, достигающего скорости 160 км/ч, сильно ограничивают видимость. Штормы в низких южных широтах, где формируются мощные циклоны, долгое время были проклятием мореходов. Да и сейчас даже суда, оснащенные современной техникой, здесь достаточно уязвимы.

▲ **Пыль пустыни.** Когда над пустыней Сахара проносятся бури, пыль поднимается высоко в воздух и уносится в сторону моря. Мельчайшие частички в конце концов оседают в океане, поставляя питательные вещества морским организмам.

◄ **Уцелевшие на полюсе.** Чрезвычайно холодный ветер, дующий из внутренних районов Антарктиды, поднимает такие снежные бури, что не видно ни зги. Только самые выносливые животные, например императорские пингвины, могут выжить в подобных условиях. Это одна из самых суровых форм катабатического (нисходящего, скатывающегося вниз) ветра.

▶ **Около Тимбукту.** Деревушку в окрестностях Тимбукту (Мали) накрыла сильная песчаная буря, вызванная ветром харматан. Эти обжигающие ветры — континентальный вариант пассатов, которые опоясывают земной шар. Они преобладают в Сахаре и с декабря по февраль приносят исключительно сухой и теплый воздух в Северную и Западную Африку, в результате чего уменьшается высокая влажность и наступает кратковременный период относительной прохлады. Поднимаемая харматаном пыль может достичь даже берегов Южной Америки.

▶ **Снежная буря в Антарктике.** Крутые склоны по краям южного континента способствуют возникновению холодных катабатических ветров, дующих в сторону более теплой водной поверхности океана. Как правило, они сопровождаются снежными бурями и особенно часты на северо-востоке Антарктиды. Длинные, суровые и темные зимы в сочетании с этими ураганной силы ветрами делают опасным любое путешествие.

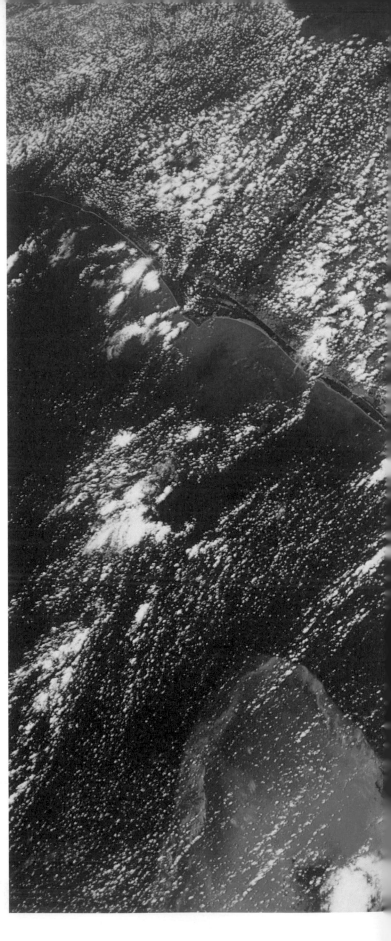

Океанические течения

Течения Мирового океана оказывают огромное влияние на погоду прибрежных территорий. Воздух над холодными течениями содержит мало влаги, что способствует образованию пустынь на западных побережьях материков в умеренных широтах. Разница в температуре над холодной поверхностью океана и более теплой сушей создает условия для образования бризов. Теплые течения снабжают обильной влагой ветры, дующие над ними, которые затем приносят дожди и грозы на восточные побережья.

ВЕЧНОЕ ДВИЖЕНИЕ: ТЕЧЕНИЯ МИРОВОГО ОКЕАНА

Крупные течения Мирового океана очень сильно влияют на погоду и климат районов, около которых они проходят. Теплые течения, такие как Гольфстрим и Калифорнийское, сохраняют тепло даже в приполярных районах и являются мощным источником влаги. Холодные течения, например Перуанское и Бенгальское, снижают выпадение осадков на близлежащей суше.

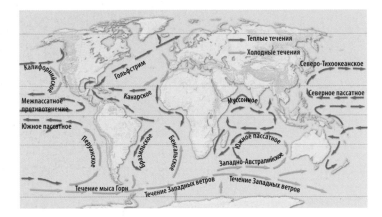

▼ **Океан встречается с пустыней.** Атлантический океан встречается с пустыней Намиб у западного побережья Африки. Температуры вдоль берега здесь умеренные до прохладных благодаря подъему на поверхность холодных глубинных вод Бенгальского течения. Высокая влажность приводит к тому, что в этом регионе до 250 дней в году бывает туман. В этих уникальных условиях живут обитатели пустыни и холодноводные животные, такие как тюлени.

◄ **Гольфстрим у Флориды.** Это течение — одно из самых мощных в Северном полушарии. Каждую секунду оно переносит около 135 млрд л воды.

▶ **Оседлав течение.** Некоторые морские черепахи преодолевают огромные расстояния (до 4500 км) от мест гнездования до мест кормления. Как они ориентируются, до конца не ясно, по всей видимости, они используют океанические течения и магнитное поле Земли в качестве компаса и карты. Опыты показали, что черепахи не только умеют определять свое местонахождение, руководствуясь магнитным полем, но и каким-то образом знают координаты того района земного шара, куда они должны добраться во время своих странствий.

▶ **Пустыня Атакама.** Очень холодные воды Перуанского течения у побережья Чили создают экстремально сухой климат в пустыне Атакама, самом засушливом месте на Земле. Над этим холодным течением часто образуются туман и низкие слоистые облака, которые не несут дождя. Метеорологические записи показывают, что в городах на побережье — Икике и Антофагаста — сильный дождь бывает два—четыре раза в столетие.

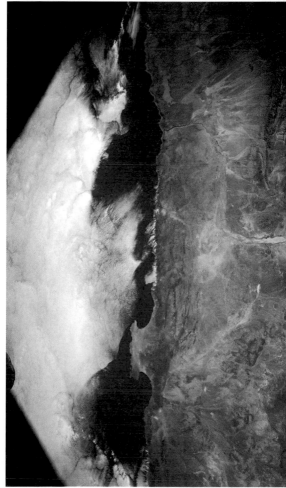

Погода в действии

Красота облаков, идеальное полукружие радуги, животворная сила дождя и мощные порывы снежной бури зимой — все это погодные явления. И каждое из них своим происхождением обязано атмосферной воде.

Что такое вода

Вода — самое распространенное и самое необыкновенное вещество на нашей планете. Молекула воды состоит из двух атомов водорода и одного атома кислорода. Она обладает уникальными химическими и физическими свойствами, которые играют чрезвычайно важную роль в поддержании жизни на Земле. Взаимодействия между атомами водорода и кислорода заряжают молекулы воды, и между ними образуются так называемые водородные связи, при помощи которых вода может существовать в трех состояниях — твердом, жидком и газообразном. Переход из одного состояния в другое зависит от температуры и давления воздуха.

ПОРТРЕТ МОЛЕКУЛЫ

Молекула воды состоит из двух атомов водорода и одного атома кислорода. Атомы водорода имеют положительный электрический заряд, а атом кислорода — отрицательный. В силу этого возникает взаимное притяжение атомов, которое называется водородной связью.

ГИБКИЙ ЭЛЕМЕНТ

Земля — единственная планета в Солнечной системе, где вода может существовать в трех состояниях. С повышением температуры молекулы воды начинают двигаться быстрее. В череде последовательных преобразований этот универсальный элемент природы проходит три стадии: лед превращается в воду, а вода в пар. В процессе превращений вода переносит с собой химические элементы из почвы в растения, с суши в океаны, из атмосферы на землю.

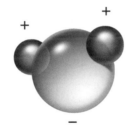

Твердая. Когда связи между молекулами воды настолько сильны, что они формируют твердую кристаллическую решетку, образуется лед. Молекулы удерживаются вместе в форме хорошо знакомого шестиугольного кристалла. Лед при нормальном давлении существует только при температуре 0 °C и ниже и обладает меньшей плотностью, чем вода.

Жидкая. При нормальных температурах связи между молекулами ослабевают, и они начинают двигаться быстрее. Вода становится жидкостью, наиболее характерной особенностью которой является текучесть.

Газообразная. При высоких температурах молекулы воды начинают быстро перемещаться, большинство водородных связей рвутся, и вода превращается в пар. Вопреки общепринятому мнению, он невидим. Тот «пар», который вырывается из кипящего чайника, — это на самом деле множество мельчайших капелек воды.

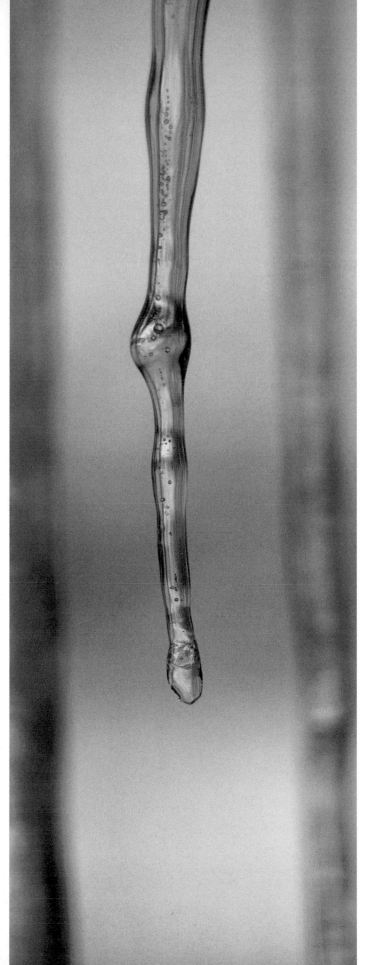

◄◄ **Летающие водохранилища**. Испаряясь с поверхности Земли, вода конденсируется в атмосфере, то есть переходит из парообразного состояния в жидкое или кристаллическое. Так образуются облака. Они состоят из скопления мельчайших капелек воды или кристалликов льда и движутся в атмосфере на разной высоте. Эти слоисто-кучевые облака не прольются дождем.

◄ **Из жидкого в твердое.** Капельки воды, образующиеся при таянии снега или льда, снова превращаются в лед в виде сосульки, когда температура воздуха опускается ниже 0 °C. Сосулька постепенно становится толще и длиннее, главным образом длиннее, так как вода продолжает стекать вниз по ее поверхности и замерзает на кончике.

▼ **Кипение.** При кипении воды пузырьки воздуха стремительно поднимаются наверх. Температура, при которой оно начинается, зависит от атмосферного давления. На высоте вода закипает при более низких температурах.

◄◄ **Кап, кап, кап...** Капля воды имеет шаровидную форму, потому что молекулы на ее поверхности держатся друг за друга крепче, чем молекулы под ними. Возникает так называемое поверхностное натяжение. Оно и помогает капле принять форму шара.

Круговорот воды в природе

Землю часто называют Голубой планетой именно вследствие значительных запасов воды, находящейся здесь в твердом, жидком и газообразном состоянии. Постоянно перемещаясь, вода последовательно переходит из одного состояния в другое. Этот нескончаемый ряд превращений называется круговоротом воды в природе. Наибольший объем ее, около 90 % всех запасов на Земле, сосредоточен в гидросфере. В нее входят океаны, моря и другие крупные водные объекты, такие как озера и реки. Второе место по запасам воды занимает криосфера. Это шапки полярных льдов, ледники и постоянный снежный покров. Воду также можно обнаружить в литосфере, то есть в верхних слоях земной коры. Небольшое количество ее присутствует в атмосфере в виде облаков, состоящих из водяного пара, мельчайших капелек или кристалликов льда.

Бесконечный процесс круговорота воды приводится в действие Солнцем. Этот глобальный процесс осуществляется в замкнутом цикле, поэтому общее количество воды на планете относительно постоянно. Вода соединяет друг с другом различные компоненты природы, превращая их в единую географическую систему.

ЗНАЧЕНИЕ ОКЕАНОВ

Океаны занимают 71 % поверхности Земли и содержат 97 % всей воды. Они оказывают решающее влияние на формирование погоды. Нагреваясь и охлаждаясь медленнее, чем суша, они смягчают колебания температуры. Океанические течения и вертикальное перемешивание воды распределяют тепло в ее толще. Кроме того, океан, словно огромный морской конвейер, опоясывающий всю планету, бесконечно перемещает вокруг Земли теплые и холодные течения.

▼ **Пленное море.** Кара-Богаз-Гол — залив-лагуна Каспийского моря (вид из космоса). В 1980 г. пролив, соединявший эти водоемы, был перекрыт дамбой, в результате чего залив обмелел, а соленость воды здесь резко увеличилась. Через 4 года, чтобы исправить положение, пришлось построить водопропускное сооружение.

▶ **Реки льда.** Снег, выпадающий на ледники, со временем уплотняется, превращается в лед и под силой собственной тяжести сползает в океан, где тает или плавает на поверхности в виде льдин. Около 77 % запасов пресной воды на Земле содержится в ледниках. Сход льда в океан — одно из звеньев общего круговорота воды.

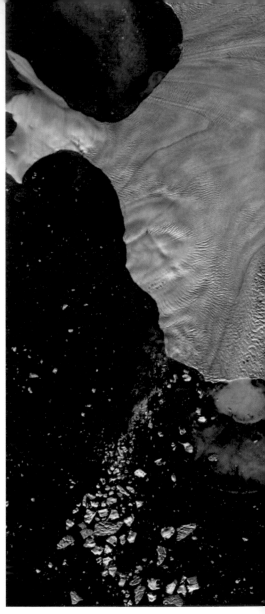

МОРСКАЯ И ПРЕСНАЯ ВОДА

Вода, вода повсюду, но жажду утолить почти невозможно. Только незначительная часть воды на Земле пригодна к употреблению в качестве питьевой. Большая ее часть сосредоточена в ледниках. Это прекрасно иллюстрирует рисунок внизу.

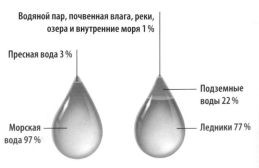

Водяной пар, почвенная влага, реки, озера и внутренние моря 1 %

Пресная вода 3 %

Подземные воды 22 %

Морская вода 97 %

Ледники 77 %

КРУГОВОРОТ ВОДЫ

Из океанов, озер и рек вода испаряется
в атмосферу. Там она превращается в облака,
переносится воздушными течениями и снова возвращается на земную поверхность
в виде дождя или снега. Океаны испаряют большее количество воды, чем получают
обратно в виде осадков, зато на сушу выпадает больше осадков, чем испаряется с нее.
Этот бесконечный процесс сохраняет равновесие: излишки воды, попадающие на сушу,
возвращаются в океан по рекам или, про-
сочившись в земную кору, попадают туда,
совершив длительное подземное путешествие. Затем снова происходит испарение,
выпадают осадки. Так совершается постоянный круговорот воды. Сбалансированность
этого процесса — необходимое условие здоровья планеты Земля. Вода на Земле играет
ту же роль, что и кровь в организме человека, и не случайно структура речной сети
очень похожа на структуру кровеносной
системы человека.

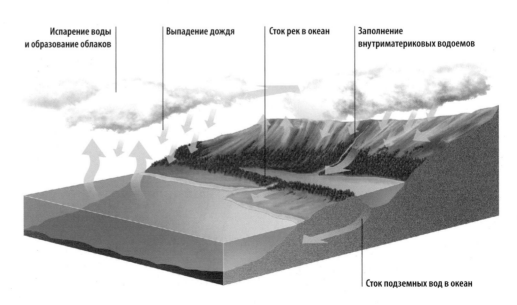

Испарение воды
и образование облаков

Выпадение дождя

Сток рек в океан

Заполнение
внутриматериковых водоемов

Сток подземных вод в океан

Влажность

Влажность — это количество водяного пара в атмосфере. Она зависит от температуры воздуха и сильно меняется от места к месту, например, от едва заметных величин в полярных широтах до почти 4 % объема воздуха в тропиках. Когда температура воздуха повышается, испаряется больше молекул воды, при этом некоторые из газообразного состояния снова переходят в жидкое. Этот процесс называется конденсацией. При достижении равновесия между испарением и конденсацией происходит полное насыщение воздуха водяными парами. Воздух не может вместить большее количество паров воды — он достиг точки насыщения.

▶ **В джунглях.** Очень влажный воздух этих тропических лесов поднялся вверх, в горах он охладился, образовав легкие, похожие на дымку облака. В таких регионах сложились идеальные условия для жизни растений и животных.

▼ **Рассвет в Амазонии.** Бассейн Амазонки расположен во влажном тропическом климате — здесь выпадает огромное количество осадков и отсутствует сухой сезон.

Утренний туман. Когда ночной воздух охлаждается и насыщается парами воды, может образоваться туман или легкая дымка, которые рассеются, когда солнце достаточно нагреет воздух.

ИЗМЕРЕНИЕ ВЛАЖНОСТИ

Воздух считается насыщенным, то есть содержит максимальное количество водяных паров, когда наступает динамическое равновесие между степенью насыщения и конденсации. Температура воздуха, при которой наступает полное насыщение, называется точкой росы. На этом графике показано, что если в 1 м³ воздуха содержится 10,7 см³ пара, то точка росы наступит при температуре 11,4 °C.

Безобидный вихрь. Необычное облако в виде воронки — это пример того, что иногда конденсация может происходить и в такой форме. Не все вихри становятся разрушительными смерчами.

ВЛАЖНОСТЬ, СТАВШАЯ ВИДИМОЙ

Специальный датчик на борту орбитального спутника определяет влажность земной поверхности. Темно-синим цветом показаны регионы с максимальным содержанием водяных паров в атмосфере, а светлым — с минимальным.

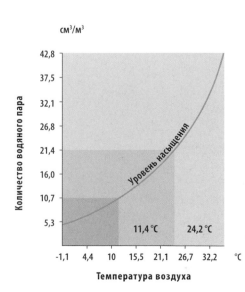

Роса и иней

Роса или иней появляются на листьях деревьев, на траве, на ветровом стекле автомобиля в результате охлаждения приземного слоя воздуха до температуры насыщения водяными парами. Обычно это происходит ночью. Роса выпадает при положительной температуре точки росы (а это температура, при которой начинается конденсация влаги), то есть выше 0 °С, а иней при температуре ниже 0 °С. Иней обычно белый и пушистый. Более плотный ледяной налет — гололед — появляется при выпадении переохлажденных капелек дождя или тумана на охлажденную ниже 0 °С поверхность.

◄ **Холодная ночь, утреннее очарование.** Маленькие капельки росы увеличиваются, сливаясь со вновь появляющимися капельками, стекающими вниз по стебельку. Транспирация (испарение воды растением) является дополнительным источником влаги для образования росы, так как происходит этот процесс как раз у поверхности земли. Условия, необходимые для образования росы, сходны с теми, что необходимы для формирования тумана. Часто эти явления сопровождают друг друга.

◄ **Жемчужная роса.** Капельки росы осели на паутине как раз в тот момент, когда температура понизилась, и влага, содержащаяся в воздухе, начала конденсироваться. Сферическая форма капель — наглядный пример действия сил поверхностного натяжения. В Англии роса в равнинной местности может за ночь дать до 0,1—0,3 мм, а за год — 10—30 мм осадков. В Претории (Южная Африка) роса дает свыше 40 мм осадков в год. В России — лишь доли миллиметра за лето.

▲ **Ледяное чудо мороза.** Когда переохлажденные капельки тумана или низких облаков замерзают на ветвях деревьев и на других растениях, мы наблюдаем восхитительный зимний пейзаж.

НОЧНОЕ ПРЕВРАЩЕНИЕ

Условия образования росы и инея могут быть совершенно одинаковыми. Для этого необходима ясная безветренная ночь и достаточное количество влаги в атмосфере.

Роса образуется, когда температура окружающего воздуха выше 0 °С. Если температура воздуха падает ниже, то водяные пары в атмосфере быстро превращаются в кристаллики льда. Они постепенно увеличиваются, принимают причудливые формы и становятся похожи на ювелирные украшения, которые обрамляют листья и травинки.

Выпадение росы характерно для более прохладного климата, однако это явление встречается и в жарких влажных районах. Ночная роса является источником живительной влаги для многих обитателей пустынь.

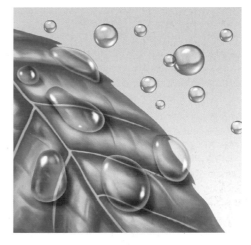

▲ **Капельки росы.** Если температура воздуха снизилась и достигла точки росы, но осталась выше 0 °C, начинается конденсация водяного пара. Молекулы воды собираются в мельчайшие капельки. На поверхности они слипаются и образуют более крупные капли. Это и есть роса.

▲ **Иней.** Когда точка росы лежит ниже 0 °C, водяной пар превращается в кристаллики льда, которые оседают на различных поверхностях. Этот процесс называется сублимацией.

◄ **Недолговечные кристаллы.** Иней в виде пушистых полупрозрачных кристаллов льда образуется на ветвях деревьев, листьях и других поверхностях, если в ночное время температура воздуха опустилась ниже 0 °C. Под воздействием солнечных лучей иней превращается в воду. Несмотря на всю свою красоту, иней может повредить нежные всходы растений и почки плодовых деревьев, а тонкая пленка льда на поверхности дороги представляет серьезную опасность для автомобилистов.

Образование облаков

Облако — это скопление капелек воды или кристалликов льда в атмосфере, достаточно плотное, чтобы стать видимым. Для образования таких скоплений необходимо присутствие мельчайших твердых частиц — ядер конденсации. Обычно облака образуются, когда влажный воздух охлаждается до температуры насыщения, затем происходит образование капелек воды (конденсация) или кристалликов льда (сублимация). Как известно, с высотой температура понижается. Поэтому облака, образующиеся в высоких слоях тропосферы, состоят из кристалликов льда, а те, что образуются ниже, из капелек воды.

При подъеме отдельных, более нагретых земной поверхностью, струй воздуха (этот процесс называется конвекцией) и их последующем охлаждении в атмосфере образуются облака. Если они возникают при подъеме теплого воздуха по холодному, то называются фронтальными. Если подъем воздуха вызван его натеканием на склоны гор и возвышенностей, образующиеся при этом облака называются орографическими. В общих чертах процесс образования облаков можно свести к трем позициям: подъем воздуха, его охлаждение и конденсация.

Уровень конденсации

Направление ветра

Пузырь теплого воздуха поднимается над прогретой поверхностью

Образование небольшого кучевого облака

Направление ветра

Термик (участок, где образуются восходящие токи воздуха)

КАК ОБРАЗУЮТСЯ ОБЛАКА

Поднимаясь и постепенно охлаждаясь, воздух достигает границы, где его температура оказывается равной точке росы. Эта граница называется уровнем конденсации. Выше, при наличии ядер конденсации, начинается образование капелек, образуются облака. Воздушная масса будет подниматься до тех пор, пока ее температура не сравняется с температурой окружающего воздуха. Если этот процесс продолжается, мы говорим о неустойчивой воздушной массе. Устойчивой же она будет, если ее температура быстро сравняется с температурой окружающего воздуха. Подъем при этом прекратится. При движении вверх воздушная масса охлаждается на 9,8 °C с каждым километром. Поэтому, если нам известна ее температура у поверхности земли и температура воздуха в тропосфере, мы можем рассчитать, на какую высоту она поднимется.

Облако отделяется от пузыря теплого воздуха и улетает

Направление ветра

Образование нового пузыря теплого воздуха

▲ **Разнообразие форм.** Наковальни кучево-дождевых облаков парят над многочисленными группами кучевых. Первые располагаются около верхней границы тропосферы и состоят из кристалликов льда. Они отличаются от пышных, расположенных ниже мощных кучевых облаков, состоящих из капелек воды.

▲ **Спрятавшаяся долина.** Холодный воздух, который проник сюда, укрыл долину плотным одеялом из смеси тумана и облаков. Отличить туман от облака в горах очень трудно, потому что орографические облака окутывают горы туманом.

▶ **Дневные пушистые облака.** У этих пышных облаков относительно ровная нижняя граница.

КОНВЕКЦИЯ, ОРОГРАФИЧЕСКИЙ ПОДЪЕМ И ФРОНТАЛЬНАЯ АКТИВНОСТЬ

При конвекции приземный воздух нагревается, становится подвижней и поднимается вверх. Этот процесс завершается образованием «пухлых» облаков. Если воздух поднимается по склону горы (орографический подъем), облака возникают на наветренном склоне. Фронтальные облака формируются, когда теплый воздух натекает на холодный вдоль линии фронтального раздела.

КОНВЕКЦИЯ

Направление ветра

Уровень конденсации

Нагревание поверхности вызывает конвекцию

ОРОГРАФИЧЕСКИЙ ПОДЪЕМ

Направление ветра

Теплая масса воздуха поднимается по склону

ФРОНТАЛЬНАЯ АКТИВНОСТЬ

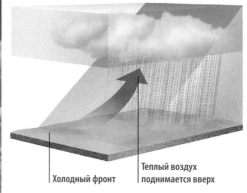

Холодный фронт

Теплый воздух поднимается вверх

Вихри и волны

Облака часто образуются в горах. Это происходит вследствие того, что воздух, встречая на своем пути преграду в виде горной гряды, поднимается вверх по ее склонам. С высотой он охлаждается, начинается конденсация водяного пара. На более низких уровнях влажный воздух вызывает образование тумана. Влияние горного препятствия на преобладающий ветер часто выражается в возникновении вертикальных волнообразных движений воздуха. Их можно заметить по рядам похожих на волны облаков.

Иногда облака, образовавшиеся в относительно устойчивой воздушной массе, например над поверхностью океана, принимают форму закручивающихся вихрей. Происхождение этих вихрей можно объяснить формированием областей пониженного давления из-за того, что на пути господствующего ветра встречается барьер в виде гористого острова, который нарушает прямолинейное движение ветра в потоке, где образуются облака.

Завихрение

Остров-преграда

Направление ветра

КАК ОСТРОВА РАЗРЫВАЮТ ОБЛАКА

Если горизонтальное течение воздуха, двигаясь в устойчивой воздушной массе над океаном, встречает на своем пути остров, образуются облака. Поток воздуха, перемещаясь в нижнем слое тропосферы, не может преодолеть пики горных вершин, поэтому вынужден огибать их. За островом в потоке воздуха возникают завихрения. На снимке внизу видно, что эти вихри образуются в облаках с подветренной стороны острова. Как правило, это целая серия вихрей, где каждый последующий вращается в противоположном направлении.

▶ **Рожденные горой.** Такие облака называются «чечевицеобразными» за их овальную, линзовидную форму. Очень часто их можно наблюдать над горной грядой.

▼ **Ветер над Канарами.** Ветер, дующий высоко над Канарскими островами со стороны западного побережья Африки, создает условия для активного перемешивания воздуха (возникает турбулентное движение), в результате чего получаются такие причудливые формы облаков. По достоинству оценить их красоту стало возможно только благодаря спутниковым фотографиям.

▶ **Вихри за островом.** Эта серия вращающихся облаков образовалась в результате встречи воздушного потока с горной вершиной высотой 1,6 км на острове Александр-Селькирк (в левом верхнем углу фотографии), расположенном в южной части Тихого океана. Вихри располагаются позади препятствия в шахматном порядке, создавая так называемую дорожку Ван-Кармана.

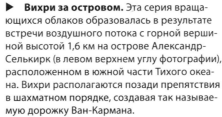

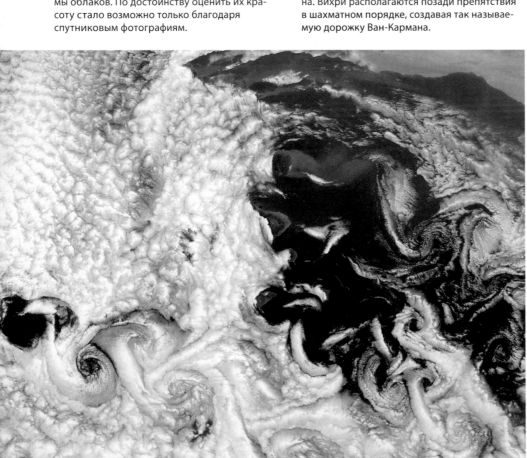

ОБЛАКА НАД ГОРАМИ

Влажный воздух в средних слоях тропосферы начинает подниматься вверх, встречая на своем пути горную преграду. Во время подъема, по мере охлаждения воздуха, на наветренной стороне горы начинают формироваться облака. Иногда под воздействием воздушного потока они приобретают форму волн.

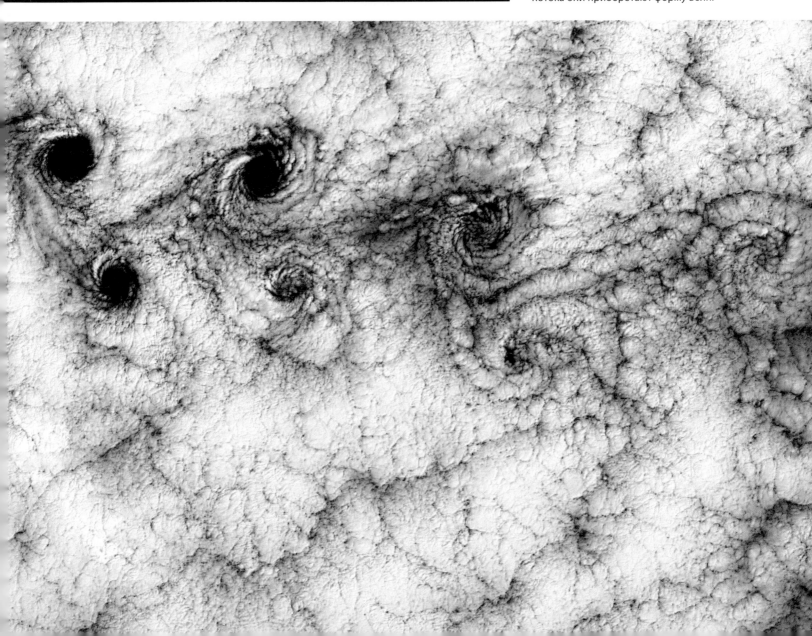

Классификация облаков

Первые классификации облаков появились в начале XIX в. Лондонский фармацевт Люк Ховард (1772—1864) в 1803 г. написал статью «К вопросу о разновидностях облаков». Эта работа явилась первой попыткой систематизировать их. В основу современной международной классификации облаков положено их разделение по высоте и внешнему виду.

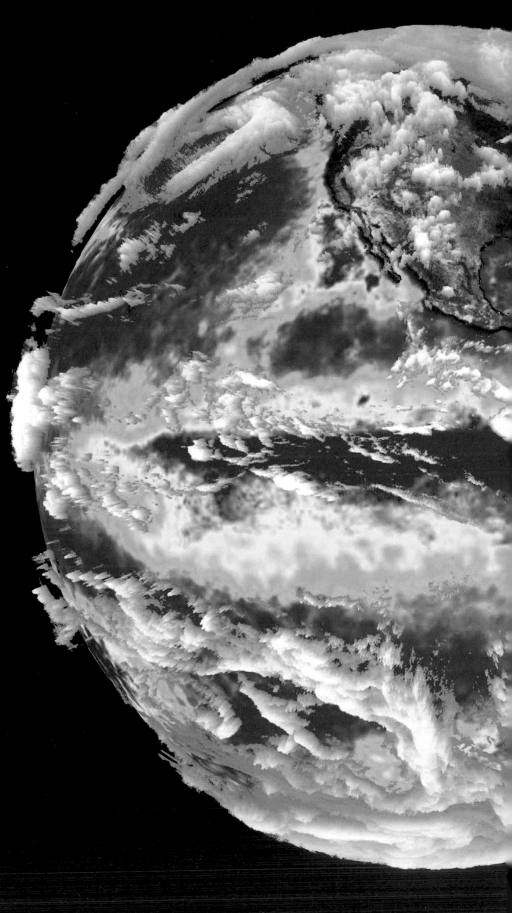

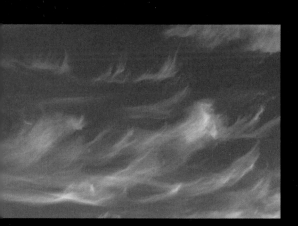

▲ **Соприкосновение.** Перистое и высокослоистое облако в лучах заходящего солнца. Тонкое, почти прозрачное перистое облако состоит из кристалликов льда, а высокослоистое, расположенное ниже, содержит капельки воды. Оно более плотное и имеет четко очерченные границы.

▲ **Легкое как перышко.** Такая форма перистых облаков говорит о том, что они состоят из кристалликов льда и образовались в результате сильного ветра в верхней тропосфере на высоте 9000 м.

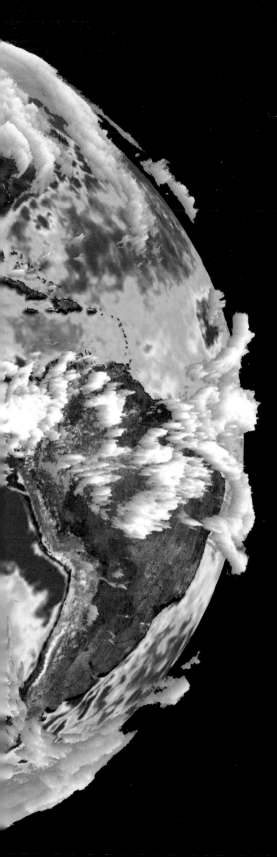

СЕМЕЙСТВА ОБЛАКОВ: ОСНОВНЫЕ ТИПЫ

По высоте облака делятся на четыре семейства:

I. Облака верхнего яруса, находящиеся выше 6 тыс. м;

II. Облака среднего яруса, находящиеся на высоте от 2 до 6 тыс. м;

III. Облака нижнего яруса, находящиеся ниже 2 тыс. м;

IV. Облака вертикального развития. Основания этих облаков находятся на уровне нижнего яруса, а вершины могут достигать положения облаков верхнего яруса.

РОДА ОБЛАКОВ

По внешнему виду облака делят на 10 родов. Рода облаков распределяются по семействам следующим образом:

I семейство
Перистые. Отдельные нежные облака, волокнистые или нитевидные, без «теней», обычно белые, часто блестящие.
Перисто-кучевые. Слои и гряды прозрачных хлопьев и шариков без теней.
Перисто-слоистые. Тонкая, белая, просвечивающая пелена.
Все облака верхнего яруса ледяные.

II семейство
Высококучевые. Слои или гряды из белых пластин и шаров, валы. Состоят из мельчайших капелек воды.
Высокослоистые. Ровная или слегка волнистая пелена серого цвета. Относятся к смешанным облакам.

III семейство
Слоисто-кучевые. Слои и гряды из глыб и валов серого цвета. Состоят из капель воды.
Слоистые. Пелена облаков серого цвета. Обычно это облака водяные.
Слоисто-дождевые. Бесформенный серый слой. Это смешанные облака.

IV семейство
Кучевые. Плотные, днем ярко-белые, имеют вид куполов или башен с округлыми очертаниями и почти горизонтальным основанием. Это водяные облака.
Кучево-дождевые. Плотные клубы, развитые по вертикали, в нижней части водяные, в верхней — ледяные.

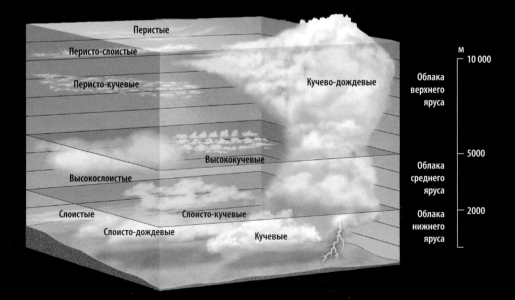

Облака верхнего яруса

В этом семействе три основных рода облаков, все они являются разновидностями перистых. Это собственно перистые облака, перисто-кучевые и перисто-слоистые. Все три вида обычно находятся выше 6 тыс. м и состоят из миллионов ледяных кристалликов, потому что на этой высоте температура воздуха значительно ниже 0 °C. Ветер здесь обычно достаточно сильный, и из скоплений кристалликов льда образуются перистые формации, имеющие волокнистую, нитевидную форму. Иногда перистые облака группируются в одиночные полоски, а иногда могут почти полностью закрывать небо. Наряду с этими основными видами облаков существуют их разновидности, имеющие специфические особенности. Среди них перистые когтевидные, в виде крючков, и волнистые формации — перистые волнистые. Если эти облака занимают значительную площадь неба, это означает, что приближается атмосферный фронт. Самые высокие облачные образования — серебристые облака. Их называют также полярными мезосферными облаками, или ночными светящимися облаками. В настоящее время серебристые облака представляют собой единственный естественный источник данных о ветрах на больших высотах и о волновых движениях в мезосфере.

ПОЛОСЧАТЫЕ ПЕРИСТЫЕ
Появление множества перистых облаков предвещает приход атмосферного фронта. Их вытянутый полосчатый вид указывает на сильный ветер.

Принесенные ветром. Ветер в высоких слоях тропосферы явился причиной образования этих перистых облаков, закрывших почти все небо.

РЯДЫ ПЕРИСТЫХ
Такие «волны» облаков образуются там, где в атмосфере пересекаются слои более плотного и менее плотного воздуха. На гребнях этих волн, там, где воздух, поднимаясь, охлаждается, образуются облака. Так возникают длинные параллельные полосы или валы облаков.

Знакомая форма. Эти перистые облака расположились на небе рядами или полосами.

ИСТРЕПАННЫЕ ПЕРИСТЫЕ

Большое количество влаги в атмосфере может привести к образованию таких эффектных ледяных перистых облаков.

Разодранное облако. Эта перистая формация состоит из толстых волокон.

ПЛОТНЫЕ ПЕРИСТЫЕ

Когда перистые облака имеют достаточно плотный вид, это значит, что ветер в верхних слоях атмосферы не очень сильный.

Умеренные ветры. Если ветер на высоте умеренный, то перистые облака разветвляются.

НЕСУЩИЕСЯ ПО НЕБУ

Порой перистые облака располагаются на небе в полном беспорядке и быстро меняют свои очертания. Это заслуга достаточно сильного ветра.

Волнистый вид. «Беспорядочность» перистых облаков, их бесформенность придает небу эффектный вид.

ПЕРИСТЫЕ СПОРЯТ С ВЕТРОМ

Уходящая гроза может оставить за собой шлейф перистых облаков на значительной площади.

После грозы. Этот беспорядок на небе остался после грозы.

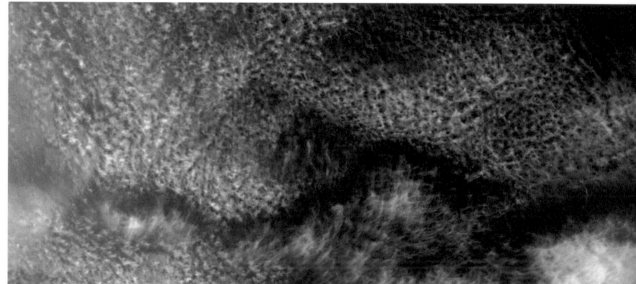

ПЕРИСТО-КУЧЕВЫЕ

Как и другие члены семейства перистых, перисто-кучевые облака состоят из кристалликов льда. Эти облака похожи на соты.

Миллион фрагментов. Эта красивая облачность состоит из крошечных шариков.

ВЫЛЕПЛЕННЫЕ ВЕТРОМ

Сильный ветер в верхних слоях тропосферы, такой, как, например, струйное течение, придает перистым облакам вытянутый полосчатый вид.

Разрисованное небо. Эти живописные полосы перистых облаков образовались, по всей вероятности, благодаря струйному течению.

ПЕРИСТЫЕ ПОДАЮТ ЗНАК

В умеренных широтах любое заметное увеличение количества перистых облаков со стороны запада означает приближение холодного фронта.

Грядут перемены. Сгущение перистых облаков предупреждает о перемене погоды.

ВОЛНИСТЫЕ

Когда один слой воздуха скользит вдоль другого, перистые облака располагаются в виде полос, напоминающих волны.

Рябь в небе. Эти волнистые перисто-кучевые облака покрыли небо рябью.

РОСКОШНЫЕ ПЕРИСТЫЕ

Большие перистые облака могут принимать затейливые формы, поэтому они часто используются фотографами в качестве фона при пейзажных съемках.

Вид неба. Летящие перистые облака очень живописны на синем небе.

ПЕРИСТЫЕ КОГТЕВИДНЫЕ

Перистые формации с неровными выступающими зазубринами называются перистыми когтевидными облаками. Название произошло от латинского слова *uncinus*, что значит «крючок».

Огненные облака. Вид перистых когтевидных облаков в лучах заходящего солнца.

НАЛОЖЕНИЕ ПЕРИСТЫХ

Эти перистые облака располагаются над другими, образовавшимися ниже, что является свидетельством значительного содержания влаги в атмосфере.

Совмещение. Эта группа перистых облаков расположилась на облаках, которые ближе к поверхности.

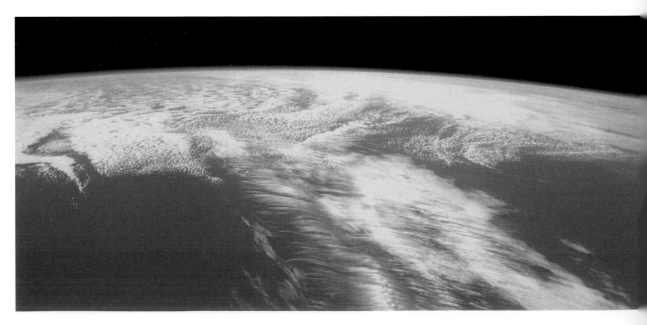

ОБЛАКА СТРУЙНОГО ТЕЧЕНИЯ

Из космоса эти перистые облака создают впечатление «организованных» и занимающих большую площадь. Однако с земли они выглядят обыкновенно.

Вид сверху. Спутник запечатлел перистые облака струйного течения над островом Кейп-Бретон (Канада).

ВСЕ ВМЕСТЕ
Различные виды перистых облаков часто появляются одновременно, так как условия их формирования в верхних слоях тропосферы почти одинаковы.

Когтевидные внизу. Перистые когтевидные (на фото внизу) располагаются под группой перисто-кучевых облаков.

ПЕРЫШКИ
Сразу после возникновения условий для формирования облаков перистые и другие виды облаков могут появиться маленькими недолговечными группами.

Умирающие облака. Небольшие облачка могут появляться на короткий период времени и исчезать.

ПОВИНУЯСЬ ВЕТРУ
Волокна поперечных перистых облаков образуют полосы. Такое расположение является признаком сильного ветра, дующего в направлении полос.

Поперек. Эти поперечные волокна перистых облаков сплетаются на небе в параллельные полосы.

Облака среднего яруса

Это семейство состоит из двух видов — высококучевые и высокослоистые облака. Хотя первая часть слова «высоко» происходит от латинского *altus* — высокий, эти облака на самом деле расположены под перистыми, но значительно выше тех, что формируют нижний ярус. Они возникают на высоте от 2 до 6 тыс. м и обычно состоят из капелек воды, которая придает им четкие формы. Они также могут состоять и из кристалликов льда, так как температура на этих высотах часто падает ниже точки замерзания. Турбулентные потоки воздуха на средних высотах придают некоторым формам этих облаков волнообразный вид. Существует несколько подвидов облаков среднего яруса, отличающихся друг от друга условиями формирования. Например, высококучевые башенкообразные и высококучевые хлопьевидные облака указывают на уменьшение атмосферной устойчивости и увеличение влажности воздуха, что служит предвестником грозы. Особый интерес представляют высококучевые чечевицеобразные облака — гладкие и удлиненные, с четкой линзовидной формой. Они могут появляться за 2—3 часа до прихода атмосферного фронта.

Высокослоистые просвечивающие облака имеют волнистую структуру. Осадки из таких облаков в южных и средних широтах летом редко достигают земли.

ПРИЗНАКИ ДОЖДЯ
Сгущающиеся высококучевые и высокослоистые облака под обложными перисто-слоистыми говорят о том, что приближается дождь.

И те и другие. На переднем плане высококучевые облака, позади тонкие высокослоистые.

УСЛОВИЯ НАВЕРХУ
Округлые скопления высококучевых облаков неправильной формы свидетельствуют о значительной влажности, но относительно слабом ветре.

Неправильная форма. Эти высококучевые облака неправильной формы начинают постепенно уплотняться и могут пролиться дождем.

МАЛО ВЛАГИ

Плоские, полупрозрачные облака указывают на то, что в относительно устойчивой атмосфере присутствует небольшое количество влаги.

Эффект ряби. Небо в облаках, как в рыбьей чешуе.

ВЫСОКОЕ НЕБО

Небо заполнено белыми барашками высококучевых облаков. Это значит, что на данной высоте ветер умеренной силы.

Ярус облаков. Этот ярус представлен мелкими волнами высококучевых облаков.

ЗАПОЛНЯЯ НЕБО

Облака, постепенно заполняющие все небо, свидетельствуют о том, что увеличивается влажность и, возможно, скоро начнется дождь.

Волнообразные. Эти плотные волнистые облака очень похожи на стиральную доску.

ВОЛНЫ ГОР
Линзы высококучевых чечевицеобразных облаков сформировались над горами, где ветер создает «волны» и приносит много влаги.

Облака над горными цепями. Эти облака обязаны своей формой близлежащей горной цепи.

МЕНЯЮЩИЕ ЦВЕТ
С увеличением силы ветра и влажности на высоте среднего яруса валы высококучевых облаков уплотняются и из белых превращаются в серые.

Валы облаков. Плотные валы облаков означают, что влажность в атмосфере повысилась.

БАШЕНКИ В НЕБЕ
Высококучевые башенкообразные облака предупреждают о нестабильности атмосферы и о том, что возможна гроза.

Подсвеченные снизу. Эти башенкообразные облака стали частью живописного пейзажа.

СЛОИСТЫЕ

Пелена высоко-
слоистых облаков
обычно свидетель-
ствует о наличии
влаги на средних
высотах. Если они
будут разрастать-
ся, то может пойти
дождь.

Восход. Плотная
пелена высокослои-
стых облаков осве-
щается восходящим
солнцем.

ДОЖДЕВЫЕ ОБЛАКА

Если высокослои-
стые облака начи-
нают сгущаться,
опускаются ниже
и становятся темно-
серыми, то это
может закончиться
обложным дождем.

Ширма для солнца.
Толща высокослои-
стых облаков значи-
тельно уменьшила
яркость солнца.

ПРЕДУПРЕЖДЕНИЕ

Если образуют-
ся пушистые куч-
ки высококучевых
хлопьевидных обла-
ков, это значит,
что в атмосфере
много влаги и может
установиться пере-
менчивая погода.

**Предвестник
дождя.** На закате
небо заполнили хло-
пьевидные облака.

ПОЛЯРНОЕ НЕБО

В приполярных регионах плотные слоистые облака мощного циклона могут полностью закрыть небо. Все это закончится непрерывным снегопадом.

Небо без солнца. Плотный слой облаков нависает над полярным ландшафтом.

ИСЧЕЗАЮЩИЕ ОБЛАКА

Небольшие изменения влажности атмосферы при устойчивой погоде могут привести к тому, что на небольшом пространстве облака исчезнут.

Контраст. «Чешуйчатое» небо на переднем плане и ясное — на заднем.

СТРУЙНЫЕ ОБЛАКА

Даже если воздух очень сухой, мощные струйные ветры могут порождать полосы перистых, перисто-кучевых и иногда высококучевых облаков.

Вид из космоса. Над Красным морем протянулась полоса перисто-кучевых и высококучевых облаков.

ВАЛЫ ОБЛАКОВ

Валы высокослоистых облаков могут быть достаточно многочисленными и полностью закрыть небо.

Подавляющее большинство. Плотные валы облаков распространились по всему небу.

ГРОЗОВЫЕ ОБЛАКА

Высокослоистые облака в большом количестве образовались как побочный продукт грозы.

Хаос. Беспорядок на небе свидетельствует о большой нестабильности атмосферы. Не исключена гроза.

МЕНЯЮЩИЕСЯ ОБЛАКА

По мере увеличения нестабильности атмосферы высококучевые хлопьевидные облака могут превратиться в башенкообразные.

Пышные формации. Появление «башенок» говорит о том, что высококучевые хлопьевидные облака изменяются.

Облака нижнего яруса

В этом семействе пять видов облаков. Верхушки кучевых облаков напоминают по своему виду цветную капусту и имеют плоское основание. Они формируются при восходящем потоке ограниченных по площади масс воздуха. Слоистые облака появляются при медленном подъеме сравнительно большой по площади массы воздуха до уровня конденсации. Слоисто-кучевые — это комбинация двух типов облаков, в которой соединены слоистость и конвективные (образованные при подъеме воздуха) элементы, не имеющие большого вертикального развития. Есть еще облака, приносящие с собой дождь и грозу. Их называют кучево-дождевыми облаками, они с мочковатой верхушкой, часто принимающей форму наковальни. И наконец, слоисто-дождевые облака славятся проливными, затяжными дождями. Типичные облака нижнего яруса располагаются ниже 2 тыс. м и состоят главным образом из водяных капелек. Высокие, т. е. облака вертикального развития, содержат лед и снег, а кучево-дождевые — даже град. Кроме того, облака различаются и по форме: кучевые хорошей погоды — широкие, но невысокие, с плоским основанием, похожи на куски ваты, разбросанной по небу, время их существования от 5 до 40 минут; кучевые средние одинаковы и в высоту, и в ширину, а их вершины напоминают цветную капусту.

ХОЛМЫ ОБЛАКОВ

Кучевые облака обычно имеют хорошо очерченную, но постоянно меняющуюся верхушку, которая по форме похожа на цветную капусту. С борта самолета они выглядят как холмики.

Цветная капуста. Море кучевых облаков с верхушками, похожими на цветную капусту, протянулось до горизонта.

ПЛОСКИЕ ОБЛАКА

Если погода устойчивая, но достаточно влаги, формируются плоские облака хорошей погоды.

По течению. В погожий день обычно образуются вот такие кучевые облака с плоскими верхушками.

ОБЛАКО-ШАПКА

Крутой горный хребет всегда прида-ет дополнительную подъемную силу воз-духу, в результате чего возникает высо-кое кучевое облако, как будто сидящее на горе.

Облачная вершина. Возвышающееся над горами башен-кообразное куче-вое облако укрывает снежные вершины.

СЛОИСТЫЕ ОБЛАКА

Слоистые облака нижнего яруса обра-зуются, когда в воз-духе много влаги, атмосферные усло-вия стабильны, а ветер небольшой.

Неподвижное облако. Однородное слои-стое облако зависло над зеркальной поверхностью озера.

СЛОИСТО-КУЧЕВОЕ

Над просторами оке-ана возникают анти-циклоны. Здесь в нисходящих пото-ках воздуха форми-руется обширная слоисто-кучевая облачность.

Пласт облаков. Из космоса такая поверхность обла-ков смотрится как битый лед.

КУЧЕВЫЕ НАСТУПАЮТ

Если в среднем ярусе есть инверсия температуры (повышение температуры воздуха с высотой), то процесс образования кучевых облаков распространяется выше, и они могут превратиться в высококучевые.

Превращение. Кучевые облака рассеялись, но превратились в высококучевые.

ФОРМЫ ОБЛАКОВ

Когда в воздухе «пахнет грозой», начинается активное вертикальное перемешивание, и образуются облака с как бы закрученным основанием.

Знак перемен. По нижней кромке этого растущего кучево-дождевого облака можно определить, что оно смешанного происхождения.

ИСЧЕЗАЮЩИЕ ОБЛАКА

Сильные ветры в горах рождают постоянно меняющиеся вздымающиеся кучевые облака, которые быстро рассеиваются.

Мимолетное создание. Бесформенное воздушное кучевое облачко над горным утесом.

ЛЕДЯНЫЕ КУЧЕВЫЕ

Когда верхняя часть высоких кучевых облаков становится «рыхлой», это означает, что там образуются льдинки и, по всей вероятности, будет ливень.

Панорама.
Замороженные верхушки кучевых облаков глазами пилота.

ИЗМЕНЯЯ ФОРМУ

Обширный циклон может заставить облака изменить свою форму, закручивая их спиралью.

По спирали.
Облачность закручена в спираль (вид из космоса).

ВРАЩАЮЩЕЕСЯ ОБЛАКО

Сильное горизонтальное вращение облаков может возникнуть на границе фронтального шквала из-за столкновения восходящих и нисходящих потоков воздуха.

Впереди шквал.
Мощный фронтальный шквал смешал в облаке белый и серый цвет.

ПРИБРЕЖНОЕ ОБЛАКО

Субтропические прибрежные территории очень часто подвержены нашествию обширных слоисто-кучевых облаков, которые приходят со стороны океана.

Океан прислал. Слоисто-кучевая облачность морского происхождения накрыла прибрежный город.

ГОРНОЕ ОБЛАКО

В очень влажных горных районах облака образуются на наветренной стороне склонов, а на подветренной они рассеиваются.

Облако с наветренной стороны. Наветренные склоны гор укрыты толстым слоем слоистых облаков.

ОБЛАКО-ИНДИКАТОР

На восходе солнца облака с неровными округлыми верхушками свидетельствуют о неустойчивости атмосферы; днем следует ожидать развития более мощной облачности.

Отражение. Небольшие разорванно-кучевые облака отражаются в спокойных водах озера в предрассветную пору.

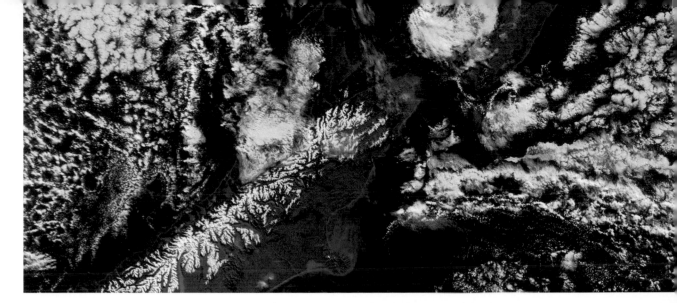

МОНИТОРИНГ ОБЛАКОВ

Получение изображений с помощью искусственных спутников Земли позволяет осуществлять постоянное наблюдение за формированием и передвижением облаков.

Облака Тихого океана. Кучевые облака над Тихим океаном около Новой Зеландии.

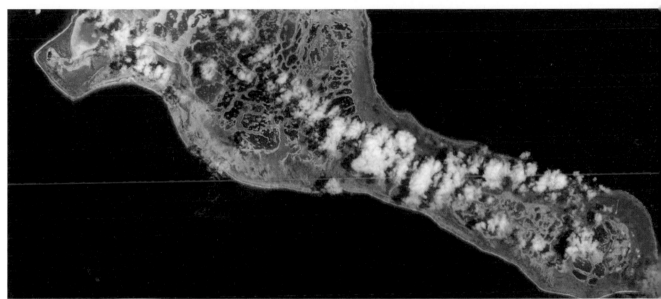

ОБЛАКА БРИЗА

В результате морского бриза в глубине полуостровов и островов образуются башенкообразные кучевые облака.

Удаленные от моря облака. Камера из космоса запечатлела эти кучевые облака над островом Рождества.

ОБЛАЧНЫЙ МАССИВ

Когда циклон, расположившись над океаном, приводит в действие механизм грозы, небольшие кучевые облака могут быстро превратиться в огромные кучево-дождевые.

Небоскребы. На закате вытянутые вверх кучевые облака отбрасывают длинные тени.

Вертикальные облака

Многие облака среднего и верхнего ярусов имеют большую протяженность в горизонтальной плоскости, но по высоте (в толщину) они небольшие. Другие же, главным образом конвективного происхождения, достигают значительных размеров по вертикали. Некоторые пронизывают тропосферу снизу доверху. Эти гиганты, буквально заполняющие небо, называются кучево-дождевыми, или грозовыми, облаками. Их размеры могут вдвое превышать высоту горы Эверест, достигая почти 18 тыс. м. Полностью сформировавшееся облако имеет громадную клиновидную наковальнеобразную вершину. У осадков, выпадающих из

таких облаков, всегда бурный ливневой характер, они часто сопровождаются грозами. Летом это крупнокапельный дождь или град, весной и осенью — ледяная или снежная крупа, зимой — ливневой снег. Под облаками обычно наблюдаются полосы падения осадков и в отдельных случаях радуга. Значительных размеров по вертикали может достичь и так называемое башенкообразное кучевое облако, которое в конце своей жизни часто превращается в кучево-дождевое. Облака вертикального развития — одни из самых живописных, их красота и величие пользуются непревзойденной популярностью у фотографов.

РАСКИНУВШЕЕСЯ ОБЛАКО
Инверсия температуры высоко в тропосфере придала облаку горизонтальное направление, в результате чего образовалась типичная наковальня.

Облако в виде наковальни. Кучево-дождевое облако имеет форму наковальни, типичную для грозового.

ГРОЗОВЫЕ ОБЛАКА
С приближением грозы некоторые кучевые облака становятся башенкообразными. Они несут местные сильные ливни.

Рост возможностей. Некоторые из этих кучевых облаков со временем могут стать кучево-дождевыми.

ЧЕРЕДОВАНИЕ

Грозовые облака формируются с разной скоростью на одном и том же месте. Молодые формации заменяют старые, рассеивающиеся.

Грозовые ячейки. Кучевые облака вокруг конвективной ячейки весьма вероятно станут грозовыми.

ОДИНОКОЕ ОБЛАКО

При благоприятных условиях большие грозовые облака могут развиваться изолированно, демонстрируя всему миру свою красоту.

Одинокое облако. Сильный ветер отклонил вершину грозового облака вправо.

ВОЗВЫШАЮЩИЕСЯ КОЛОННЫ

Колонны кучевых облаков иногда могут вспениться клубами, превращаясь в кучево-дождевую облачность.

Пенистое небо. Быстро растущая кучевая облачность напоминает комки ваты.

ДОЖДЕВЫЕ ОБЛАКА

Когда грозовые облака сливаются друг с другом, получается огромная туча; последствия этого — проливные дожди местного значения.

Ненастная погода. Кучка грозовых облаков «резвится» над Техасом (США, июнь 1991 г.).

ТУРБУЛЕНТНОЕ ОБЛАКО

Турбулентные потоки внутри скопления кучевых облаков чреваты болтанкой для пассажиров самолета.

Аэроснимок. Дальнейшее развитие событий в этом спектакле, который разыгрывают кучевые облака, может закончиться грозовой бурей.

ОБЛАЧНЫЙ ПИК

Вершина кучево-дождевого облака в форме наковальни состоит из мельчайших кристалликов льда и имеет весьма впечатляющий вид.

Очень высоко. Вершина такого грозового облака может достигать 9000 м.

ОБЛАЧНОСТЬ МУССОНА

Для тропических регионов во влажное время года характерны ежедневные грозы, которые обычно происходят ближе к вечеру.

Формирование грозы. На этом космическом снимке, сделанном в 1984 г., видно, как собираются грозовые облака над Бразилией.

СЕЗОН ГРОЗ

Муссоны Южной и Юго-Восточной Азии вызывают обширную грозовую деятельность с проливными дождями и сверканием молний.

Муссон. В центре фотографии — скопление муссонных грозовых облаков над Индией.

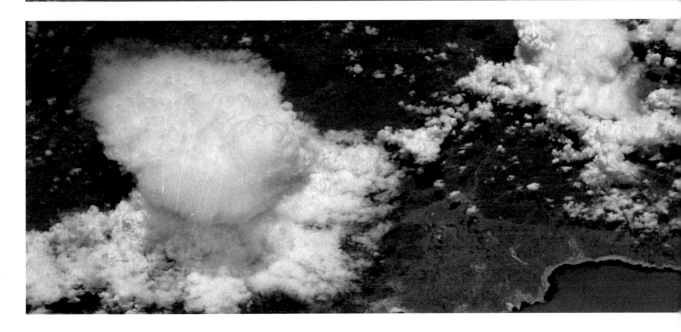

БУРЯ ПОСЛЕ ОБЕДА

Грозовые тучи часто формируются над сушей во второй половине дня, когда температура воздуха достигает максимума.

Отдельная ячейка. Отдельное грозовое облако формируется к северу от озера Поопо в Боливии.

Необычные облака

Существует бесконечное разнообразие облаков. Они отличаются друг от друга типом, формой, размером и цветом. Большинство из них хорошо знакомы наблюдателям. Но есть и специфические формы, которые встречаются довольно редко либо потому, что для их возникновения необходимы какие-то исключительные условия в атмосфере, либо они формируются в отдаленных районах. Эти явления всегда представляют собой необыкновенное зрелище. Грозовые тучи, так же как облака верхнего яруса, особенно величественны, если солнечные лучи освещают их под определенным углом. Облака над горными массивами зачастую приобретают четкие очертания благодаря турбулентному движению воздуха в таких регионах. Такие облака, как правило, имеют четкую округлую форму. Их неоднократно принимали за НЛО, особенно ночью — в лучах лунного света они очень похожи на объекты внеземного происхождения. Космические снимки облаков выявляют необычные образцы замысловатой формы. Они не видны наблюдателю с Земли. Сложность и разнообразие облаков безграничны. Внешний вид облаков зависит от того, в каких условиях и как они образовались, а их разнообразие существует благодаря единственному процессу — конденсации газообразных частиц воды (водяного пара) в атмосфере.

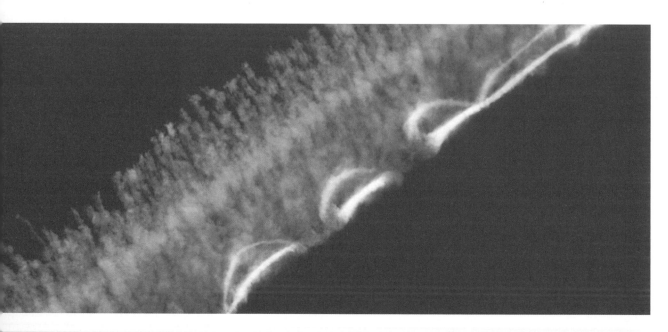

РУКОТВОРНОЕ ОБЛАКО
След реактивного самолета преобразуется в перистообразные облака.

След реактивного двигателя. След самолета под влиянием ветра постепенно рассеивается.

РАДИАЛЬНЫЕ ЛИНИИ
Сильный ветер часто является причиной образования перистых радиальных облаков, как будто расходящихся по небу из одной точки на горизонте.

Естественная красота. Заходящее солнце освещает раскинувшиеся веером перистые радиальные облака.

НЕОБЫЧНАЯ ФОРМА

Некоторые облака, благодаря сочетанию различных процессов в атмосфере, принимают странные, причудливые формы.

Похожие на смерч. Воронковидные облака могут принять очертания настоящего смерча.

ПРОСВЕЧЕННОЕ ОБЛАКО

Когда облако перед восходом или заходом солнца оказывается на определенной высоте, так называемые сумеречные лучи рассеиваются, проходя через него.

Иллюзия. Эти темные полосы теней на небе получились благодаря сумеречным лучам.

ГЛАДКОЕ ОБЛАКО

Сильный ветер, натолкнувшись на горную гряду, резко поднялся вверх. В результате образовалось гладкое линзовидное облако, которое получило название «высококучевое чечевицеобразное».

Прекрасный экземпляр. Высококучевое чечевицеобразное облако образовалось над горой.

ДОРОЖКА ВАН-КАРМАНА

На этом космическом снимке видна полоса вихрей или воронок, расположившаяся позади острова.

Влияние ветра. Эти вихри, получившие название «дорожка Ван-Кармана», были сфотографированы над Канарскими островами.

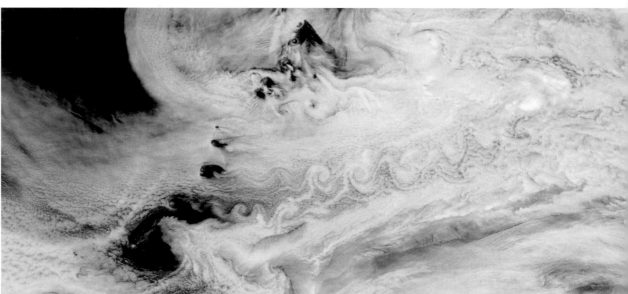

АБСТРАКТНОЕ ОБЛАКО

Замысловатая форма облачности с вихрями дорожки Ван-Кармана своим происхождением обязана суше внизу.

Изысканное. Эти изящные облака образовались над северным побережьем России.

РАЗНЫЙ ВЗГЛЯД

В отличие от объектива обычной фотокамеры, который «видит» только небольшой кусочек неба, широкоугольный объектив обеспечивает значительно больший обзор.

Вид неба. Только при помощи сверхширокоугольного объектива типа «рыбий глаз» можно получить такой эффектный снимок облака.

ВЛИЯНИЕ ВЕТРА
Ветры, дующие
над островами,
рождают облака
в виде дорожки Ван-
Кармана и изменяют
волновой процесс
в море.

Двойной эффект.
Ветер над островом
справа повлиял
на облачность
и на волны.

**ВЛИЯНИЕ
ОСТРОВА**
Если определен-
ным образом скла-
дываются погодные
условия, дорожки
Ван-Кармана могут
образоваться прак-
тически у любого
острова.

Вихри. Эти хоро-
шо развитые
вихри дорожки Ван-
Кармана сформи-
ровались недалеко
от восточного побе-
режья Мексики.

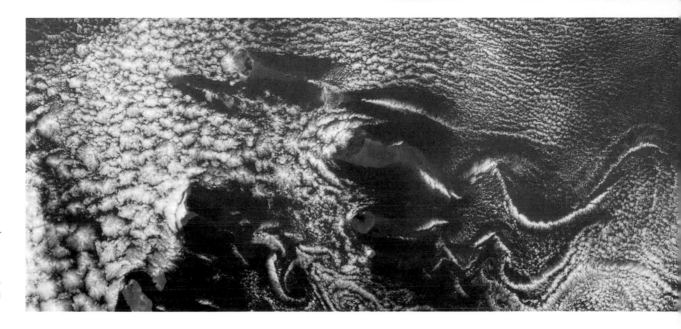

**ДОРОЖКИ
ОБЛАКОВ**
Сложные дорож-
ки вихрей с враща-
ющимися в разные
стороны воронка-
ми порой тянут-
ся на многие
километры от остро-
ва, породившего их.

Узор. Эти замысло-
ватые вихри образо-
вались за островами
Зеленого Мыса.

Туман и изморось

На самом деле туман — это облако, образовавшееся у поверхности земли в результате конденсации водяного пара. Он состоит из капелек воды, хотя в полярных районах это скопление ледяных кристалликов, ведь температура воздуха здесь порой опускается до –30 °C. Изморось, так похожая на туман, состоит из мельчайших капелек воды и, в отличие от него, не так сильно ограничивает видимость. В зависимости от причин, приводящих к образованию тумана, выделяют несколько его типов — радиационный, туман склонов, адвективный и туман испарения.

Туман бывает зловещим и таинственным или безмятежным и спокойным. Он опасен для автомобилистов, мореплавателей и пилотов, поскольку ограничивает видимость. В крупных городах туманы бывают чрезвычайно плотными. Это происходит из-за большого количества твердых частичек пыли, на которых конденсируется вода. Туман в сочетании с дымом или пылью известен как смог.

▶ **Золотые Ворота почти не видны.** Влажный береговой ветер, дующий летом над холодными водами Тихого океана, стал причиной образования адвективного тумана, который закутал мост Золотые Ворота и проник в залив Сан-Франциско (США).

◀ **В долине.** Туман часто образуется в долинах, где воздух постепенно охлаждается от поверхности земли. Летними ночами, особенно под утро, над низкими и сырыми местами образуется туман, который метеорологи называют радиационным.

▼ **Плавающий туман.** Радиационный туман образуется в долинах при ясном небе и свежевыпавшем снеге. На самом деле радиационный туман — это облако на земле. Он образуется, когда тепло от земной поверхности излучается в окружающее пространство, и земля остывает. Приземный слой воздуха охлаждается, и в нем конденсируется влага.

ТУМАН ПОДНИМАЕТСЯ

Солнечные лучи постепенно рассеивают туман. Он начинает подниматься вверх. Происходит это так. От нагретой солнцем земли нагревается воздух, влажность его уменьшается, и туман как бы отрывается от поверхности. В большинстве случаев к полудню он обычно рассеивается. Если туман очень плотный и густой, то солнечные лучи не в состоянии проникнуть сквозь него и нагреть землю, в таком случае туман не сможет подняться. Утренний туман и густая облачность днем повлекут за собой установление холодной погоды. По условиям образования различают туманы внутримассовые и фронтальные.

Через залив. На этом снимке из космоса видна обширная площадь, занятая морским туманом. Это обычное явление весной и летом к северу и северо-востоку от Британских островов.

Виды осадков

Осадки — одно из звеньев круговорота воды на планете. По определению, осадки — это вода в жидком или твердом состоянии, выпадающая из облаков (дождь, морось, снег, крупа, град) на поверхность земли под действием силы тяжести. Несмотря на то что облаков образуется много, относительно немногие из них способны произвести значительное количество осадков. На самом деле только слоисто-дождевые и кучево-дождевые облака, то есть смешанные облака мощностью более 1200 м, в которых находятся переохлажденные капельки и кристаллы, могут пролиться обильными дождями или выпасть снегопадом. В других видах облаков капельки воды или кристаллики льда настолько малы, что не могут противостоять восходящим токам воздуха и упасть на землю в виде осадков. По физическим условиям образования осадки принято делить на три типа: обложные, ливневые и моросящие.

◥ **Заключенные в ледовые объятия.** Капли дождя, попадая на холодную ветку дерева, замерзнут, если температура воздуха вокруг нее ниже точки замерзания. В непогоду такой ледяной панцирь может стать слишком тяжелым, что повредит даже большие ветви.

▶ **Влажные осадки в тропиках.** Осадки в виде дождя и мороси — обычное явление в индийском городе Дарджилинг во время сезона муссонов. В дождевом облаке формируются либо капли воды, либо кристаллы льда. Тип осадков (дождь или снег) зависит от температуры воздуха между облаком и поверхностью Земли. В умеренных и высоких широтах снег является типичным зимним видом осадков. На большей части территории России снежный покров лежит 4—8 месяцев, а его средняя высота на равнинах — 30—70 см.

▶ **Падающий снег.** Мокрый снег, падающий при температуре, близкой к точке замерзания, часто налипает на стволы и ветви. Некоторые деревья, например хвойные, имеют покатую крону, чтобы избежать чрезмерного налипания снега.

ДОЖДЬ И СНЕГ

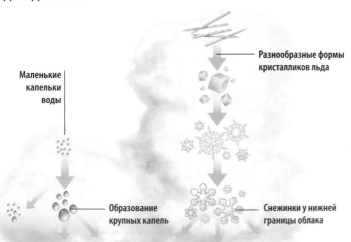

Маленькие капельки воды

Разнообразные формы кристалликов льда

Образование крупных капель

Снежинки у нижней границы облака

ВИДЫ ОСАДКОВ

Метеорологи подразделяют осадки на жидкие (дождь и морось), твердые (снег, крупа и град) и переохлажденные (дождь с образованием гололеда и переохлажденная морось). Дождь выпадает преимущественно из слоисто-дождевых и кучево-дождевых облаков в виде капелек воды диаметром не менее 0,5 мм. Морось выпадает из слоистых облаков и имеет капельки размером от 0,25 до 0,5 мм. Снег состоит из белых кристалликов льда, обычно имеющих форму шестиугольной звездочки, часто образует снежные хлопья. Различают осадки обложные и ливневые (конвективные). Первые связаны преимущественно с прохождением теплого фронта, вторые — с холодным. Средняя масса отдельных снежинок от 0,0001 до 0,003 г, крупных снежных хлопьев — до 0,2—0,5 г.

◀ **Повсеместное явление.** Японский художник Андо Хиросигэ (1797—1858) нарисовал картину «Внезапный ливень на мосту Охаши в Атаке». Такой дождь может выпасть из слоистых облаков. Обычно это довольно большая облачность, дождь идет практически повсеместно и продолжается долго. Ливни имеют более локальный характер и менее продолжительны. Осадки в виде дождя распространены по всему миру, кроме полярных районов, где они выпадают в виде снега.

▲ **Снегопад в городе.** Движение в Нью-Йорке парализовано из-за снегопада. Если температура нижних слоев атмосферы ниже 0 °C, то осадки выпадают в виде снега.

Дождь и морось

Дождь — это жидкие осадки, выпадающие на землю из облаков. Дождевые облака обычно достаточно мощные, чтобы нести в себе крупные капли. Значительно меньшие капельки появляются у земли в виде мороси из слоистых или кучевых облаков, недостаточно мощных для образования тяжелых капель. Морось напоминает легкую дымку, висящую в воздухе. Даже если она продолжается достаточно долго, то почти не отражается на общем количестве осадков. Дождь иногда бывает настолько обильным, что вызывает обширные наводнения с разрушениями и человеческими жертвами. Но в целом он — очень важное звено в круговороте воды на планете: это основной путь, которым вода из атмосферы возвращается в океан и которым пополняются запасы пресной воды.

▶ **Инструмент распространения.** Наряду с тем что дождь — необходимое условие для жизни на Земле, он еще и помогает ее распространению. На фотографии, сделанной с сильным увеличением, видно, как во время дождя споры гриба «разбрызгиваются» в воздух.

◀ **Ночной кошмар горожан.** Дождь, порой столь желанный для сельских жителей, горожанами чаще всего воспринимается как сущее наказание, ведь он ухудшает условия движения наземного и воздушного транспорта. После сильных дождей в городах обязательно образуются огромные лужи — местные наводнения.

▼ **Юные изобретательницы.** Индонезийские школьницы сложили обувь в перевернутый зонт, чтобы перейти затопленную во время ливневого паводка улицу в Джакарте. Ливневые паводки — обычное явление в тропиках во время сезона муссонов.

СОВЕРШЕННО НЕОЖИДАННО

Иногда дождь начинается совершенно неожиданно, когда прямо над головой нет облаков. Его приносит ветер. Выражение «как гром среди ясного неба» обязано своим происхождением такому поразительному явлению. Дождь с образованием гололеда — обычное явление в регионах, где часты зимние снегопады. Если температура на уровне облаков ниже нуля, капельки воды, падая вниз, будут переохлаждаться и замерзать при соприкосновении с еще более холодным слоем воздуха или с холодной поверхностью. Такие осадки называют переохлажденным дождем. В воздухе дождь может превратиться в мелкие шарики и выпасть в виде крупы или льдинок.

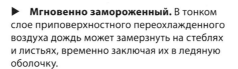

► **Мгновенно замороженный.** В тонком слое приповерхностного переохлажденного воздуха дождь может замерзнуть на стеблях и листьях, временно заключая их в ледяную оболочку.

◄ **Что происходит?** Иногда мы видим, что дождь из облака идет, но каплям не удается достичь поверхности земли. Это происходит потому, что капли, попав в слой сухого воздуха под дождевым облаком, испаряются. Такое явление, называемое виргой, часто сбивает с толку наблюдателя. Его нельзя рассматривать как осадки, тем не менее в слое сухого воздуха влажность повышается и обычный дождь становится весьма вероятным.

КАПЛИ БОЛЬШИЕ И МАЛЕНЬКИЕ

На рисунке видно, что капля дождя (внизу слева) значительно крупнее капли мороси (внизу, вторая слева). Диаметр обычной капли дождя 0,5 мм в поперечнике, тогда как средняя капля мороси обычно не более 0,2 мм. Капля дождя летит к земле с большей скоростью, чем капля мороси, которая из-за сопротивления воздуха снижается с очень маленькой скоростью и как бы парит над землей.

▼ **Капли шаровидные и сфероидные.** Небольшие капельки дождя при падении принимают почти шарообразную форму (внизу, вторая справа), а большие из-за сопротивления воздуха — форму сплюснутого сфероида. Капли дождя падают со скоростью приблизительно 9 м/с, чем меньше капля, тем меньше и скорость ее падения.

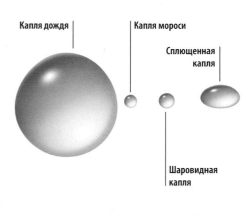

Капля дождя | Капля мороси | Сплющенная капля | Шаровидная капля

Снег, крупа и град

Если кристаллики льда, выпадающие из облака, не тают в воздухе, на поверхность земли выпадают твердые осадки — снег, крупа, град. В зимнее время снег приносят слоистые или кучевые облака. Мокрые снежинки, слипаясь, образуют хлопья. Снежная крупа возникает при беспорядочном росте ледяных кристаллов в условиях высокой относительной влажности. Град выпадает в теплое время года из мощных кучево-дождевых облаков. Обычно выпадение града непродолжительно. Градины образуются в результате неоднократного перемещения ледяной крупы в облаке вниз и вверх.

Образование устойчивого снежного покрова важно для сельского хозяйства, благополучной перезимовки растений и для пополнения подземных запасов воды. В горных районах таяние снегов обеспечивает значительную часть потребностей в воде, необходимой для орошения полей, производства электроэнергии, промышленных нужд.

▶ **Снег… но только на озере.** Зимой холодный воздух, дующий над относительно теплыми водами озера Верхнее, которое расположено на границе США и Канады, приносит шквалы и снежную крупу.

▲ **Моментальный лед.** Дождь, выпадающий на поверхность с температурой ниже 0 °С, замерзает, образуя ледяную корку. Такой дождь может превратиться в серьезную ледяную бурю, а из-за нарастания льда на проводах — повредить воздушные коммуникации.

▼ **Двигайтесь с осторожностью.** Снегопады в городах могут принести как небольшое неудобство из-за заторов уличного движения, так и серьезные проблемы.

ЛЕТЯЩИЕ КРИСТАЛЛЫ

Каждая снежинка неповторима по форме, но все они в своей основе — шестиугольные звездочки. Форма снежинки зависит от условий внутри облака, где она формируется, — от температуры и влажности.

1 — игла от –6 до –10 °С.
2 — столбик от –6 до –10 °С и ниже –22 °С.
3 — пластинка от –10 до –12 °С и от –16 до –22 °С.
4 — разветвленная звездочка от –12 до –16 °С.
5 — звездочка от –12 до –16 °С.
6 — столбики с пластинками на концах от –16 до –22 °С.

◄ **Транспорт простаивает.** Снегопады затрудняют функционирование автомобильного и железнодорожного транспорта, нарушют работу аэропортов. Большая часть воды, которая попадает на землю, своим происхождением обязана снегу. Низкие температуры воздуха на большой высоте позволяют сосуществовать кристалликам льда и переохлажденным капелькам воды. На вершинах гор идет снег, а ниже он превращается в дождь.

Цвет и свет

Человеческий глаз воспринимает световые волны лишь определенной длины, так называемый видимый свет. Световые лучи, идущие непосредственно от источника света, например Солнца, или отражающиеся от рассматриваемых предметов, как, например, эта страница, проникая в глаз, воздействуют на клетки его сетчатки — колбочки и палочки. Палочки различают свет, а колбочки отвечают за восприятие цветов. Белый свет, излучаемый Солнцем, является электромагнитным излучением сложного спектрального состава и содержит в себе все цвета практически одинаковой интенсивности. Световые лучи, проходя через атмосферу, рассеиваются молекулами воздуха, водяного пара и частицами пыли, и мы видим голубое небо, красный закат, белые облака. Капли дождя и кристаллы льда также отражают и рассеивают лучи, в результате облака окрашиваются в характерный белый цвет.

▶ **Волшебное сочетание.** Редкие прозрачные облака в лучах заходящего солнца, отражающиеся в водах озера, — необыкновенное зрелище. Синее небо над головой постепенно окрашивается в оранжевые тона и становится алым у горизонта. Это происходит благодаря тому, что солнечные лучи, проходя через атмосферу, преломляются. Цвет неба на других планетах, например на Марсе, отличается от привычного нам голубого, потому что атмосфера этих планет иная по своему составу и по-другому преломляет солнечные лучи.

▼ **Неяркий цвет утра.** Рассвет на горном озере. Безмятежный пейзаж, залитый мягким белесым светом. Такой эффект дают лучи восходящего солнца, рассеянные капельками облаков и тумана.

Расцвеченный солнцем небосвод. Самая высокая часть облака, получая больше всего света, остается белой, а ниже, где света меньше, оно приобретает бронзовый оттенок.

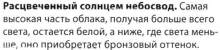

Несравненная прелесть заката. Облачный горизонт и пыль в атмосфере, которая рассеивает свет, могут создать эффектное зрелище заката. Лучи солнца, проходящие через облака, называются сумеречными лучами.

ПОЧЕМУ НЕБО ГОЛУБОЕ

Как уже говорилось выше, свет от Солнца приходит на Землю в виде электромагнитных волн. Это так называемый белый свет, вызывающий в человеческом глазе нейтральное цветовое ощущение. На самом деле он — смешение различных цветов: красного, оранжевого, желтого, зеленого, голубого, синего и фиолетового. Каждый из них имеет волну определенной длины. Наибольшая длина — у красного и оранжевого цветов, наименьшая — у синего и фиолетового. В течение дня цвет воспринимаемых глазом солнечных лучей изменяется. На рисунке справа показано, что если солнечные лучи падают на землю под высоким углом (т. е. днем), то молекулами воздуха рассеиваются короткие длины волн. Мы видим голубое небо, так как до наших глаз прежде всего доходит коротковолновый свет — фиолетовый, синий, голубой и немного зеленого.

На рисунке внизу видно, как солнечные лучи проходят через атмосферу во время заката. Они проделывают в атмосфере куда более долгий путь, чем в полдень, сталкиваясь со множеством молекул и частиц, цвета с короткой длиной волны почти полностью отражаются, и до нас доходят лишь длинноволновые. Этот свет обладает разными оттенками красного. То же самое происходит на заре. Красный и оранжевый цвета заката могут усиливаться загрязнением воздуха, дымом из труб и даже извержением вулканов, расположенных за тысячи километров.

Радуги и венцы

Солнечные лучи, проходя через атмосферу, создают порой удивительные оптические явления. Радуга возникает на фоне освещенного Солнцем облака, из которого выпадают капельки дождя. Они, как призма, разлагают солнечный свет на составные части, и в небе раскидывается радужный полукруг, внешний край которого красный, внутренний — фиолетовый, а между ними остальные цвета спектра. Изредка наблюдается и лунная радуга. С самолета радуга выглядит замкнутым кругом. Кроме основной дуги, нередко можно различить более слабую дополнительную дугу с фиолетовым цветом по наружному краю, а также и третью, и четвертую дугу. Условия возникновения радуги: наличие капель воды диаметром 0,08—0,20 мм, особое положение наблюдателя — спиной к солнцу, вне дождевой зоны, при высоте солнца над горизонтом не более 42°.

Венцы — светлые, слегка окрашенные кольца, которые окружают просвечивающие сквозь тонкие водяные облака Солнце или Луну. Венцы наблюдаются также в тумане около искусственных источников света. Их может быть несколько. У каждого из них внутренняя, обращенная к светилу сторона голубая, внешняя — красная. Вокруг Луны они более яркие, потому что солнечный свет приглушает их цвета.

РАЗГАДКА ФЕНОМЕНА

На протяжении многих веков люди не могли найти объяснения периодически появляющейся на небе радуге, поэтому порой наделяли ее сверхъестественными возможностями. Только в конце XVII в. этот феномен получил научное объяснение. Исаак Ньютон доказал, что пучок света, проходя через стеклянную призму, преломляется и распадается на составные части. Получается радуга цветов. Таким образом он установил, что солнечный свет представляет собой смешение всех цветов видимого спектра.

▲ **Великолепная, но недолговечная.** Солнце и дождь — необходимые условия для возникновения радуги. Чем выше Солнце, тем больше дуга радуги.

▶ **Игра цвета на море.** Радужные полосы на поверхности океана возникли благодаря преломлению солнечных лучей в воде. Здесь представлены почти все цвета спектра. Возникновение радужности иногда связывают с приближением атмосферного фронта.

▼ **Уникальная прелесть венца.** Светлоокрашенные кольца, которые окружают Солнце или Луну, просвечивающие сквозь тонкие высококучевые облака, называются венцом.

◣ **Двойная радуга.** Над полной основной радугой частично образовалась вторичная, более тусклая. В ней наблюдается обратный порядок цветов.

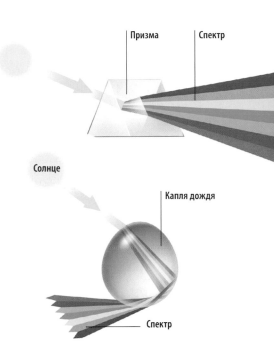

РЕЦЕПТ РАДУГИ

Свет, проходя через призму или каплю воды (что в принципе то же самое), преломляется и распадается на составные части (рис. вверху). Солнечный луч, проходя через каплю дождя, преломляется дважды (рис. в центре). Если высота Солнца над горизонтом не более 42°, а наблюдатель стоит к нему спиной и смотрит на дождь, он увидит радугу, состоящую из набора цветных дуг от фиолетовой внутри до красной снаружи (рис. внизу). Интенсивность света, ширина и окраска радуги сильно варьируются в зависимости от размеров капель. Радугу можно увидеть и в брызгах морских волн, и в брызгах водопада или фонтана.

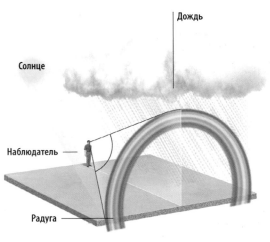

Гало и «солнечные собачки»

Ледяные кристаллики, парящие в воздухе, выступают как маленькие призмы и провоцируют появление весьма интересных оптических эффектов, известных как гало́ и паргелии. Гало — это круги, дуги, световые пятна, окрашенные или бесцветные, вокруг Солнца и Луны. В определенных местах на гало образуются особенно светлые пятна (паргелии), еще их называют «солнечные собачки», или «ложные солнца».

Гало возникают в ледяных облаках верхнего яруса, чаще в перисто-слоистых. Их разнообразная цветовая гамма зависит от формы кристалликов, их ориентации и движения. Преломление солнечных лучей в атмосфере вызывает также образование миражей. А явление, возникающее, когда Солнце исчезает за линией горизонта в наполненной пылевой взвесью атмосфере, называется зеленой вспышкой, или зеленым лучом.

ИНОГДА ГАЛО — ПРЕДВЕСТНИК ДОЖДЯ

На протяжении столетий считалось, что появление гало — верный признак скорого дождя. На самом же деле это не совсем так, хотя вслед за его появлением дождь зачастую и вправду идет. Дело в том, что развитие фронтальной облачности, несущей дожди, начинается с ледяных перистых облаков, в которых и происходит рефракция (преломление) света. Однако существует множество исключений из этого правила, и гало нельзя рассматривать как достоверное предсказание дождя. Гало возникают повсеместно, но наиболее часты в высоких широтах. Их размеры и цвет очень разнообразны. Иногда они бывают неполными, образуя скорее арки, чем круги.

▼ **Ничего, кроме воздуха.** Изображение внизу — игра света, мираж. Мираж объясняется искривлением лучей света, идущих от предмета в неодинаково нагретых и имеющих разную плотность слоях атмосферы. Видимыми оказались предметы, находящиеся за линией горизонта.

◄ **Феномен полярных широт.** В небе Антарктики появилось Солнце, окруженное гало с двумя ярко сверкающими «солнечными собачками». Это явление достаточно часто наблюдается в полярных районах, но иногда его можно видеть и в более низких широтах. «Солнечные собачки» еще называют паргелиями, или «ложными солнцами». Они создают сверхъестественную картину трех солнц на небе.

▼ **Мерцающие столбы света.** Это эффектное оптическое явление, называемое солнечным столбом, возникает, когда солнечный свет отражается в кристалликах льда перистых облаков или ледяного тумана, парящего над землей. Солнечные столбы чаще всего появляются в высоких широтах, где нередки туманы, состоящие из мельчайших кристаллов льда.

◄ **Когда Солнце становится зеленым.** Зеленая вспышка, или зеленый луч, — это внезапное изменение цвета во время заката или восхода Солнца. На мгновение красный цвет лучей становится зеленым. Длится это всего несколько секунд.

▶ **Солнце, обрамленное светом.** Гало возникает, когда солнечные лучи преломляются мельчайшими кристалликами льда.

▼ **Мимолетная красота.** Лучи света, проходя сквозь завесу ледяных кристалликов, образуют гало и «солнечные собачки». Гало возникает, если угол рефракции составляет 22°, а ледяные кристаллики совершают беспорядочное движение.

«Солнечная собачка»

22°

Наблюдатель

Гало

Полярные сияния

Поверхность Солнца изменчива. Иногда здесь происходят мощные взрывы, и в сторону Земли с огромной скоростью направляются частички солнечного вещества. Они достигают нашей планеты примерно через 30 часов. Ее магнитное поле отклоняет эти частички к полюсам, где они вызывают обширные магнитные бури. Под действием протонов и электронов, проникающих в ионосферу из космоса, начинается свечение разреженных слоев атмосферы на высоте 80—1000 км. Небо от края до края расцвечивается цветными или белыми узорами: дугами, лентами, коронами, пятнами. Полярное сияние в Северном полушарии называется северным, в Южном — южным сиянием.

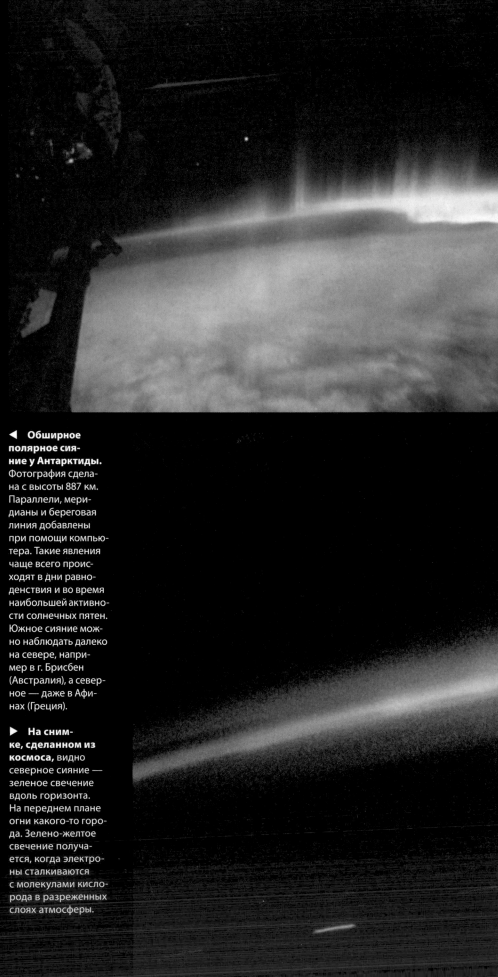

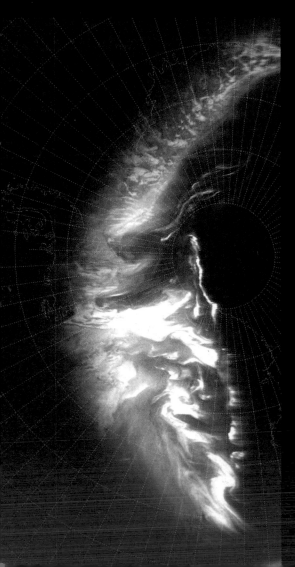

◄ **Обширное полярное сияние у Антарктиды.** Фотография сделана с высоты 887 км. Параллели, меридианы и береговая линия добавлены при помощи компьютера. Такие явления чаще всего происходят в дни равноденствия и во время наибольшей активности солнечных пятен. Южное сияние можно наблюдать далеко на севере, например в г. Брисбен (Австралия), а северное — даже в Афинах (Греция).

► **На снимке, сделанном из космоса,** видно северное сияние — зеленое свечение вдоль горизонта. На переднем плане огни какого-то города. Зелено-желтое свечение получается, когда электроны сталкиваются с молекулами кислорода в разреженных слоях атмосферы.

Картина этого необыкновенного явления запечатлена в 1991 г. из космоса. Полярные сияния могут принимать различные формы: ленты, лучи, дуги, светящиеся разноцветные занавесы.

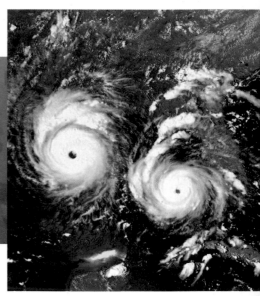

Экстремальная погода

Наверное, погода — последнее неуправляемое природное явление на Земле. Экстремальная сила ветра при ураганах, торнадо, снежных бурях, разрушительная сила лавин, наводнений, пожаров и засух — все это проявления стихийных сил природы.

Грозы

Грозы — одно из наиболее удивительных природных явлений. Ежедневно во всем мире их происходит около 40 тыс. Большинство из этих бурь случаются весной и летом в тропиках и субтропиках. В полярных районах они крайне редки. Гроза формируется в мощных кучевых облаках, разрастающихся в тропосфере до высоты 15 км. Их рост обусловлен приходом холодного фронта, когда более прохладные воздушные массы обрушиваются на теплые. Еще один механизм возникновения грозы связан с местным прогревом воздуха от земной поверхности. В этом случае нарушается устойчивость воздушной массы, воздух поднимается, быстро охлаждаясь и формируя кучево-дождевые облака. Обычно гроза длится от одного до двух часов, затем постепенно стихает. Иногда более сильные и мощные бури продолжаются значительно дольше. Но все они сопровождаются молниями и громом, проливным дождем, сильным ветром, а порой и градом. Последствия их могут быть разрушительными, особенно в городах.

▼ **Вид сверху.** На снимке, сделанном из космоса в апреле 1984 г., запечатлена серия грозовых бурь над Флоридой (США). Даже с такой высоты видна невероятная мощь грозового фронта.

▶ **Зависшая буря.** В этой надвигающейся грозовой туче таятся огромные силы. Видно, что справа уже идет проливной дождь. Но через некоторое время от этой тучи останутся лишь жалкие клочки.

Дикая природа. Фотография запечатлела огромную кучево-дождевую тучу со сверкающей молнией. Большинство гроз имеют три стадии развития. Первая — образование кучевых облаков. Иногда они достигают огромных размеров, как на этом снимке. Мощные восходящие токи воздуха пока препятствуют выпадению дождя, молний еще нет. Следующая стадия — зрелость, когда кристаллы льда в верхней части облака увеличиваются и становятся достаточно большими, чтобы стать осадками. Начинаются нисходящие токи воздуха, он становится холоднее, перемешивается и электризуется. Возникают молнии, начинается дождь или град. На последней стадии буря утихает: осадки создают слабые нисходящие токи воздуха, которые останавливают развитие облаков. Они испаряются, и буря рассеивается. Эта финальная стадия может длиться около часа. Иногда грозы возникают вдоль линии низкого давления, которая называется грозовым фронтом, или линией шквалов, потому что нисходящие токи воздуха вызывают порывистые ветры у поверхности. Полностью сформировавшийся грозовой фронт постоянно подпитывается нисходящими потоками холодного воздуха, который поднимает на своем пути теплый влажный воздух вверх.

РОЖДЕНИЕ ГРОЗЫ

На этом рисунке показано, как при прохождении холодного фронта формируется гроза. Клин холодного воздуха приближающегося фронта подтекает под более теплую воздушную массу и вытесняет ее вверх. По мере развития грозы возникают восходящие и нисходящие потоки воздуха. Грозовая туча разрастается до тропосферы, где ее вершина становится плоской и принимает форму наковальни.

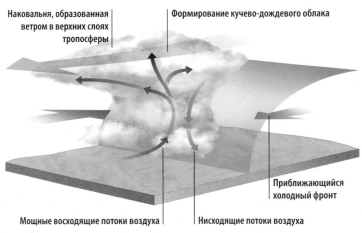

Наковальня, образованная ветром в верхних слоях тропосферы

Формирование кучево-дождевого облака

Приближающийся холодный фронт

Мощные восходящие потоки воздуха

Нисходящие потоки воздуха

Молнии

Наиболее яркие проявления грозы — это конечно же молнии и гром. Как ни странно, мы до сих пор точно не знаем, почему возникают молнии. Существует несколько версий этого эффектного явления. Возможно, во время образования мощного кучево-дождевого облака происходит электризация и скопление свободных зарядов. Обычно верхняя часть тучи несет положительный заряд, а ее основание — отрицательный. Поскольку воздух — плохой проводник электричества, эти заряды накапливаются до огромных величин, а затем между участками с разными зарядами происходят электрические разряды — молнии. Молнии нагревают воздух до 30 тыс. °С, вызывая быстрое его расширение вдоль молнии (взрывная волна), которое создает звуковой эффект — гром. На протяжении веков величественные явления грозы поражали воображение человека.

РАССЧИТАТЬ РАССТОЯНИЕ

Мы знаем, что порой раскаты грома как бы докатываются до нас издалека и звучат приглушенно, а могут обрушиться оглушительным треском, если гроза рядом. Объясняется это просто. Известно, что свет распространяется со скоростью 299 792 км/с, поэтому мы видим молнию практически сразу. Звук же преодолевает расстояние значительно медленнее, и гром мы слышим только спустя некоторое время после вспышки молнии. Чтобы преодолеть расстояние в 1 км, звуку требуется 3 секунды. Поэтому при помощи несложных расчетов можно определить, как далеко от нас находится гроза. Надо лишь посчитать, сколько секунд прошло между вспышкой молнии и раскатом грома, а затем полученное число разделить на 3.

ОГНИ СВЯТОГО ЭЛЬМА

Если напряжение поля в атмосфере значительно возрастает, то у предметов, выступающих над земной поверхностью (одиноко стоящие деревья, столбы, мачты кораблей, башни и т. д.), оно легко достигает критических значений, и тогда вокруг выступов образуются так называемые тлеющие разряды в виде светящейся оболочки или, при большой силе тока, в виде отдельных кистей. Эти тихие или сопровождающиеся слабым треском разряды называют огнями святого Эльма. Названы они так по имени церкви, на которой такие свечения неоднократно наблюдались еще в середине XVI в. Это явление может возникать и в отсутствие грозовых облаков, особенно при метелях и пыльных бурях, наиболее часто в горах.

▲ **Стихия на свободе.** Грозовые разряды порой повреждают системы электроснабжения в городах. Особенно остро эта проблема встала в связи с внедрением электронного оборудования, весьма чувствительного к электрическим разрядам.

◄ **Молния над океаном.** Фиолетовое небо разорвано ударом молнии. Сила ее разряда обычно достигает 100 млн В, при этом температура воздуха здесь повышается до огромных значений.

▲ **Молния в небе.** Прекрасный вид молнии в предзакатном небе: гигантская электрическая искра, извилистая и с многочисленными ответвлениями. Одни касаются земли, другие рассеиваются в облаке. Хорошо видна плоская наковальнеобразная вершина этого огромного кучево-дождевого образования. По цвету молнии можно судить о свойствах окружающего воздуха: вспышка красного цвета — в облаке дождь, голубого — град, желтого — пыль. Белый цвет свидетельствует о том, что воздух очень сухой. Такая молния представляет особую опасность, потому что часто при разряде в землю вызывает пожары. Распространено мнение, что в одно место молния никогда не ударяет дважды. Это не так! Высокие здания по нескольку раз в год становятся целью для молний. Однажды известному нью-йоркскому небоскребу «Эмпайр стейт билдинг» в течение 15 минут было нанесено 15 ударов молнии.

▶ **Накапливая неистовую мощь.** По мере развития кучево-дождевого облака в нем начинает собираться заряд электричества. Как показано на рисунке справа, положительные заряды концентрируются в верхней части облака, отрицательные — ближе к его основанию. Постепенно в грозовом облаке возникает электрический заряд огромной силы, начинают проскакивать искры и происходит гигантский электрический разряд — сверкает молния. Если нижняя часть облака заряжена отрицательно, а земля положительно, то молния ударит между облаком и землей. На поверхности земли молния, как правило, направлена на высокие предметы, например деревья, высотные дома. Лучше всего, если она попадает в молниеотвод, часто называемый также громоотводом.

Положительный заряд в верхней части облака

Отрицательный заряд в нижней части облака

Положительный заряд на земле

Ливни с градом и шквалы

Сильные грозы порой сопровождаются выпадением града и порывистым ветром. Такое явление вполне обычно в средних широтах, особенно весной и летом. Как правило, размер градин невелик, однако при определенных условиях они достигают значительных размеров. В 1988 г. в Северной Индии выпадение града размером с теннисный мяч привело к гибели 250 человек.

Во время грозы осадки значительно охлаждают воздух. Он становится плотнее и устремляется к поверхности земли. В такой момент, обычно в первые минуты ливня, у поверхности наблюдается шквалистое усиление ветра до 160 км/ч. Оно опасно для взлетающих и приземляющихся самолетов и способно причинить значительные разрушения. Мокрые шквалы сопровождаются дождем. Сухие возникают при явлении вирги, когда осадки не достигают земли (см. с. 101).

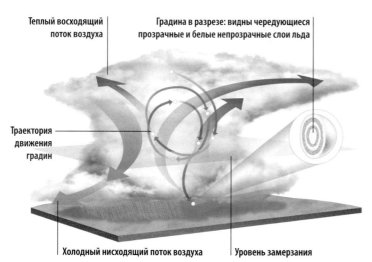

Теплый восходящий поток воздуха

Градина в разрезе: видны чередующиеся прозрачные и белые непрозрачные слои льда

Траектория движения градин

Холодный нисходящий поток воздуха

Уровень замерзания

◄ **Приближается гроза с градом.** Несмотря на бледный и безмятежный вид, это хорошо сформировавшееся грозовое облако с наковальней состоит из кристаллов льда.

▶ **Ледяные снаряды.** Град такого размера, как этот, почти с грецкий орех, может причинить серьезный вред и людям, и животным.

КАК ОБРАЗУЕТСЯ ГРАД

Случается, что гроза сопровождается выпадением града. Нередко град бывает достаточно крупным, повреждает автомобили, пробивает крыши домов, причиняет серьезный ущерб сельскому хозяйству, наносит травмы людям. Он зарождается в очень мощных кучево-дождевых облаках. Градины образуются в результате неоднократного перемещения ледяной крупы вниз и вверх. Опускаясь вниз, крупинки попадают в зону переохлажденных капелек воды и покрываются прозрачной ледяной оболочкой. Затем они снова поднимаются в зону ледяных кристаллов, и на их поверхности образуется непрозрачный слой из мельчайших кристалликов. Количество оболочек и размер градин зависят от того, сколько раз они поднялись и опустились в облаке. Были описаны градины, состоящие из 25 слоев. Выпадение града, как правило, непродолжительно.

Неожиданный ливень. На стадионе «Уимблдон» в Лондоне, где проходят теннисные турниры, надпись предупреждает зрителей об опасности в случае неожиданного проливного дождя. Грозы с градом — очень частое явление в средних широтах. Град причиняет значительный ущерб хозяйству: повреждает автомобили, дома, уничтожает урожай. (Надпись на фото: «В случае дождя зрителей просят не открывать зонты, пока игра не будет остановлена».)

▲ **Ливень.** Из кучево-дождевого облака изливаются на землю потоки дождя. Такие облака состоят из капелек переохлажденной воды и кристалликов льда в верхней части. При движении вниз кристаллики тают, превращаются в градины или в капли дождя.

▶ **Образование сухого шквала.** Шквал, как правило, начинает формироваться на высоте 5 км. Охлажденный выпадением осадков воздух устремляется в сторону земли. При встрече струи воздуха с поверхностью возникает очень сильный порыв ветра. Дождь в приземном слое воздуха начинает испаряться, возникает явление, которое называется вирга: капли дождя, выпадая из облака, по пути к земле испаряются. Мокрый шквал формируется так же, только в этом случае осадки достигают земли.

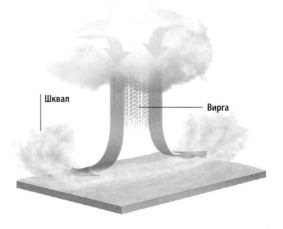

Шквал

Вирга

Метели и ледяные дожди

Зимой на обширных территориях Европы и Северной Америки часты метели и ледяные дожди. Они нарушают привычный образ жизни, парализуя движение транспорта, увеличивая расход электроэнергии и подвергая опасности население.

Метель, или вьюга, сопровождается сильным ветром (его скорость может превышать 50 км/ч) и обильным снегопадом при достаточно низких температурах воздуха. Вместе с ветром снег с огромной скоростью переносится по поверхности земли. При отсутствии снегопада метель может быть поземкой или низовой метелью в зависимости от толщины слоя воздуха, где происходит перенос снега. Пурга (сильная низовая метель) может наблюдаться даже при ясном небе.

Особый характер имеет ледяной дождь. Это замерзшие в воздухе капли дождя. Где-то над земной поверхностью есть слой воздуха с положительной температурой, а под ним с отрицательной, где капельки дождя, падая, замерзают, образуя ледяной дождь. В результате на поверхности формируется ледяная корка. Дороги превращаются в сплошной каток, что чревато травмами и авариями.

КОГДА ДОЖДЬ ЗАМЕРЗАЕТ

Ледяные дожди превращают ландшафт в сказочную картинку, одевая каждую веточку в сверкающую ледяную оболочку. Но они же создают на улицах городов сплошной кошмар для пешеходов и машин. В ситуации, изображенной справа, около поверхности земли дождь попал в слой холодного воздуха с температурой чуть ниже нуля и замерз на всех выступающих над землей поверхностях. В результате на ветвях деревьев и различных постройках образуется достаточно толстый слой льда, который может нанести серьезный ущерб природе и человеку.

▲ **Груз зимы.** Вес льда, налипшего на провода линии электропередачи во время ледяной бури в Северной Дакоте (США) в 1986 г., был настолько велик, что линия электропередачи (на заднем плане) вышла из строя. Подобные повреждения — одно из наиболее неблагоприятных последствий такой погоды. А лед ледников в горах и в Антарктике может настолько уплотниться, что его трудно разрубить даже ледорубом.

◄ **Самое время уехать в теплые края.** Сильные снегопады и штормовой ветер в городах создают невыносимые условия: движение городского и общественного транспорта нарушается, а долгое пребывание людей на открытом воздухе из-за низких температур и сильного ветра иногда становится опасным для жизни. Наряду с физическим дискомфортом сильный холод ослабляет нервную систему и защитные функции организма.

▶ **Зимняя скульптура.** Эти извилистые, длинные и узкие валы на снегу, заснятые на острове в Северном Ледовитом океане недалеко от Шпицбергена, называются застругами. Они созданы природой — ветровой эрозией снежного покрова. Мелкие снежинки, влекомые ветром, изваяли снежный рельеф причудливой формы в виде вытянутых по ветру узких и твердых гребней. Метели, вьюги и жестокие морозы характерны для долгой зимы в высоких широтах Арктики. Сильные ветры дуют здесь порой несколько дней подряд.

◀ **Яхта во льду.** Метели представляют опасность для всех видов судов. Угрозу им несет не только ветер, но и налипание снега и льда на палубу и такелаж судна, что может повредить оснастку.

▶ **Ледяные перья.** Переохлажденные капельки воды, перемещающиеся вместе с ветром, иногда оседают и замерзают на твердых предметах в виде вытянутых по ветру причудливых образований — ледяных перьев.

Торнадо

Атмосферный вихрь, возникающий под грозовым облаком и распространяющийся до земной поверхности, называется смерчем, если он образовался над морем, и тромбом, если образовался над сушей. В Северной Америке эти атмосферные явления называют торнадо. Они отличаются исключительной мощностью восходящих токов воздуха, которые настолько сильны, что пронизывают грозовое облако снизу доверху, образуя в наковальне купол. Воздух с огромной скоростью вращается вокруг оси вихря, одновременно поднимаясь вверх. Приближение смерча обычно сопровождается оглушительным грохотом, который слышен за многие километры и достигает своего пика в момент соприкосновения смерча с землей. Его разрушительная сила исключительно велика, но особенно опасны смерчи для судов в море.

ШКАЛА ФУДЖИТЫ		
Категория	Скорость (км/ч)	Характеристика
F0	64—117	Штормовой
F1	118—180	Умеренный
F2	181—251	Значительный
F3	252—330	Сильный
F4	331—417	Разрушительный
F5	Более 417	Невероятный

КАК ОПРЕДЕЛИТЬ СИЛУ ТОРНАДО

В приведенной выше шкале сила торнадо классифицируется по последствиям разрушений, которые они оставляют после себя. Если торнадо категории F5 пройдет через населенный пункт, то от него практически ничего не останется. Так, например, случилось при прохождении торнадо «Три-Стейт» в марте 1925 г. в США. Шкала была разработана метеорологом Чикагского университета, профессором Теодором Фуджитой (1920—1998). Показателем силы торнадо может служить также скорость ветра, но пока еще ни один метеорологический прибор не в состоянии выдержать разрушительную силу вихря в его воронке. Кстати, давление внутри воронки очень низкое, поэтому торнадо всасывает все, что встречает на своем пути, и переносит порой на значительные расстояния. Разрушительная сила смерчей зависит как от высоких скоростей вращения, так и от огромной разницы в давлении воздуха.

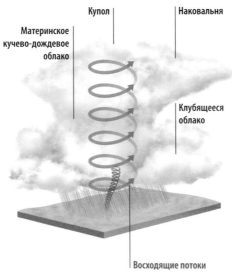

Купол

Наковальня

Материнское кучево-дождевое облако

Клубящееся облако

Восходящие потоки

◄ **От грозы к торнадо.** Начинается торнадо как обычная гроза, часто сопровождаясь дождем и градом. Затем, в течение нескольких минут, температура воздуха резко понижается, а из грозового облака вырывается атмосферный вихрь в виде рукава или хобота, имеющего воронкообразные расширения в верхней и нижней частях. Он стремительно опускается по направлению к земле. Смерчи часто возникают группами по два, три и более. Способна ли гроза породить торнадо, можно определить по двум признакам. Первый: возникновение облачного купола на вершине кучево-дождевого облака говорит о том, что воздух проник сквозь «запирающий» слой тропопаузы и возвысился над ней. Такого рода купола свидетельствуют о наличии стремительных восходящих потоков от земной поверхности до больших высот, где расположена вершина облака. Второй: образование клубящихся облаков.

◄ **Наблюдать и ждать.** Огромный смерч, сопровождаемый яркими вспышками молний, зловеще навис над маленькой деревушкой. Регулярный прогноз погоды чрезвычайно важен, когда торнадо случаются ночью. Без этого узнать об их приближении можно, только увидев смерч во время вспышки молнии. При возникновении опасной ситуации метеослужбы начинают тщательно следить за развитием событий в атмосфере.

▼ **Движущийся столб воды.** Водяной смерч, например такой, как этот над рекой Джеймс в Вирджинии (США), обычно слабее тех, что возникают над океаном. Для его образования не нужно мощное грозовое облако. При прохождении над водной поверхностью смерч способен поднять столб воды высотой до 5—6 м.

► **Образование торнадо.** Смерч или тромб выглядят как темный конусообразный столб, свисающий из основания грозового облака. Сильное понижение давления внутри него вызывает охлаждение воздуха, что приводит к конденсации водяного пара, и смерч становится видимым. Иногда мусор и пыль, которые вихрь «всасывает» в себя, также могут окрасить его воронку. Торнадо похожи на хобот слона, который свисает из грозового облака, породившего его. Неблагоприятные погодные условия порой вызывают образование нескольких бурь подряд, в результате которых возникнет серия торнадо. Это может привести к большим разрушениям и жертвам. Смерчи также генерируют сильные электромагнитные поля и сопровождаются молниями. Разряды статического электричества постоянно возникают из-за трения быстро движущихся частиц воздуха друг о друга и происходящей вследствие этого электризации воздуха.

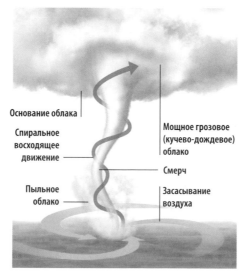

Основание облака

Спиральное восходящее движение

Пыльное облако

Мощное грозовое (кучево-дождевое) облако

Смерч

Засасывание воздуха

«Аллея торнадо»

Мощные смерчи возникают на всех континентах, кроме Антарктиды, однако три четверти их случаются в США. Многие торнадо бушуют в особом районе, своего рода коридоре, получившем название «Аллея торнадо». Он протянулся через долины рек Миссисипи, Огайо и нижней Миссури. В зависимости от времени года его граница простирается от Айовы и Небраски на севере до Центрального Техаса на юге. Летом воздух над Великими равнинами нагревается и поднимается вверх. На его место приходит влажный тропический воздух со стороны Мексиканского залива. Здесь он сталкивается с холодным сухим воздухом, приходящим из Канады. В результате создается уникальная комбинация метеорологических факторов, формирующая сильнейшие грозы и порождающая торнадо. В апреле 1974 г. в течение 16 часов здесь образовались 148 торнадо, которые нанесли удар 11 штатам. 315 человек погибли, более 5 тыс. было ранено.

▼ **Грандиозная сила облака.** Мощный, хорошо сформировавшийся смерч над штатом Нью-Мексико засасывает огромное количество рыхлого грунта. Под материнским грозовым облаком образовалось пыльное облако. Многие торнадо существуют лишь несколько минут. За это время они успевают пройти путь, равный 50 м в ширину и 5 км в длину, поэтому полоса разрушений сравнительно невелика. Но наиболее мощные могут просуществовать около часа. Полоса их разрушений намного значительнее: 1,6 км в ширину и до 100 км в длину.

▲ **До и после.** На космическом снимке видно, что растительный покров на большой площади, выделенной красным цветом, практически уничтожен сильным торнадо, прошедшим в районе Ла-Платы в штате Мэриленд. Авиационный радиолокатор, разработанный в США во время Второй мировой войны, позволяет более оперативно предупреждать о резких ухудшениях погоды.

▶ **Неодолимая разрушительная сила.** На этой фотографии запечатлен торнадо, пронесшийся над г. Пампа (штат Техас) в 1995 г. Как страшно оказаться на пути этого грозного явления природы! Мусор и обломки летят вслед за вихрем, увеличивая площадь смерча. Цвет хобота торнадо зависит от цвета пыли и мусора, которые он собрал по пути.

САМЫЕ РАЗРУШИТЕЛЬНЫЕ ТОРНАДО

Год	Место событий	Число жертв	Категория торнадо
1925	Три-Стейт (Миссури, Иллинойс, Индиана)	695	F5
1840	Натчез (Миссисипи)	317	нет данных
1896	Сент-Луис (Миссури)	255	F4
1936	Тупело (Миссисипи)	216	F5
1936	Гейнсвилл (Джорджия)	203	F4
1947	Вудвард (Оклахома)	181	F5
1980	Амите (Луизиана); Парвис (Миссисипи)	143	F4
1899	Нью-Ричмонд (Висконсин)	117	F5
1953	Флинт (Миссисипи)	115	F5
1953	Уако (Техас)	114	F5

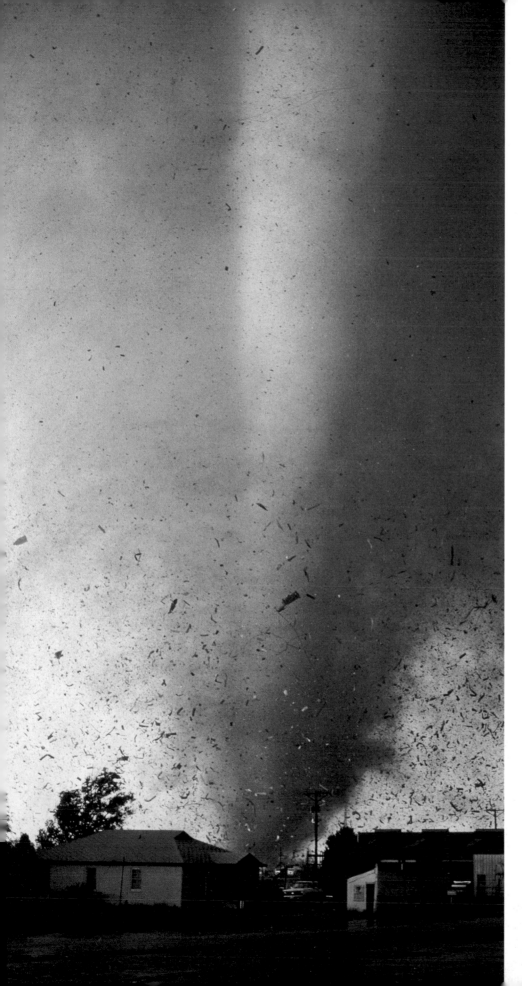

Среднегодовое количество торнадо на единицу площади, равную 26 тыс. км²

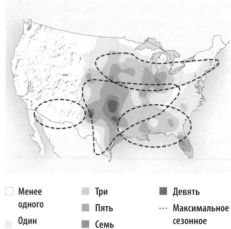

☐ Менее одного

▨ Три

■ Девять

▨ Один

▨ Пять

⋯ Максимальное сезонное

■ Семь

ТОРНАДО: ГДЕ И КОГДА

На карте показано, где на территории США наиболее часто возникают торнадо, а также их среднегодовое количество. Над южными штатами они в большинстве своем образуются в январе, феврале и марте, севернее период торнадо сдвигается на более поздние месяцы.

Последствия разрушительного торнадо «Три-Стейт». 23 марта 1925 г. в течение трех часов этот смерч бушевал над штатами Миссури, Иллинойс и Индиана, оставив после себя хаос разрушения. Погибли 695 человек, было ранено более 2 тыс. В городах и поселках разрушены дома, линии электропередачи, коммуникации. На фото внизу г. Гриффин, штат Индиана, через пять дней после катастрофы.

Наблюдения за торнадо

Национальные службы погоды различных стран ведут тщательный мониторинг условий формирования торнадо. Если в атмосфере создаются неблагоприятные условия, метеорологи распространяют соответствующие предупреждения. США одна из стран, в которой торнадо возникают наиболее часто. В год здесь их бывает до 750. Эти смерчи также часты в Австралии, Южной Азии и даже в некоторых районах Европы. 29 июня 2004 г. тромб необычайной силы, крайне редкий в наших широтах, прошел над Москвой. Морские смерчи у нас часты на Черном море.

▶ **Результаты неистовства бури.** Торнадо, прошедший над озером Осцеола во Флориде в 1998 г., поднял в воздух автомобили и оставил их посреди развалин домов. Постройки на пути торнадо всегда подвергаются сильному разрушению, но своевременное предупреждение может сохранить жизнь многим людям.

▼ **Отважные охотники за торнадо.** Метеоролог наблюдает развитие мощной грозы в Канзасе (США). Благодаря таким специалистам мы располагаем замечательными фото- и видеоматериалами о торнадо.

Определение возможностей торнадо. Ученые ведут наблюдение за грозовыми бурями при помощи самого современного электронного оборудования, результаты тщательно анализируются и доводятся до сведения населения.

НАБЛЮДАТЬ И ПРЕДУПРЕЖДАТЬ

Предупреждение о торнадо распространяется, когда в данном районе возникает опасность его образования. Население должно быть готово к приближающейся буре и следить за меняющейся ситуацией. Когда смерч становится видимым или его формирование фиксирует радар, местное население предупреждается о его приближении и о примерной траектории его пути. В этом случае люди должны укрыться в заранее оборудованных убежищах. Смерч в городе Шатурш в Бангладеш 26 апреля 1989 г. был самым трагическим за всю историю человечества. Жители этого города, получив предупреждение о надвигающемся смерче, проигнорировали его. В результате погибло 1300 человек.

◄ **Черный смерч.** Спиральное восходящее движение воздуха всосало огромное количество мусора, который отчетливо виден в вихре. Более точный прогноз несущих с собой разрушение и смерть торнадо стал возможен во второй половине XX в., когда был разработан радар Доплера и появились компьютерные технологии, позволяющие моделировать резкие изменения погоды.

Смерчи и пыльные бури

Кроме торнадо существуют еще вихри меньших масштабов, которые в разных частях света называются по-разному: пыльные дьяволы, танцующие дервиши, песчаные черти, вилли-вилли и др. Эти ветры формируются в жарких сухих регионах и имеют вид вращающихся воронок. Они значительно слабее торнадо и не связаны с грозами. Пыльная буря — это небольшой смерч. Существуют и другие ветры, например, снежные бури, которые порождаются сильными ветрами у поверхности земли, а огненные торнадо связаны с лесными пожарами. Вихри могут образоваться в городе среди высоких зданий.

ГОРЯЧИЙ ВОЗДУХ И ВЕТЕР РОЖДАЮТ ДЬЯВОЛОВ

Вращающиеся песчаные столбы в жарких регионах мира называют пыльными дьяволами. Они возникают в результате резкого поднятия воздуха, нагретого земной поверхностью. Более холодный воздух устремляется на его место, образуется завихрение. Поднимаясь по спирали, вихрь увлекает за собой тучи песка. Над землей вырастает вращающийся песчаный столб. Сметая все на своем пути, он с шумом несется вперед, становясь все шире и толще.

▶ **Дьявольское явление.** Большой песчаный вихрь поднял пыль и мусор высоко в воздух. Эти вихри не такие мощные, как торнадо, но и они наносят вред посевам, наполняют пылью легкие людей и животных, механизмы машин.

▼ **Разрушительный вихрь.** Дом в г. Катания на острове Сицилия был разрушен, как описывают очевидцы, двумя вихрями в 2002 г. Сильные ветры, приходящие с гор, известны своей сокрушительной силой.

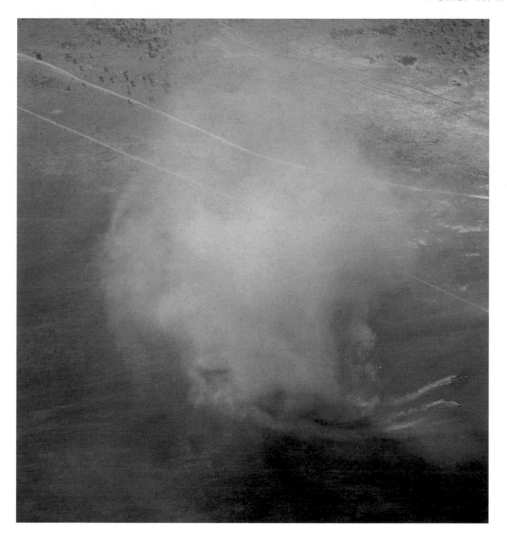

◄ **Распространяющий пыль.**
Такие ветры в виде песчаных вихрей приносят массу неприятностей. Небольшие в диаметре, в высоту они могут достигать 900 м и передвигаться на значительные расстояния.

РАЗВИТИЕ ПЕСЧАНОЙ БУРИ

Воздух, нагреваясь от земной поверхности, начинает подниматься вверх (1). Быстрее всего нагревается поверхность без растительности. Поднимающийся воздух образует столб, который попадает в струи господствующего ветра. Этот столб, называемый термиком, может достигать нескольких сотен метров в высоту (2). Когда господствующие ветры наталкиваются на неровности земной поверхности, например небольшие холмы, они начинают закручиваться в горизонтальной плоскости и передают вращательное движение термику (3). В результате формируется песчаный вихрь — уходящий вверх по спирали столб воздуха. На этом этапе развития он обычно достаточно силен, чтобы поднять в воздух пыль с земли (4).

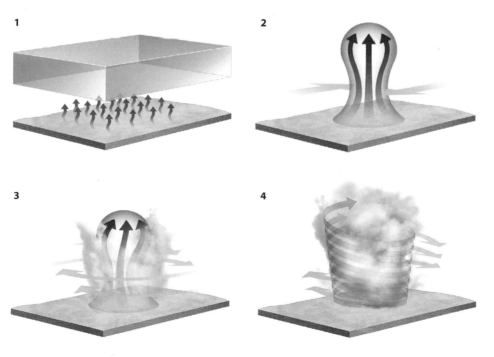

Ураганы

Сильнейшие ливни, огромные волны, ветры невероятной силы — ничто не может сравниться по разрушительной силе с ураганами. Известные в Австралии как циклоны, а в Юго-Восточной Азии как тайфуны, эти страшные бури образуются над теплыми тропическими водами океанов. Наиболее благоприятные условия для их формирования наблюдаются между 5 и 15° северной и южной широты, где температура морской воды превышает 26 °С. Однажды сформировавшись, они могут существовать в течение нескольких дней или даже недель, пока не переместятся в сторону полюсов или не попадут на сушу. Ежегодно на Земле возникает около 80 ураганов, 35 из которых затрагивают регионы Юго-Восточной и Южной Азии (иногда заходя на территорию российского Дальнего Востока), 25 — проходят по территории Америки, а остальные развиваются в южной части Индийского и Тихого океанов.

На карте справа показаны основные области распространения тропических ураганов и пути их движения. В Северном полушарии сезон их возникновения продолжается с июня по ноябрь, в Южном — с ноября по май.

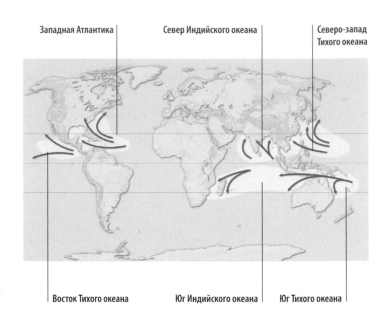

Западная Атлантика   Север Индийского океана   Северо-запад Тихого океана

Восток Тихого океана   Юг Индийского океана   Юг Тихого океана

ШКАЛА САФФИРА—СИМПСОНА

В Америке сила ураганов измеряется по пятибалльной шкале. Она основывается на скорости ветра и включает в себя оценку штормовых волн в каждой из пяти категорий. Ураганы силой в 5 баллов, такие как «Камилла», пронесшаяся над штатом Вирджиния в 1969 г. с катастрофическими последствиями, достаточно редки.

▼ **Ураган «Лили».** На фотографиях из космоса запечатлена зловещая красота урагана чудовищной силы. Так выглядел ураган «Лили» до того, как он обрушился на штат Луизиана (США).

ШКАЛА САФФИРА—СИМПСОНА			
Давление (гектопаскали)	Скорость ветра (км/ч)	Штормовые волны (м)	Ущерб
1. Более 980	118—152	1,2—1,6	Минимальный
2. 965—979	153—176	1,7—2,5	Умеренный
3. 945—964	177—208	2,6—3,7	Значительный
4. 920—944	209—248	3,8—5,4	Огромный
5. Менее 920	Более 248	Более 5,5	Катастрофический

ВНУТРИ УРАГАНА

Мощные грозовые бури берут энергию у теплых тропических океанов. Ураганы представляют собой огромные вихри. В Северном полушарии они вращаются против часовой стрелки, в Южном — по часовой стрелке. Движение происходит вокруг штилевого центра — «глаза», в котором теплый воздух опускается к земле. Вокруг него кучево-дождевые облака образуют стену, достигая здесь наибольшей высоты. По стене теплый и влажный воздух, не имея возможности двигаться к центру, начинает быстро подниматься, что сопровождается проливными дождями и сильным ветром. Именно здесь скорость ветра наибольшая. Наверху воздух расходится по спирали наружу от центра урагана.

▲ **Ураган над Мадагаскаром.** Тропический циклон «Дина» сфотографирован в январе 2002 г. в стадии угасания, хотя скорость ветра все еще составляет в нем 210 км/ч. Красота вихря обманчива, ведь снизу сейчас бушует ураган разрушительной силы. Ураганы в диаметре достигают 200—500 км, а их «глаз» — 50 км.

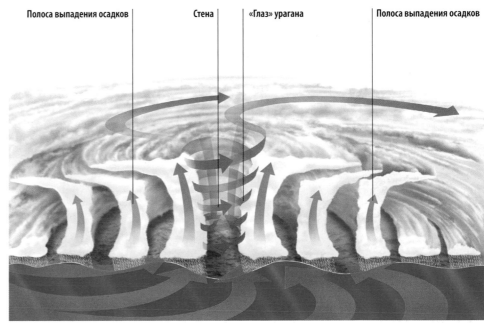

| Полоса выпадения осадков | Стена | «Глаз» урагана | Полоса выпадения осадков |

Последствия ураганов

Ураганы — одно из самых разрушительных явлений природы. Скорость ветра в них достигает 300 км/ч. В торнадо скорость ветра бывает и более высокой, но существуют они всего несколько часов, тогда как ураганы «живут» неделями. Их разрушительную силу люди испытывали на себе в течение веков: множество потопленных кораблей, разрушенные ужасным ветром и огромными волнами города. Однако последствия ураганов могут быть и не столь опустошительными. Образовавшись в океане, они, по мере приближения к берегу, гонят штормовые волны, которые с огромной силой обрушиваются на сушу. Высота волны зависит от уклона дна у побережья. Продвигаясь в глубь суши, ураган ослабевает и превращается в циклон с обильными ливнями, вызывающими наводнения.

▶ **Выброшенная на берег.** Во время урагана волны могут проникать в глубь суши на несколько километров. Эта яхта была выброшена далеко на сушу во время урагана «Эндрю» в 1992 г. Он стал одним из самых разрушительных в истории США. Ущерб составил 30 млрд долларов.

▼ **Ярость урагана.** Волны огромной силы, которые сопровождают это грозное явление природы, способны разрушить все на своем пути. В октябре 2001 г. ураган «Ирис» коснулся Ямайки на пути к полуострову Юкатан. Мощные волны едва не перевернули грузовое судно.

▶ **Поваленный лес.** Целый массив леса был уничтожен в октябре 1987 г., когда сильнейшая буря разыгралась в Южной Англии.

▼ **Внетропический.** При благоприятных условиях внетропический циклон может стать таким же опасным, как тропический ураган. Это одна из 90 лодок, пострадавших во время такого шторма в штате Массачусетс (США). Во время сильных циклонов, приносящих ветер и шторм, в первую очередь страдают прогулочные лодки и яхты.

Наблюдение за ураганами

Центры по слежению за ураганами, тайфунами и тропическими циклонами при национальных службах погоды разных стран постоянно наблюдают за состоянием атмосферы, чтобы выявить первые признаки их формирования. Для этого используются все доступные в настоящее время технологии: метеоспутники, специально оборудованные самолеты, радары, корабли, дрейфующие буи, автоматические метеостанции на отдаленных островах. Все силы задействованы для того, чтобы ни один ураган не остался незамеченным. Как только он зафиксирован, по всему миру распространяются регулярные предупреждения с подробной информацией. Эти предупреждения рассылаются с помощью современной техники и средств связи во все населенные пункты, которые находятся под угрозой, и судам в открытом море.

В качестве источника оповещения о приближении ураганов все большую популярность завоевывает Интернет, но радио и телевидение по-прежнему остаются для большинства населения главными средствами информации. Также широко используются телефонная связь и служба SMS-сообщений. Суда в открытом море полагаются на факсимильную и радиосвязь, которые осуществляются через спутники. В некоторых странах о приближении урагана оповещает вой сирен, установленных вдоль побережья.

СИГНАЛЫ МОРЯ
Нет сомнения в том, что сложные технологии чрезвычайно важны при мониторинге экстремальных природных явлений, но есть и более простые признаки их появления, например волны на море. Волна, которая образуется под воздействием урагана, часто значительно опережает его. Поэтому при наличии высокой волны вероятна возможность приближения урагана.

25 августа

24 августа

▶ **Карибская трагедия.** Карибские острова расположены на пути ураганов, движущихся в западном направлении через Атлантику. Вот что оставил после себя ураган на острове Сен-Мартен.

▶▶ **Последствия циклона «Трейси».** Это стихийное бедствие унесло жизни 49 человек, обрушившись на г. Дарвин (Северная Австралия) в 1974 г.

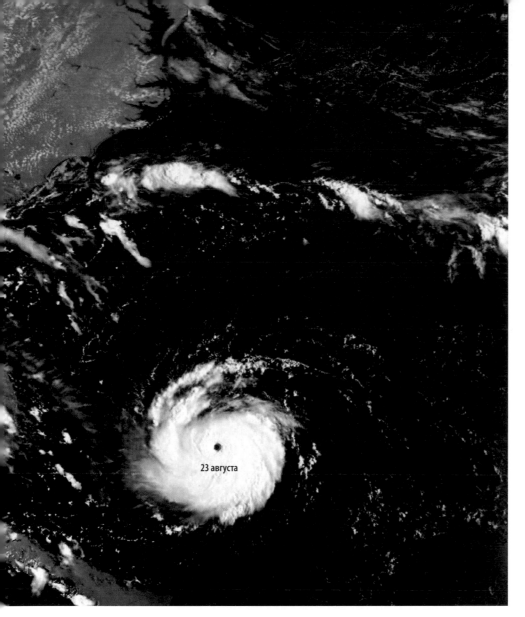

23 августа

ОТСЛЕЖИВАНИЕ УРАГАНА

На этой комбинированной фотографии показаны 48 часов из жизни урагана «Эндрю». Он зародился как тропический шторм в Атлантическом океане 17 августа 1992 г., а уже 22 августа достиг силы урагана. Через два дня он обрушился на побережье Соединенных Штатов, получив пятую категорию по шкале Саффира—Симпсона. Это был всего третий ураган такой силы, достигший материка за весь период наблюдений. «Эндрю» прошел над Флоридой и далее нанес удар по побережью Мексиканского залива. Но разрушения достигли своего пика все-таки в районе Майами. В ночь после визита «монстра» его южная часть, обычно залитая огнями, представляла собой черную дыру. Ущерб, составивший 30 млрд американских долларов, был бы вдвое больше, если бы не заблаговременное оповещение населения о его приближении. Такие спутниковые фотографии постоянно обновляются; как только ураган выявлен, за ним ведется наблюдение и рассылаются предупреждения.

23 августа. Ураган «Эндрю» продолжает набирать силу, миновав северную оконечность острова Элевтера (Багамские острова).

24 августа. Вскоре после достижения максимальной силы ураган пришел на побережье Флориды. Скорость ветра здесь в этот момент достигала 265 км/ч.

25 августа. Постепенно затухая, «Эндрю» направился к побережью Мексиканского залива, где нанес сокрушительный удар штату Луизиана, причинив здесь огромный ущерб.

▶ **Крупномасштабные разрушения.** Ураган «Эндрю» превратил этот поселок в развалины всего за несколько минут. Только самые прочные строения могут противостоять мощи природных катаклизмов.

▶▶ **Неистовый «Даниель».** Инфракрасное изображение урагана «Даниель», который в июле 2000 г. прошел около 3 тыс. км, прежде чем приблизиться к Гавайским островам.

Наводнения, оползни и снежные лавины

Проливной дождь часто вызывает наводнения и оползни, а сильный снегопад способствует сходу снежных лавин. 40 % всех природных катастроф приходится на наводнения. Наибольшему риску в случае оползней подвергаются населенные пункты, расположенные на высоких берегах рек, а при наводнениях — те, что размещаются в их широких долинах и дельтах.

В некоторых районах мира регулярные наводнения являются частью естественного природного цикла. В долине Нила, например, они в течение многих тысячелетий обеспечивали устойчивое земледелие. И в настоящее время сельское хозяйство многих тропических регионов зависит от наводнений, вызываемых муссонными дождями. Менее прогнозируемы и более опасны внезапные паводки на реках после сильных кратковременных ливней. Обширные затопления, как правило, связаны с прохождением холодного фронта или циклоном, которые вызывают затяжные дожди на значительной территории. Подъем уровня воды может продолжаться несколько недель.

▶ **Опасность затопления.** В июне 1992 г. один из районов Парижа был затоплен во время мощного паводка. Многие крупные города возведены на берегах рек, поэтому во время наводнений тысячи людей могут пострадать.

▼ **Устрашающее предупреждение.** Снег на первый взгляд кажется невесомым, но, когда мощность снежного покрова достигает нескольких метров, он становится очень тяжелым. Вместе с лавиной, увеличивая ее разрушительную силу, вниз по склону перемещаются камни и поломанные деревья. Лавину обычно сопровождает мощная воздушная волна.

ФОРМИРОВАНИЕ ВНЕЗАПНОГО ПАВОДКА

Наиболее частой причиной внезапного паводка является гроза, которой сопутствует сильный короткий ливень на ограниченной территории. Когда влажный воздух встречает преграду в виде гор, он резко поднимается, происходит образование кучево-дождевых облаков. Начинается гроза. Если ветер удерживает ее на одном месте, потоки дождя устремляются в долину. Такие грозы могут вызвать внезапный паводок даже в пустынях. Дело в том, что сухая спекшаяся почва способна впитать лишь небольшое количество осадков, поэтому ливень быстро превращает пересохшие русла рек в бурные потоки. В пустынях Северной Америки больше людей утонуло, чем умерло от жажды. По схожим причинам внезапные паводки обычны в городах. Чем больше выровненных поверхностей, покрытых асфальтом и бетоном, тем больше поверхностный сток воды, которая быстро затопляет улицы.

КОГДА ДВИЖЕТСЯ ЗЕМЛЯ

Оползень — это отрыв и смещение горных пород вниз по склону под действием силы тяжести. Часто они происходят в результате насыщения рыхлого грунта водой. Более длительное и обильное увлажнение грунтов приводит к образованию селей — грязекаменных потоков, внезапно возникающих в руслах горных рек. Сели и оползни часто приносят большие разрушения. Так, в мае 1998 г. после продолжительных дождей оползень около Неаполя в Италии унес жизни 20 человек и разрушил тысячи домов.

Город камней. В 1999 г. сель в провинции Варгас (Венесуэла) вызвал значительные разрушения. Сильный продолжительный дождь может создать условия для образования мощного внезапного селя.

ПОЧЕМУ СХОДИТ ЛАВИНА?

Причиной схода снежной лавины является сочетание разных факторов. Прежде всего необходим достаточно мощный снежный покров на склоне. При нарушении его устойчивости в результате интенсивных снегопадов, активного снеготаяния или дождей происходит снежный оползень по всей поверхности склона либо спонтанный отрыв снежной массы и ее свободное падение. Эти явления может спровоцировать малейшая вибрация: громкий шум и даже спуск лыжника. Сильный порыв ветра или повышение температуры также могут явиться причиной схода лавин. Снежные лавины — опасное природное явление, широко распространенное на территории России. Наиболее известная лавинная катастрофа произошла 5 декабря 1935 г. в Хибинах. Две обрушившиеся с горы Юкспор лавины вызвали сильные разрушения в горняцком поселке и гибель 88 человек. Это событие стало импульсом для начала широких научных исследований лавин в нашей стране.

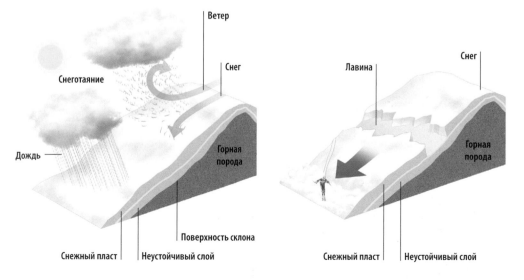

Засухи

Засухи приносят колоссальный экономический ущерб, хотя, по сравнению с другими природными катастрофами, не так часто попадают в газетные заголовки. В бедных странах эти природные катаклизмы приводят к повсеместному голоду и распространению заболеваний, связанных с недоеданием. Страдает и природа: запасы влаги в почве резко снижаются, начинается эрозия, уменьшается плодородие. Животные лишаются мест обитания и кормовой базы, это вызывает их падеж. Обычно засуха ведет к катастрофическому неурожаю, недостаточной вегетации естественной травяной растительности. Превратившаяся в корку почва и засохшая растительность создают условия для возникновения пыльных бурь и пожаров.

ЗАСУХА: НИГДЕ НЕТ СПАСЕНИЯ

Наибольший ущерб засухи приносят в тропических областях со скудными сезонными осадками, а также в зонах степей и полупустынь. Но на Земле есть места, где их совсем не бывает. Правда, даже в джунглях Амазонки и на тропических островах Индонезии в последние годы случались серьезные засухи. Некоторые из них могут продолжаться годами. В России наиболее засушливыми были 1891, 1911, 1921, 1931, 1936, 1946, 1954, 1957, 1967, 1971 гг. Чаще всего засуха поражает у нас Среднее и Нижнее Поволжье и бассейн реки Урал.

▲ **По воду.** Женщины с глиняными кувшинами на головах отправились на поиски воды в пораженной засухой провинции Пакистана (май 2000 г.). Засухи очень частое явление в этом регионе.

◄ **Трудно всем.** В результате жестокой засухи, поразившей многие районы Австралии в 2002 г., овцы лишились естественных пастбищ, и было организовано их кормление.

ПО МИЛОСТИ ЭЛЬ-НИНЬО

Эль-Ниньо — гигантский клин аномально теплой воды в восточной тропической части Тихого океана (шириной в сотни, длиной в тысячи километров), направленный на запад от берегов Перу, — сильнейший «возмутитель» климата. Его появление вызывает засухи во многих странах, включая Австралию.

ЗАСУХИ В АВСТРАЛИИ	
Годы	**Район**
1888	Все штаты, кроме Западной Австралии
1895—1903	Все штаты
1911—1916	Большинство штатов
1918—1920	Все штаты, кроме Западной Австралии
1939—1945	Все штаты
1958—1968	Все штаты
1982—1983	Вся Восточная Австралия
2001—2003	Все штаты

КОГДА ПАШНЯ ПРЕВРАЩАЕТСЯ В ПЫЛЬ

Засуха — это не просто отсутствие осадков или небольшое их количество. Количество осадков в разных регионах мира весьма неравномерно: в одном месте их больше, в другом меньше. Но засуха — это длительная сухая погода, часто при повышенной температуре воздуха, с полным отсутствием или с незначительным количеством осадков и пониженной влажностью воздуха и почвы. В США засуха объявляется, если за 21 день на данной территории выпало менее 30 % от обычной нормы осадков. А в Индии для этого должно выпасть менее 75 % среднегодового их количества. В России изучением феномена засухи занимается Центр мониторинга засухи, расположенный в г. Обнинск.

◄ **В ожидании муссона.** Июнь 2003 г. Высохшее озеро в южной части Индии. Нестерпимая жара и сушь может быть нарушена только приходом муссона.

▼ **Нехватка воды.** С приходом засухи почва теряет влагу, растения лишаются питания и теряют хлорофилл.

Жара и огонь

Продолжительная жара каждый год уносит множество жизней. Особенно страдают от нее пожилые люди, больные и маленькие дети. В 2003 г. во Франции по этой причине умерло более 3 тыс. человек. В будущем в связи с потеплением климата следует ожидать более продолжительных периодов с жаркой сухой погодой.

Такая погода провоцирует пожары. Чаще всего они случаются в Калифорнии (США), на юге и востоке Франции, на большей части территории Австралии, нанося неисчислимый ущерб. Характерной особенностью климата этих регионов является жаркое лето и выпадение дождей зимой, что способствует хорошему ежегодному приросту растительной биомассы, которая легко воспламеняется во время засухи. Поэтому, когда сильный ветер возникает при высоких температурах воздуха, неизбежны пожары. Искры разносятся по воздуху, провоцируя все новые и новые возгорания. Кроме того, начинаются обусловленные пожарами местные ветры, которые могут превратиться в «огненные торнадо», несущиеся впереди основного пожара. Пожары — основная причина гибели лесов. В Якутии летом 2002 г. общая площадь, пройденная огнем, составила несколько миллионов гектаров.

ЛЕТО В ГОРОДЕ

В городах в жаркую погоду наблюдается знакомая всем картина. Жители, спасаясь от жары, стараются проводить больше времени на улице и возле водоемов. Нагрузка в электросетях в такие периоды максимальна из-за повсеместно включенных кондиционеров. Дорожные пробки увеличиваются из-за перегрева двигателей машин.

▼ **Находчивые парижане.** В Париже знойным летом 1995 г. люди всех возрастов находили желанную прохладу в городских фонтанах.

КТО ВИНОВАТ?
В природной среде почти все пожары возникают из-за ударов молний. Стоит отметить, что многие экосистемы нуждаются в периодических пожарах, иначе некоторые виды растительности исчезнут. В настоящее время пожары по-прежнему начинаются из-за молний, но, к сожалению, значительная их часть возникает из-за поджогов или неосторожного обращения людей с огнем. Костер в лесу, брошенный окурок в пожароопасной обстановке могут превратиться в катастрофу.

▲ **Ад рядом.** В октябре 2003 г. в Калифорнии пожарами было охвачено более 100 тыс. га. Они полыхали на большей части штата и нанесли большой материальный ущерб.

◀ **Город в опасности.** Эти пожары бушевали в 1985 г. в лесах около Канберры, столицы Австралии. Новый сильный пожар в 2003 г. погубил сотни домов, ожоги получили более 150 человек.

▶ **Неистовство огня.** Пламя полностью охватило лесной массив во время пожара в Йеллоустонском национальном парке (июль 1988 г.). Из-за этого были закрыты многие его участки. Если бы огонь вышел из-под контроля, он мог быстро распространиться и в течение нескольких дней уничтожить заповедные леса на значительной площади. В России летом 2002 г. в результате лесных и торфяных пожаров в зоне интенсивного и продолжительного (иногда до нескольких месяцев) задымления оказалось не менее 30 млн человек, или 20 % всего населения страны.

Пыльные бури

Услышав слова «пыльная буря», люди обычно сразу представляют большие песчаные пустыни. И правильно, потому что именно здесь, в жарких, сухих регионах со скудной растительностью они возникают наиболее часто. Большинство их провоцируют сильные сезонные местные ветры. Люди издавна присвоили им имена. Это, например, хабуб (сирокко) в Северной и Восточной Африке, шамаль в районе Персидского залива и множество других.

Пыльные бури случаются и в других частях света, нанося ощутимый урон сельскому хозяйству. К этому приводит сочетание продолжительной сухой погоды, высокой температуры воздуха и сильного ветра. В первой половине XX в. в районах недостаточного увлажнения возросло количество засух, охватывавших большие территории. Такие засухи отмечались в СССР, а также в Соединенных Штатах, где они известны как знаменитые засухи 30-х гг. Американцы называли их *dust bowl* — «пыльный котел». Тогда в воздух было поднято столько пыли, что она пересекла Атлантический океан и достигла берегов Европы. «Красный снег» окрасил в 1983 г. ледники острова Южный в Новой Зеландии благодаря свирепствовавшей во время длительной засухи на юго-востоке Австралии пыльной буре.

ДРЕЙФУЮЩАЯ ПЫЛЬ

Во многих городах, которые расположены недалеко от пустынь, в воздухе постоянно висят облака пыли. Здесь невозможно сушить белье на улице или иметь чистый автомобиль. Мельчайший песок проникает повсюду: в уши, в глаза, в носоглотку, забивает механизмы. Некоторые пыльные бури настолько обширны, что видны из космоса, и при помощи спутников слежения можно определить их размеры и направление движения.

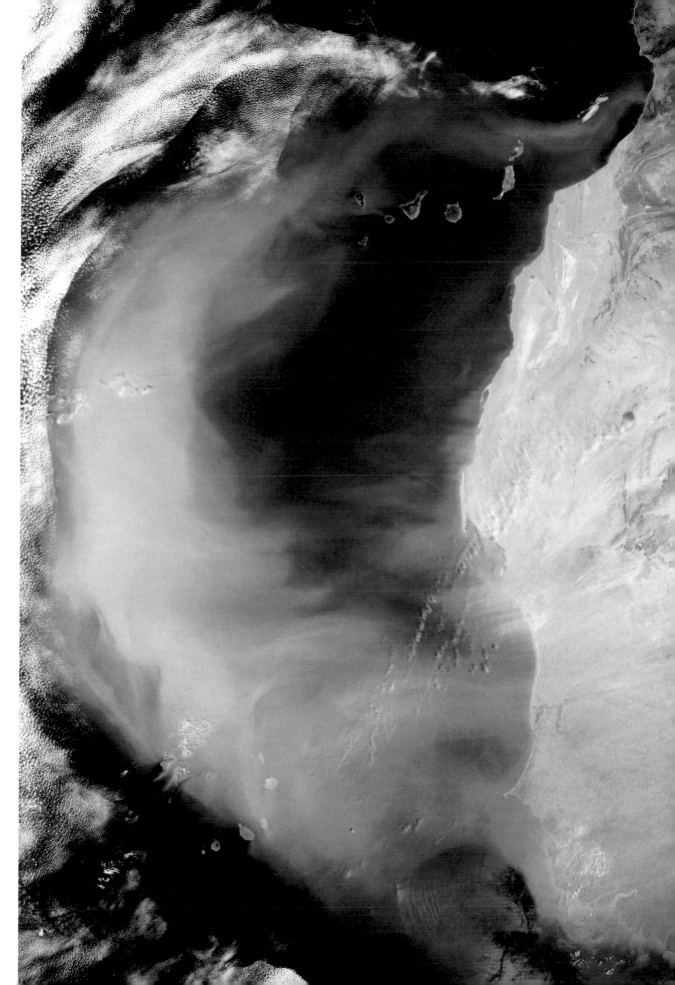

◀ **Сезон бурь.**
В пустынях песчаные бури возникают во время самых жарких месяцев в году. Люди специально готовятся к этому регулярному явлению. Песок преодолевает тысячи километров и может долго оставаться в воздухе, когда дует сирокко.

◀ **Угроза движению.** Слепящая песчаная буря в Пекине в 2001 г. превратила дневной свет в красноватые сумерки. Λ высокий уровень загрязнения добавил пейзажу ядовитый оттенок.

◀ **Жуткие дни в «пыльном котле».** В 1935 г. огромные тучи пыли окутали дома в штате Колорадо (США). Местные жители назвали эти пыльные бури черным бураном.

▶ **Ветер переносит тучи пыли.** На спутниковой фотографии хорошо видно плотное облако пыли, принесенное из Сахары и накрывшее Канарские острова (январь 2002 г.).

Погода бьет все рекорды

О погоде рассказывают и небылицы, и правду. Отделить зерна от плевел трудно, потому что далеко не все события имеют достоверные метеорологические параметры. Систематические метеонаблюдения начались только в 1814 г., когда в Рэдклифской обсерватории (Оксфорд, Великобритания) начали фиксировать изменения погоды. Российская служба погоды существует с 1 января 1872 г. Тогда вышел первый метеорологический бюллетень. Готовили его в Главной физической обсерватории в Петербурге.

В США ежедневные наблюдения ведутся с 1885 г. Начало им было положено в обсерватории, основанной Эбботом Лоуренсом Ротчем в Милтоне, штат Массачусетс. Эта обсерватория — Блю-Хилл — продолжает вести метеорологические наблюдения и в настоящее время располагает самыми длинными рядами данных, полученных на одной метеостанции. Именно в таких случаях могут быть официально зарегистрированы экстремумы погоды. До сих пор среди метеорологов нет единого мнения, каким должен быть этот ряд. По крайней мере, необходимо не менее 10 лет наблюдений, чтобы экстремум был зафиксирован как рекорд. Данные метеостанций, разбросанных по всему миру, и рекорды погоды, задокументированные на них, позволяют сравнивать экстремумы погоды в разных частях света. Это помогает выяснить, какие факторы задействованы в формировании погоды. В международном масштабе метеорологические наблюдения координируются Всемирной метеорологической организацией (ВМО).

Самое значительное изменение температуры в течение дня составило 55,7 °С. Оно было зафиксировано в г. Браунинг (штат Монтана, США). 23—24 января 1916 г. температура здесь понизилась с +6,7 до –49 °С.

Самый мощный снежный покров на материке зафиксирован в марте 1911 г. в г. Тамарак (штат Калифорния, США). Его высота составила 11,5 м.

Самый сильный ветер в тропическом циклоне зарегистрирован 17—18 августа 1969 г. во время урагана «Камилла». Он дул со скоростью 322 км/ч с порывами до 338 км/ч вдоль побережья штатов Алабама и Миссисипи (США).

Самое сухое место на Земле расположено в пустыне Атакама (Чили). Здесь практически не выпадают осадки (0,08 мм в год), только случайные дожди несколько раз в столетие.

МИРОВЫЕ МЕТЕОРЕКОРДЫ

Самая высокая температура воздуха — 57,8 °С — зафиксирована 13 сентября 1922 г. в Ливии. А вот на станции «Восток» в Антарктиде, где среднегодовая температура воздуха составляет –58 °С, 21 июля 1983 г. установлен рекорд самой низкой температуры –89,2 °С. Самая большая амплитуда температур наблюдается в Верхоянске (Сибирь): от –68 °С зимой до 37 °С летом. Рекорд по количеству торнадо удерживает северо-восток штата Колорадо, расположенный на Великих равнинах США. Здесь в среднем фиксируется 60 часов торнадо в год. Были зарегистрированы скорости ветра до 500 км/ч. Сильные ветры связаны не только с торнадо. Самый мощный порыв ветра, не связанный с торнадо, был отмечен 12 апреля 1934 г. на горе Вашингтон, США. Его скорость составила 371 км/ч. Свидетельства об огромных градинах подобны рассказам бывалых рыбаков о добыче, которая сорвалась с крючка: те, что собраны и измерены, всегда меньше тех, что ускользнули. Самые большие задокументированные градины выпали 14 апреля 1986 г. в Бангладеш. Они убили 92 человека. Рекорд по количеству дождливых дней в году установлен на гавайском острове Кауаи. Здесь дождь идет в среднем 350 дней в году. А вот пустыня Атакама в Чили — самое сухое место в мире.

Тропические дожди. Остров Ява представляет тропический муссонный регион, где выпадает максимальное количество осадков.

Сибирский мороз. Открытые ровные пространства Сибири подвергаются воздействию самых низких температур на Земле.

Жар дюн. Самая высокая температура воздуха в мире зафиксирована в г. Эль-Азизия в ливийской Сахаре.

Самое влажное место. Водопады на склонах потухшего вулкана Вайалеале на Гавайях — самое влажное место на Земле.

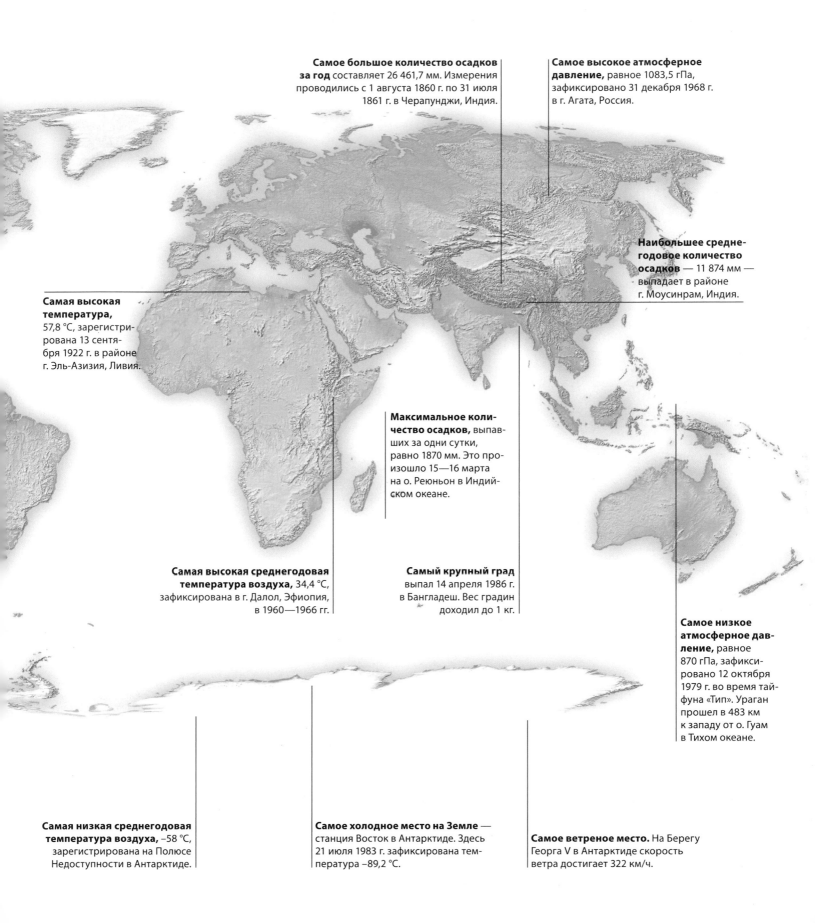

Самое большое количество осадков за год составляет 26 461,7 мм. Измерения проводились с 1 августа 1860 г. по 31 июля 1861 г. в Черапунджи, Индия.

Самое высокое атмосферное давление, равное 1083,5 гПа, зафиксировано 31 декабря 1968 г. в г. Агата, Россия.

Наибольшее среднегодовое количество осадков — 11 874 мм — выпадает в районе г. Моусинрам, Индия.

Самая высокая температура, 57,8 °С, зарегистрирована 13 сентября 1922 г. в районе г. Эль-Азизия, Ливия.

Максимальное количество осадков, выпавших за одни сутки, равно 1870 мм. Это произошло 15—16 марта на о. Реюньон в Индийском океане.

Самая высокая среднегодовая температура воздуха, 34,4 °С, зафиксирована в г. Далол, Эфиопия, в 1960—1966 гг.

Самый крупный град выпал 14 апреля 1986 г. в Бангладеш. Вес градин доходил до 1 кг.

Самое низкое атмосферное давление, равное 870 гПа, зафиксировано 12 октября 1979 г. во время тайфуна «Тип». Ураган прошел в 483 км к западу от о. Гуам в Тихом океане.

Самая низкая среднегодовая температура воздуха, −58 °С, зарегистрирована на Полюсе Недоступности в Антарктиде.

Самое холодное место на Земле — станция Восток в Антарктиде. Здесь 21 июля 1983 г. зафиксирована температура −89,2 °С.

Самое ветреное место. На Берегу Георга V в Антарктиде скорость ветра достигает 322 км/ч.

Экстремальная погода в разных странах

Международная группа ученых-метеорологов построила прогностическую модель изменений климата на ближайшие 100 лет. Учитывались три возможных сценария, согласно которым содержание углекислого газа в атмосфере может снизиться, стать относительно умеренным или высоким. Моделирование показало, что при всех трех сценариях изменения содержания парниковых газов крайности погоды (жара, проливные ливни, ураганы и прочее) неизбежны, но их частота может быть разной.

По прогнозу, значительно возрастет число очень теплых ночей, а «волны тепла» будут накрывать значительные территории по всему миру. На большинстве территорий, лежащих выше 40° с. ш., будут наблюдаться более частые, чем сейчас, сильные ливни. Длительность периодов без осадков, приводящих к длительной засухе, возрастет на западе США, в Южной Европе, Восточной Бразилии и ряде других мест.

Модель предсказывает также удлинение вегетативного периода на большей части территорий США и Евразии, что должно привести, в частности, к повышению урожайности основных сельскохозяйственных культур.

▶ **Ледяная гора.** Жестокая снежная буря в январе 1953 г. покрыла здания обсерватории на горе Вашингтон в Аппалачах толстой коркой льда. Температура воздуха упала до –44 °С.

▼ **Наводнение в Санкт-Петербурге.** Наводнением в Петербурге считается подъем воды выше 160 см над нулем Кронштадтского футштока. Выше 300 см вода поднималась три раза: в 1777 г. — 321 см, 1824 г. — 421 см и в 1924 г. — 380 см. По официальной статистике, на февраль 2007 г. зафиксировано 305 подъемов воды за всю историю города.

«ЧЕРНАЯ» БУРЯ
Сильнейшая пыльная буря прошла над Украиной 27 апреля 1928 г. В газетах сообщалось, что над степью Приднепровья «бушует песчаный шторм небывалой силы. Днепропетровск буквально засыпан песком. Учреждения днем работают при электрическом свете». Около 15 млн. т сухого чернозема было поднято в воздух и рассеяно на площади в 500 тыс. км².

▲ **Парализованный город.** В июне 1998 г. ураганом, пронесшимся над Москвой, были повалены тысячи деревьев. Упавшие деревья сломали несколько зубцов на Кремлевской стене, порывами ветра снесло все кресты на Смоленском соборе Новодевичьего монастыря, частично сорвало крышу у Большого Кремлевского дворца и Большого театра.

◄ **Наводнение в Ленске.** Среди последствий глобального изменения климата наиболее катастрофическими являются наводнения и засухи. Наводнение в городе Ленске (Якутия): май 1998 г. — уровень воды поднялся на 11 метров, в зоне затопления оказались 97 тыс. человек, 15 человек погибли; май 2001 г. — 98 % города было затоплено, эвакуированы 23 тыс. человек.

СИЛЬНЫЙ ПАВОДОК

Летом 2006 г. сильные осадки, превысившие трехмесячную норму, привели к резкому поднятию уровня воды в бассейнах рек Западной Украины. Общее количество населения, проживающего в местах, где произошли наводнения, составило более 1 млн человек. 1200 зданий были подтоплены, пострадали линии подачи электричества и телекоммуникации, в некоторых местах наводнение вызвало оползни. Были разрушены дамбы и мосты, размыты сельскохозяйственные угодья.

Наводнения — самое распространенное природное бедствие. В Европе за 1975—2001 гг. было зарегистрировано 238 крупных наводнений. С 1990 г. в них погибло около 2 тыс. человек и 400 тыс. лишились крова. В 2002 г. 15 наводнений унесли жизни более 250 человек, а всего пострадали не менее миллиона жителей. В 1997 г. в Польше было затоплено 6 тыс. кв. км территории и эвакуировано 160 тыс. человек. Другое экстремальное явление — небывалое потепление климата. Летом 2003 г. нестерпимая жара распространилась на большей части Западной Европы. Только во Франции за две недели августа от жары умерли 3 тыс. человек, в основном дети и люди пожилого возраста. Необходимо отметить, что изменения климата происходят в Европе в течение многих столетий, однако последние события показывают, что экстремальные явления, сопровождающиеся социальными и экономическими потерями, могут усиливаться и происходить чаще. Международные и региональные организации создали оперативные группы для мониторинга изменений климата и оперативного принятия мер.

▼ **В будущем нас ждут длинные, жаркие летние месяцы.** Парижане в поисках прохлады жарким летом 2003 г. Глобальное потепление будет сопровождаться рядом неблагоприятных явлений. Жара станет еще невыносимее и дольше, особенно в умеренных широтах. Увеличится число пожаров и засух; в полупустынных районах следует ожидать учащения и усиления пыльных бурь. Все это может привести к сложностям в работе медицинских учреждений из-за их перегрузки.

▲ **Буря в Англии.** В октябре 1987 г. страшная буря атаковала юг Англии. 18 человек погибли. Ветер, скорость которого достигала 177 км/ч, вырвал с корнем около 15 млн деревьев. Похожая по силе буря случилась там в 1703 г.

▶ **Замерзшая Темза.** Резкие изменения климата случались и раньше. Эта зимняя ярмарка была устроена в 1739 г. на покрывшейся льдом Темзе в Лондоне. Эта река достаточно часто замерзала во время так называемого «малого ледникового периода» XVII—XVIII вв.

Как выжить
при экстремальной погоде

Людям, родившимся и выросшим в условиях жарких сухих саванн Африки, значительно проще переносить зной, чем привыкать к холоду. Организм охлаждается, когда потеет: пот испаряется — температура тела понижается. В условиях экстремального холода потери тепла организмом могут быстро привести к гипотермии — снижению температуры тела до критических значений, после чего происходят необратимые процессы в организме. Человечество выработало способы выживания в условиях сурового климата и знает, как противостоять превратностям погоды. Точное и своевременное прогнозирование бурь, торнадо и ураганов, наводнений и пожаров — необходимое условие для того, чтобы общество было готово к экстремальным ситуациям. Своевременная информация играет решающую роль в критических ситуациях. В настоящее время с помощью Интернета можно отслеживать изменения состояния атмосферы на региональном и локальном уровнях в режиме реального времени.

Экстремальные ситуации многообразны, и каждая из них требует адекватной реакции. Чрезвычайно важно понять, с каким явлением и его возможными разновидностями приходится иметь дело. В каждой конкретной ситуации есть строго определенный порядок действий. В сейсмоопасной зоне необходимо иметь наготове автономный источник света, запас воды и средства первой помощи. Если на улице вас застала гроза, постарайтесь спрятаться в автомобиле или в здании, держитесь подальше от окон. Во время торнадо, если нет специального убежища, спрячьтесь в доме за закрытыми дверями и держитесь как можно дальше от наружных стен и окон, укройте голову подушками. Не пытайтесь обогнать торнадо на машине; лучше найти прочное укрытие.

▼ **Спасение.** Во время урагана «Флойд», бушевавшего на Восточном побережье Соединенных Штатов, мальчик и его собака нашли укрытие на стадионе. Ураган парализовал нормальную жизнь в десятке американских штатов.

▶ **Дорога стала рекой.** Моторная лодка — лучший вид транспорта на улицах Сент-Чарлза (США), потому что река Миссури вышла из берегов. В этом регионе наводнения возникают из-за резкого увеличения стока дождевых вод или после мощных ураганов.

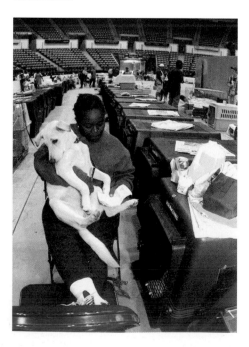

Застигнут наводнением. Автомобилисты подвергаются опасности и во время половодий, и при внезапном паводке. Во многих странах разливы рек регулярны и носят сезонный характер, и тем не менее именно наводнения становятся причиной 40 % смертей, случающихся из-за природных катастроф. Национальные службы погоды осуществляют мониторинг паводков и извещают население о возможных затоплениях. Однако наводнения сложно прогнозировать, и к ним трудно подготовиться. Вдоль берегов строятся заградительные дамбы, но и они разрушаются под напором воды.

ОТВЕТНАЯ РЕАКЦИЯ

Организм человека реагирует не только на экстремальные погодные явления. С погодой может быть связано общее недомогание. Например, люди, страдающие артритом, зимой чувствуют себя хуже. В северных странах зимой, когда световой день короток, а ночи длинные и темные, люди чаще подвержены депрессиям, растет количество самоубийств. Такие недомогания называются сезонными эмоциональными расстройствами, или зимней хандрой. В тропиках в периоды межсезонья, когда влажность воздуха очень высока, многие люди также страдают от депрессий. Замечено, что приход муссона, как правило, поднимает у людей настроение, а жара развязывает руки преступникам. Например, в жарком 1988 г. количество убийств в Нью-Йорке увеличилось на 75 %. Плохое поведение школьников порой списывается на ветреные дни, а в то же время сильные ветры, например сирокко, рассматриваются как смягчающие обстоятельства при разбирательстве уголовных дел.

▶ **На милость волн.** Огромные волны, которые накатываются на берег во время штормов и ураганов, способны разрушить любые строения. Но наибольшей опасности подвергаются люди. Эвакуация может спасти их, однако материальные потери неизбежны.

◀ **Теперь можно поспать.** Дети из гватемальской прибрежной деревушки нашли укрытие от урагана «Ирис» (октябрь 2001 г.).

Пингвин наблюдает за погодой в Антарктиде.

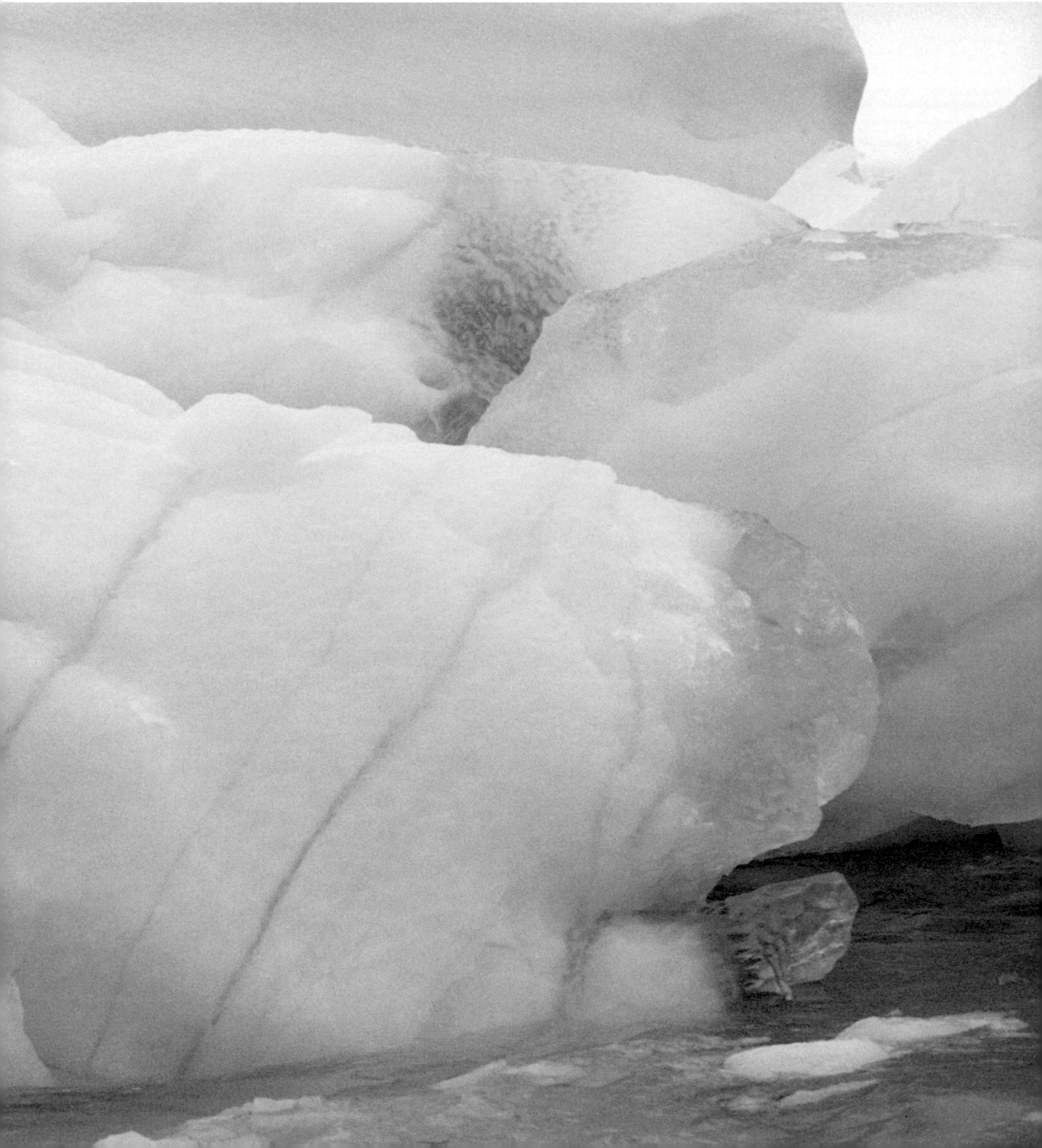

Наблюдение за погодой

Прогнозирование погоды — сложный процесс. Метеорологи используют данные наземных и космических наблюдений, компьютерное моделирование климатических процессов. Времена суеверий и привычки полагаться на милость богов остались в далеком прошлом.

Представления древних

Некогда атмосферные явления вызывали у человека страх и служили основой для возникновения суеверных предрассудков. Люди верили, что именно боги управляют ветром, дождем и солнцем. При благоприятной погоде охота и рыбалка были успешными, а урожай щедрым. Но если боги гневались, то жестокие бури разрушали непрочные жилища, уничтожали посевы, а наводнения уносили домашний скот. Если наступала засуха, появлялась угроза голода, неурожаев и падежа скота.

Наши предки верили, что благоприятная погода неразрывно связана с настроением и поведением богов. Египтяне славили бога солнца Ра. Тору, скандинавскому богу грозы и молний, поклонялись мореплаватели перед дальними морскими экспедициями. Пантеон греческих богов был многочисленным, но Зевс-громовержец являлся среди них наиболее могущественным. У славян одним из самых почитаемых богов был громовержец Перун. По легенде, он в левой руке носил колчан стрел, а в правой — лук, пущенная им стрела поражала противника и производила пожары. Его палица, как знак карающего божественного орудия, стала символом власти, ее функции перенесли на царский скипетр.

ПЕРВЫЕ НАБЛЮДАТЕЛИ

Некоторые из древних цивилизаций использовали для наблюдения за сезонными изменениями погоды астрономические данные. В Китае в III в. до н. э. был создан и применяется в деревнях поныне сельскохозяйственный календарь, который делит год на 24 сезона и дает определение погоды каждого из них. В Индии первое упоминание о дождемере датируется также примерно III в. до н. э. Наблюдения за явлениями, происходящими в небе, позволили древним с высокой степенью вероятности предсказывать изменения погоды. Так, например, ассирийцы связывали появление гало со скорым дождем.

РИТУАЛЫ, ВЫЗЫВАЮЩИЕ ДОЖДЬ

Многие древние народы старались поддерживать хорошие отношения со своими божествами при помощи молитв, ритуалов, танцев, а иногда и жертвоприношений. Американские индейцы исполняли танцы дождя во время засух. Представители других культур, например ацтеки Центральной Америки, чтобы ублажить своего бога дождя и грома Тлалока, приносили ему в жертву людей.

▟ **Прославление дождя.** Народы Кот-д'Ивуар в Западной Африке использовали эту раскрашенную маску для празднования прихода благодатного дождя, который мог напоить водой поля. Для многих древних народов смена времен года имела первостепенное значение.

◀ **Кецалькоатль — всемогущее божество.** Для древних ацтеков божество Кецалькоатль, что в переводе означает «пернатый змей», было одним из главных. Этот бог — творец мира, создатель человека, владыка стихий. Он дарил жизнь и контролировал ветры, приносящие дождь.

▲ **Боги Нила.** На фреске гробницы Сеннеджена (XIII в. до н. э.) в Египте изображен Ра-Гарахути, сочетавший в себе всемогущего бога солнца и Гора, бога неба, света и благополучия. Он проплывает в лодке по Нилу. Впереди священный ибис, олицетворяющий собой бога мудрости Тота.

◄ **Змей, приносящий дождь.** Значение воды для выживания аборигенов полуострова Арнемленд на севере Австралии становится понятным из этого наскального рисунка, прославляющего змея-радугу. В его образе объединяются представления здешних обитателей о духе воды. Согласно преданию, змей посылал дожди, завершая сухой сезон.

► **Календарь Солнца.** Солнце играло главенствующую роль в жизни многих древних народов. В этом календаре ацтеков, высеченном на камне, доминирующее положение в центре занимает Солнце. Вокруг него расположены по периметру сезоны, каждый из которых показывает, какие изменения происходят в ежедневной жизни ацтеков.

▲ **Библейская легенда о природной катастрофе.** Ной взял в свой ковчег каждой твари по паре, чтобы они смогли выжить во время Великого потопа. Согласно Библии, 40 дней и ночей дождь очищал мир от греха. Упоминания о потопе встречаются в эпосах многих народов. Вероятно, эти легенды основывались на одном историческом событии: раскопки в Ираке подтверждают, что в период между 3000 и 2000 гг. до н. э. было сильное наводнение.

Научные основы

Первые научные подходы к пониманию атмосферных процессов были заложены еще греческим ученым Аристотелем (384—322 до н. э.) в его трактате «О метеорологических вопросах». Этот труд стал попыткой систематизировать знания об окружающем мире. Ученик Аристотеля Теофраст (372—287 до н. э.) в работе «О признаках погоды» описал 50 признаков бурь, 80 примет дождя и 45 знаков ветра. Суждения этих ученых о погоде содержали как истину, так и заблуждения.

Римские ученые также проявляли интерес к метеорологии. Из всех сочинений Плиния Старшего (23—79 гг. н. э.) дошла до нас только «Естественная история», представляющая собой энциклопедию всевозможных знаний, накопленных Древним миром о природе. Здесь перед нами раскрываются основы мироздания, как его понимали греческие и римские ученые. После распада Римской империи центр цивилизации и культуры переместился далеко на восток, в арабские страны, Индию, Хорезм и Иран.

ПОГОДА И РЕЛИГИЯ

С древнейших времен силы природы предопределяли жизнь людей. Первыми «метеорологами» были жрецы и шаманы. В священных книгах всех религий содержатся пророчества о грядущих природных катастрофах, которые будут ниспосланы за людские грехи.

НАВСТРЕЧУ ВЕТРАМ

Представление о ветрах как о силах, управляющих погодой, получило художественное воплощение в так называемой Башне ветров, сооруженной в Афинах Андроником из Киры в середине I в. до н. э. и сохранившейся до наших времен. На фризе восьмиугольной башни изображены соответствующие ветры в виде мифологических фигур с атрибутами, характеризующими приносимую ими погоду. Металлический флюгер с жезлом указывал, откуда дует ветер. Внешние стены были снабжены песочными часами, а внутри башни были установлены водяные часы. В 1840 г. это сооружение было восстановлено, а в середине 1970-х гг. вновь отреставрировано.

▲ **Разгул мракобесия.** В средневековой Европе нередко сжигали на кострах женщин, считавшихся ведьмами, чтобы те своими заклинаниями не могли влиять на погоду. В эпоху Средневековья надолго были забыты науки греко-римского мира, результаты многочисленных наблюдений за явлениями природы, приметы о погоде.

◄ **Ханский флот.** В 1896 г. художник Уильям Генри Блейк изобразил сцену морского путешествия великого хана Хубилая по морям Юго-Восточной Азии. Там в XIII в. китайцы основали множество поселений, но на подступах к Японии их флот уничтожили ураганы.

▲ **Несущий ветер.** Античные греки построили в Афинах мраморную башню, известную под названием Башня ветров. На одной из сторон изображен Борей — северный ветер. В греческой мифологии много богов, имеющих отношение к погоде. В Греции также зародились и научные основы метеорологии.

◄ **Удары молнии.** Это фрагмент священного манускрипта XIII в. «О природе» с изображением ливня и тремя молниями над морем. Для большинства людей в средневековой Европе погода была связана с загадочными, а часто и страшными явлениями, причуды которых определяли их образ жизни.

Эпоха Возрождения

Когда сумерки Средневековья сменились эпохой великих открытий и изобретений — эпохой Возрождения, — произошла революция и в естественных науках. Леонардо да Винчи, один из самых блестящих представителей новой эпохи, удачно воплотил в жизнь дух научного исследования и эксперимента. Он был конструктором ряда физических и метеорологических приборов, одним из основателей атмосферной оптики. Галилео Галилею принадлежит идея первых метеорологических приборов — термометра, барометра, дождемера. Создание их заложило фундамент всей современной метеорологии. Французский философ Блез Паскаль первым экспериментально доказал убывание атмосферного давления с высотой и зависимость характера погоды от показаний барометра.

ВЕК ОТКРЫТИЙ

Эпоха Возрождения знаменита не только расцветом культуры и науки, но и географическими открытиями. К 1600 г. на карте мира появились обе Америки, мореплаватели дважды совершили кругосветные путешествия, появились новые торговые порты вдали от Европы. Открытие новых стран принесло сведения об огромном количестве физических фактов, неизвестных ранее, начиная с доказательства шарообразности Земли и понятия о разнообразии ее климатических зон. Благодаря Колумбу и Магеллану появились первые описания погоды в океанах, господствующих ветров и морских течений. Мореплавание этой эпохи способствовало развитию астрономии и оптики, разработке правил навигации.

ГАЛИЛЕЙ — МЫСЛИТЕЛЬ И ЭКСПЕРИМЕНТАТОР

Галилео Галилей (1564—1642) возродил интерес к метеорологии, явлениям в атмосфере, звездному небу. Он изобрел термометр и сконструировал первый оптический телескоп, позволявший наблюдать небесные тела. Он был убежден, что многие, если не все, природные явления, включая и погоду, имеют научное объяснение. Эта точка зрения привела его к острому конфликту с церковью.

◥ **Галилео — учитель.** Портрет Галилео Галилея — лидера научной революции в Италии. Его ученики Торричелли, Маджиотти и Нарди стали выдающимися учеными своего времени.

▼ **Приближая небеса.** Эта точная копия телескопа Галилея выставлена во Флоренции. Она напоминает о непреходящей ценности достижений одного из величайших ученых. При помощи такого телескопа Галилей пришел к выводу, что Земля вращается вокруг Солнца.

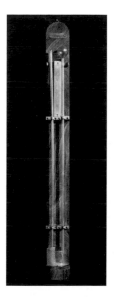

◄ **Торричелли — изобретатель.** Наполнив стеклянную трубку ртутью, итальянец Эванджелиста Торричелли (1608—1647) сконструировал барометр, получивший в научных кругах название «трубка Торричелли».

▼ **Человек на все времена.** Автопортрет Леонардо да Винчи, выполненный им в 1512 г. Его научные воззрения базировались на пристальном изучении живой природы и постижении ее законов. Он отстаивал решающее значение опыта в познании природы.

◣ **Революционные идеи.** На фреске 1841 г. изображено выступление Галилея в защиту теории Солнечной системы, обоснованной Коперником. Согласно ей, Земля вращается вокруг Солнца. Церковь обвинила Галилея в ереси и приговорила к пожизненному домашнему аресту. Только в 1992 г. католическая церковь сняла с него все обвинения.

ГЕНИЙ ЛЕОНАРДО ДА ВИНЧИ

Леонардо да Винчи (1452—1519) — один из основоположников эпохи Возрождения, великий художник, ученый, инженер. Он пробудил в обществе интерес к познанию мира и природы. На фрагменте его рисунка изображена спираль урагана. Он явился одним из основателей атмосферной оптики, изобрел приборы, которые стали предшественниками многих современных устройств. Флоренция, где Леонардо провел большую часть жизни, являлась центром научной и изобретательской мысли во времена эпохи Возрождения и позднее. В течение 10 лет (1657—1667 гг.) учеными Академии дель Чименто (г. Тоскана) был разработан и усовершенствован целый ряд метеоприборов.

Век здравого смысла

Научные открытия конца XVII — XVIII в. основывались на достижениях эпохи Возрождения. Именно тогда были сформулированы многие основные законы механики и физики, изобретены зрительная труба, микроскоп, барометр, термометр и другие физические приборы. Используя их, быстро начала развиваться экспериментальная наука. Французский ученый Блез Паскаль установил, что с высотой давление изменяется, оно меняется также под воздействием погоды. В Англии молодой ученый Исаак Ньютон открыл законы движения, которые легли в основу современного компьютерного метеомоделирования. В 1742 г. шведский астроном Андерс Цельсий разработал градусную шкалу для измерения температуры, основанную на физических свойствах воды. Успехи метеонауки оказались настолько значительны, что уже к концу XVIII в. появились первые метеостанции. Тогда же известные ученые располагали первыми простейшими метеорологическими рядами наблюдений.

ИЗМЕРЕНИЕ ТЕМПЕРАТУРЫ

В 1724 г. немецкий физик Габриель Фаренгейт разработал температурную шкалу, в которой интервал между точками таяния льда и кипения воды (при нормальном атмосферном давлении) разделен на 180 частей, причем точке таяния льда присвоено значение 32 °F, а точке кипения воды 212 °F. В 1742 г. Андерс Цельсий предложил новую шкалу, присвоив точке кипения воды 0 °C, а точке замерзания 100 °C. Эта шкала в 1745 г. была перевернута Карлом Линнеем и в настоящее время известна под названием шкалы Цельсия. Температура по шкале Фаренгейта (t °F) связана с температурой по шкале Цельсия (t °C) соотношением t °C = 5/9 (t °F −32), 1 °F = 5/9 °C.

▼ **Джефферсон — наблюдатель.** Третий президент Соединенных Штатов Томас Джефферсон вел метеонаблюдения с 1776 по 1816 г. Легенда гласит, что первый термометр появился в его распоряжении как раз во время написания Декларации независимости.

▶ **Первая метеостанция.** На рисунке начала XIX в. изображена первая в Британии метеостанция, на которой начали вести регулярные наблюдения за погодой. На ней был впервые установлен автоматический анемометр для измерения направления и силы ветра.

Государственный деятель и философ Бенджамин Франклин (1706—1790) поставил в 1752 г. примечательный эксперимент. Он привязал проволоку к воздушному змею и запустил его во время грозы. К счастью, эксперимент закончился благополучно, и Франклину удалось доказать, что на самом деле молния — это разряд электрического тока. Ему же принадлежит изобретение стержневого молниеотвода, защищающего дома от прямого попадания молний. В 1743 г. он, основываясь на газетных сообщениях, впервые проанализировал повторяемость штормов.

▲ **Изучение молнии.** На этом рисунке изображен Бенджамин Франклин с ассистентом. Они проводят свой знаменитый и опасный опыт во время грозы в Филадельфии. Другой американский президент, Джордж Вашингтон, также был страстным метеонаблюдателем. Его записи о погоде от 13 декабря 1799 г. считаются последними словами, которые он написал.

◄ **Ученый-революционер.** Исаак Ньютон (1643—1727) произвел переворот в математике и физике и, по-видимому, стал первым, кто объяснил явление радуги. Направив луч света на стеклянную призму, он получил спектр цветов.

▶ **Погода в 1870-х гг.** В 1870-х гг. служба связи американских вооруженных сил начала составлять и распространять ежедневные метеокарты и метеостатистику по стране. Их регулярность и доступность подготовили почву для создания современной системы прогнозирования погоды. Нынешние метеокарты чрезвычайно сложны и подробны.

Навстречу современности

Современная эпоха в метеорологии началась на заре XX в. Именно тогда ученые пришли к пониманию того, что накопленный значительный фактический материал позволяет прогнозировать погодные условия во времени и пространстве. Льюис Фрай Ричардсон (1881—1953) предложил использовать для прогноза погоды математические уравнения. В то время было практически невозможно выполнить все необходимые расчеты, но затем, в начале XX в., появились первые вычислительные машины, предшественники современных компьютеров, и значительная часть работы по прогнозу погоды и ее анализу стала выполняться быстрее и более точно. В настоящее время работа синоптиков значительно облегчается благодаря информации, поставляемой высотными станциями (метеозондами, радиозондами), и информации с метеоспутников.

МАТЕМАТИКА И ПОГОДА

Английский математик и метеоролог Льюис Фрай Ричардсон впервые предложил использовать для прогноза погоды математические методы. Он выявил закономерности взаимодействия метеоэлементов и в 1922 г. опубликовал работу, посвященную математическим моделям предсказания погоды, где широко применялся метод экстраполяции.

▼ **Мониторинг неба.** Национальная гвардия США в 1930-х гг. оснастила большинство своих самолетов оборудованием для ведения метеонаблюдений. Составление метеокарт для верхних слоев атмосферы явилось выдающимся научным прорывом в метеорологии. Давление воздуха, температура и скорость ветра в верхних слоях атмосферы оказывают огромное влияние на формирование погоды. Например, во время Второй мировой войны получила быстрое развитие сеть радиозондов, которые запускались даже в стратосферу. Ураганы, торнадо, грозовые бури и фронты, таким образом, отслеживались с большей точностью.

▲ **Прародитель компьютера.** Первая в мире электронно-вычислительная машина общего назначения — электронный цифровой интегратор — была создана в конце 1940-х гг. в Пенсильванском университете, США.

▼ **Радар и дождь.** Радиолокатор, установленный на английской метеостанции, позволяет определять сильный дождь или бурю на расстоянии около 240 км. Прибор был разработан во время Второй мировой войны и стал незаменимым помощником синоптиков.

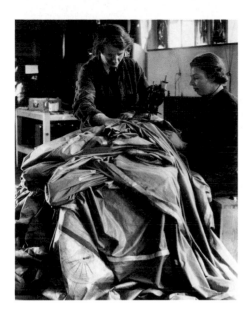

▲ **Во время войны.** Женщины, несущие службу в военно-воздушных силах во время Второй мировой войны, ремонтируют поврежденный метеозонд. В тот период многие женщины работали радистками и передавали метеосводки.

НАЧАЛО КОСМИЧЕСКИХ МЕТЕОНАБЛЮДЕНИЙ

Эра метеоспутников началась с запуском первого спутника для наблюдений в видимом и инфракрасном диапазонах спектра в апреле 1960 г. Сначала эти метеоспутники обеспечивали синоптиков широкой картиной распределения облачности, охватывающей значительные территории. По современным стандартам это были достаточно примитивные приборы, передававшие картину облачности на Землю. Но с их приходом стало возможно обнаруживать ураганы и прослеживать направление их движения. С тех пор спутниковая метеорология продвинулась далеко вперед. В 1963 г. фотографии можно было получать лишь со спутников, находящихся непосредственно над центрами приема и обработки информации. Три года спустя первый метеоспутник был выведен на геостационарную орбиту, проходящую над экватором. Современные метеоспутники используются для оперативного получения глобальной гидрометеорологической информации, контроля за озоновым слоем, проведения гелиогеофизических измерений.

▶ **Первый наблюдатель в космосе.** Ученые готовят к запуску в космос первый метеоспутник. После его успешного запуска была разработана международная программа мониторинга погоды при помощи орбитальных спутников. В 1951 г. была создана Всемирная метеорологическая организация (ВМО), которая осуществляет постоянные наблюдения за погодой и координирует международное сотрудничество в этой области.

Метеорология сегодня

В настоящее время для мониторинга погоды применяются новейшие научные и технические достижения, включая метеоспутники и мощные вычислительные машины. Подготовка точных метеопрогнозов обеспечивается при помощи тесного сотрудничества очень высокого уровня между национальными службами погоды. Обмен информацией происходит постоянно. Исследователи совместными усилиями пытаются разгадать давние тайны погоды и климата. Это взаимодействие направлено на создание прогнозов повышенной точности, как краткосрочных — на один час, так и долгосрочных — на следующий квартал или полугодие. Характерной чертой современной метеорологии является применение новейших достижений физики и техники. Значительное внимание уделяется изучению физических процессов в приземном слое воздуха. Надежный прогноз погоды необходим абсолютно всем — нефтяникам на морских платформах, земледельцам, космонавтам и даже тем, кто просто собирается в отпуск.

ПЕРЕВОРОТ В МЕТЕОРОЛОГИИ

Точные данные — главное в предсказании погоды. Способность быстро обмениваться информацией, обрабатывать, накапливать и отображать ее прежде, чем она устареет, — секрет успеха современного синоптика.

▶ **Исследования в Антарктиде.** Автоматическая метеостанция в Антарктиде регистрирует скорость и направление ветра, интенсивность солнечного излучения, температуру и влажность воздуха, атмосферное давление и количество осадков.

▼ **Прогноз в электронном виде.** При составлении прогноза погоды используется огромный массив данных. С увеличением мощности вычислительной техники точность прогнозов значительно повысилась.

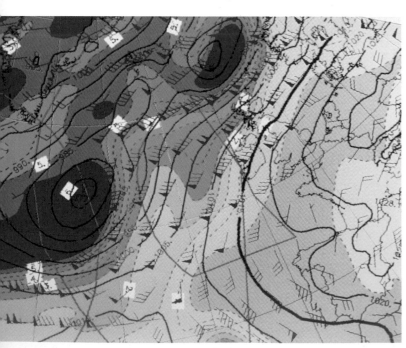

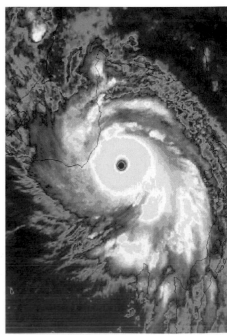

▶ **Вид урагана со спутника.** Получение компьютерных изображений мощных ураганов помогает синоптикам следить за направлением движения потенциально опасных атмосферных вихрей. При помощи компьютера синоптики могут дать прогноз их продвижения и объявить штормовое предупреждение в районах, подвергающихся опасности. Самые быстрые суперкомпьютеры моделируют постоянно развивающиеся синоптические ситуации.

СОВРЕМЕННАЯ МЕТЕОСТАНЦИЯ

Центры метеорологических прогнозов превратились в высокотехнологичные учреждения, имеющие доступ к данным наблюдений и прогнозов. Всего несколько десятилетий назад об этом можно было только мечтать. Синоптики в состоянии прослеживать процессы, происходящие в атмосфере как на глобальном, так и на региональном уровне.

▲ **Недремлющее око.** Спутник «Метеостат-6» — типичный представитель метеоспутников, обеспечивающих синоптиков информацией в реальном времени. С момента запуска первого такого спутника в 1960 г. значение орбитальных наблюдений многократно возросло. В 1966 г. был запущен первый метеоспутник с орбитой, проходящей над экватором, именно для наблюдения за опасными явлениями погоды.

◄ **Данные на экране.** Учреждения службы погоды широко используют в своей работе компьютерные изображения данных метеонаблюдений, спутниковые фотографии и данные радиолокации. Прогнозы и штормовые предупреждения, которые выпускают эти службы, при помощи высокоскоростных линий связи в течение нескольких секунд появляются в Интернете, на мобильных телефонах, пересылаются при помощи факсов.

Параметры погоды

Сеть метеорологических станций есть практически во всех странах, причем некоторые существуют уже более 400 лет. По земному шару разбросано более 8 тыс. пунктов, обеспечивающих информацией национальные службы погоды. Это метеопосты в горах, суда в море, полярные базы и автоматические метеостанции, которые регистрируют погоду и посылают информацию через определенные интервалы времени, обычно через каждые три часа. Большинство опорных станций фиксируют температуру воздуха, влажность и осадки. Кроме того, на метеорологических станциях ведутся наблюдения за множеством других параметров: скоростью ветра, его направлением и порывами, атмосферным давлением, интенсивностью солнечного излучения, испарением. Учитываются такие явления, как грозы, град, снег, туман и иней, облачность, ее тип и высота. Регулярно запускаются шары-зонды, которые дают информацию о ветре, температуре и влажности.

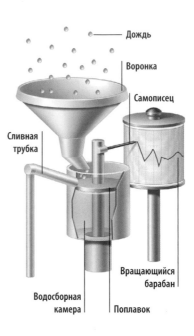

Дождь
Воронка
Самописец
Сливная трубка
Вращающийся барабан
Водосборная камера
Поплавок

▼ **Автоматическая станция.** Такие метеостанции используются по всему миру для измерения температуры, влажности, атмосферного давления, скорости и направления ветра.

▼ **Измерить количество дождя.** Количество осадков — один из самых существенных показателей состояния погоды. Дождемеры собирают все виды осадков, будь то дождь, крупа или снег.

▲ **Регистрация количества осадков.** Это хитроумное приспособление называется плювиографом. Он измеряет не только количество, но и продолжительность и интенсивность осадков. Дождь попадает в воронку и собирается в водосборной камере, поднимая поплавок. Подъем фиксируется на вращающемся барабане. Когда уровень воды в приемнике достигает определенной высоты, ее излишки удаляются через сливную трубку. Ученые используют целый арсенал современных средств для измерения осадков, однако быстрый прогноз погоды можно сделать при помощи различных примет. Например, люди давно заметили, что при приближении дождя стадо собирается в углу пастбища, пчелы возвращаются в ульи, лягушки громко квакают и т. д.

МОНИТОРИНГ АТМОСФЕРЫ

В национальных службах погоды накапливаются и ежедневно обрабатываются сотни тысяч сообщений о погоде, которые стекаются сюда со всего мира, образуя постоянный поток информации. Мощные компьютеры в считаные минуты решают миллиарды задач и составляют карты прогнозов, которые вычерчиваются автоматически. Прогнозы публикуются в газетах и сообщаются по радио и телевидению. Совсем недавно математическое моделирование погоды стало чрезвычайно важной составляющей ее прогнозирования. Для создания качественных моделей необходимы данные наблюдений со всего мира. С увеличением сети метеопостов возможности моделирования и точность прогнозов погоды повышаются.

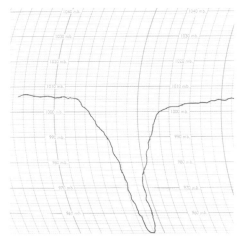

Измерение тайфуна. 16 декабря 1997 г. тайфун «Пака» в записях барографа оставил свой след в виде линии пониженного атмосферного давления.

АЭРОЗОНД

В арсенале метеоприборов аэрозонд — прибор нового поколения. Это небольшой беспилотный самолет с дистанционным управлением, специально разработанный для длительных исследований метеообстановки над океанами и иными труднодоступными местами. С его помощью заполняются пробелы глобального зондирования. Имея трехметровый размах крыльев, он может проникать внутрь ураганов, пока они еще далеко в море, и фиксировать изменение их параметров. Аэрозонд может отслеживать фронтальные процессы над обширными необжитыми территориями и сообщать данные о зарождающихся ураганах. Метеорологические сенсоры, которыми оснащены автоматические аэрозонды, выполняют те же наблюдения, что сейчас осуществляют специально оборудованные самолеты военной авиации. В будущем при помощи аэрозондов и подобных им аппаратов коренным образом изменятся возможности прогнозирования погоды.

▲ **Обычный прибор.** При помощи психрометрического жидкостного термометра измеряют температуру и влажность воздуха. Он состоит из двух термометров — сухого и смоченного. Первый определяет температуру, а второй — влажность.

▶ **Барограф.** Этот прибор непрерывно регистрирует атмосферное давление. Для этого в нем есть серебряная вакуумная камера (на снимке в центре). При изменении атмосферного давления меняется высота камеры, а самописец фиксирует данные на разграфленной ленте (слева на снимке).

▼ **Запись ежедневных подъемов и падений.** При помощи этого прибора, который называется термографом, осуществляется постоянная регистрация температуры воздуха. Прибор работает аналогично барографу.

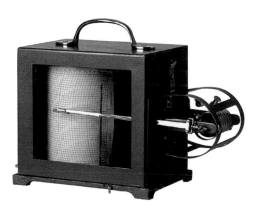

Домашняя метеостанция

Наблюдение за погодой — весьма увлекательное занятие, которое дает представление не только о процессах, происходящих вокруг, но и помогает понять взаимодействие элементов погоды в намного более широких масштабах. Некоторые наблюдатели оборудуют домашние метеостанции. Это могут быть один-два прибора для измерения температуры и давления воздуха или целые лаборатории, подключенные к домашнему компьютеру, что позволяет не только вести наблюдения за погодой, но и делать краткосрочные прогнозы.

СОБСТВЕННАЯ МЕТЕОСТАНЦИЯ

Наблюдать за погодой очень интересно и познавательно. Современные высококачественные метеорологические приборы доступны по цене и вполне подходят для наблюдения за изменениями погоды в домашних условиях. Чаще всего синоптики-любители используют дождемеры и термометры, барографы (регистрируют атмосферное давление), гигрографы (регистрируют влажность) и анемографы (фиксируют параметры ветра). Полученные в домашних условиях показатели погоды можно сравнить с официальными сводками или обменяться ими через Интернет с такими же любителями. Различные погодные явления служат излюбленным сюжетом для любителей фотографии и киносъемок.

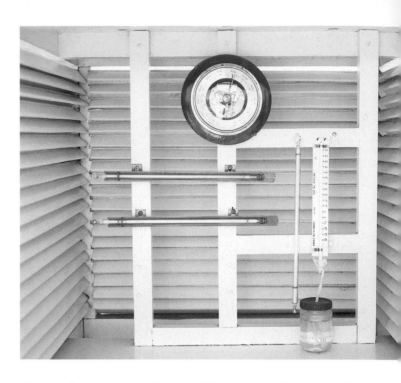

Домашний пункт метеонаблюдений. В специально оборудованной деревянной будке размещены барометр-анероид (вверху), сухой и смоченный термометры (справа), горизонтально закреплены максимальный и минимальный термометры (слева). Стены из реек предохраняют приборы от солнечных лучей, но не ограничивают доступ воздуха.

◄ **Все в одном.** В этом приборе совмещены календарь и часы, термометр и барометр. Это прекрасный недорогой подарок синоптику-любителю.

◄ **Барограф.** Это сложный метеорологический прибор, который измеряет и записывает изменения атмосферного давления. Точность показаний зависит от качества изготовления прибора. Самописец прикреплен к стрелке, и изменение давления фиксируется в виде сплошной линии на разграфленной ленте, которая закреплена на вращающемся барабане.

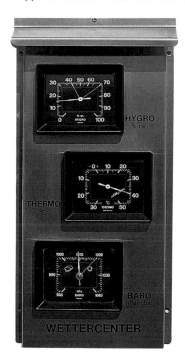

Измерение дождя. Самый простой прибор — дождемер. Он измеряет количество осадков за определенный период времени. Его надо располагать на некотором возвышении от земли и вдали от деревьев и домов.

Три в двух. У этого прибора два циферблата, но измеряет он три показателя. Вверху барометр-анероид для измерения давления, внизу термометр и гигрометр, показывающие температуру и влажность.

Тройной отсчет. У некоторых приборов несколько дисплеев. Этот показывает самые необходимые для метеонаблюдений параметры: влажность, температуру и атмосферное давление.

МЕСТНЫЙ И ГЛОБАЛЬНЫЙ

Профессиональная метеорология становится все более сложной наукой. Но в ней всегда есть место синоптикам-любителям, тем, кто хочет постигнуть механизмы происходящих вокруг изменений погоды и связать их с региональными климатическими особенностями. Для того чтобы понять, что происходит с погодой в вашей местности, надо пристально вглядываться в небо и следить за постоянно меняющимися процессами.

◄ **Хорошая погода,** отличный урожай. Изучение местных погодных условий помогает как профессиональным синоптикам, так и любителям правильно ухаживать за растениями и получать хорошие результаты.

Мониторинг Солнца

В 70-х гг. XX в. человечество стало уделять все более пристальное внимание солнечной энергии. Это потребовало от метеорологов получения точных данных о Солнце, то есть об интенсивности солнечной радиации в тех или иных регионах в различные времена года. Такая информация очень важна для правильной установки солнечных батарей и в целом для разработки технологий, использующих энергию нашего светила. Многие частные организации, исследовательские институты и университеты также собирают данные по инсоляции (облучение земной поверхности солнечной радиацией), которая выражается в калориях на единицу площади в единицу времени. Базовый инструментарий для мониторинга Солнца настолько прост в обращении, что синоптики-любители часто применяют его на своих домашних метеостанциях. Этот прибор называется гелиографом. Существует множество его конструкций, в России же наиболее распространен гелиограф Кэмпбелла—Стокса.

ИЗМЕРЕНИЕ СОЛНЕЧНЫХ ЛУЧЕЙ

Есть несколько способов измерения солнечной радиации. Сложный электронный прибор, пиранометр, измеряет несколько видов солнечной радиации. Более простые приборы, объединенные общим названием «гелиографы», дают информацию о продолжительности солнечного сияния.

▼ **Солнечное излучение.** Приборы для его измерения располагаются на открытой местности вдали от объектов, дающих тень. Интенсивность солнечной радиации, или «сила» солнечных лучей, изменяется от места к месту и сильно зависит от времени года. Капиталовложения в гелиоэнергетику повлекли за собой разработку сложных приборов для наблюдений за Солнцем.

◥ **Солнце делает отметки.** Наблюдатель снимает показания гелиографа. Солнечные лучи, проходя через линзу, выжигают отметку на картонной ленте. Прибор регистрирует продолжительность солнечного сияния, т. е. времени, когда Солнце не закрыто облаками. Постепенно эти приборы для мониторинга Солнца уступают место электронным системам регистрации параметров.

ГЕЛИОГРАФ

Основная деталь гелиографа — стеклянный шар, в фокусе которого устанавливается чугунная дугообразная пластинка-чашка, куда закладываются картонные ленты. Если солнце не закрыто облаками, его лучи, пройдя сквозь шар, фокусируются и прожигают ленту. Полоса прожога идет вдоль средней линии ленты. Если солнце спрятано за облаками, прожог становится слабым или совсем прекращается. По его суммарной длине определяется продолжительность солнечного сияния за сутки. Традиционный гелиограф подходит для домашних метеостанций, более точные данные можно получить при помощи сложных электронных приборов, получивших в последнее время широкое распространение.

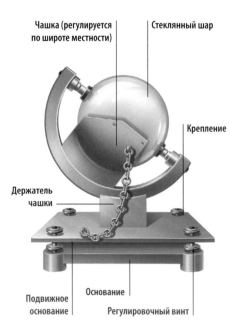

Чашка (регулируется по широте местности)

Стеклянный шар

Крепление

Держатель чашки

Подвижное основание

Основание

Регулировочный винт

СУМЕРЕЧНЫЕ ЛУЧИ: ПРЕКРАСНАЯ ИЛЛЮЗИЯ

Это довольно распространенное атмосферное явление, связанное с солнечным светом, очень красиво, а иногда внушает людям даже благоговейный восторг. Оно возникает, когда потоки солнечного света освещают скопления пыли или тумана в атмосфере. В закатные часы можно наблюдать, как облака, уходящие за горизонт на западе, отбрасывают полосы света, подобные гигантскому вееру. Нам кажется, что они выходят из какой-то одной точки за горизонтом, оттуда, где находится Солнце. Однако эти полосы в действительности параллельны. Их веерообразная форма есть результат оптической иллюзии. То же самое мы наблюдаем, глядя на параллельные рельсы, которые «сходятся» у горизонта.

▶ **Солнечные лучи стали видны.** Фотография сумеречных лучей сделана в Калифорнии (США). Видны полосы света и теней, расходящиеся веером от Солнца, которое спряталось за горным хребтом. В Германии при появлении таких лучей говорят, что «Солнце пьет воду», а в Голландии — «Солнце стоит на ножках». У англичан это явление называют «лестницей Якоба» («лестница Иакова» — по библейской легенде), или «лестницей ангелов». А на Востоке их называют «пальцами Будды».

◢ **Солнечная терраса.** Метеорологи настраивают сложные приборы для измерения солнечного излучения на научно-исследовательской станции в США.

▼ **Солнечный автомобиль.** На этом автомобиле установлены элементы, преобразующие энергию нашего светила в электричество, которое питает двигатель.

Метеорологические организации

В большинстве стран мира существуют национальные службы погоды. Их задача — обеспечивать широким спектром метеорологической информации население и экономику. Эти организации ведут метеорологические наблюдения и исследования, осуществляют обмен данными, составляют прогнозы погоды, выпускают метеорологические бюллетени и штормовые предупреждения, обеспечивают различные отрасли экономики необходимой информацией, оказывают консультационные услуги.

Международное сотрудничество — необходимое условие успешной работы таких организаций. Погода — явление глобального характера, поэтому обмен метеоинформацией между странами осуществляется, как правило, бесплатно. Содействие международному сотрудничеству в развитии метеорологических наблюдений и исследований и координацию деятельности национальных метеорологических и гидрометеорологических служб осуществляет Всемирная метеорологическая организация.

НАТУРНЫЕ НАБЛЮДЕНИЯ

Обсерватория на горе Вашингтон в Нью-Гемпшире (США) — научная и учебная организация. Здесь осуществляются как научно-исследовательские, так и образовательные программы по изучению погоды, дающие ценную информацию о природе высокогорий.

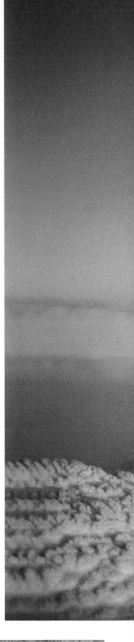

▶ **Замерзшая станция.** На вершине горы Вашингтон случаются сильные морозы. Данные, полученные из таких удаленных мест, позволяют узнать экстремальную погоду изнутри. Именно в этой горной обсерватории 73 года назад был зафиксирован абсолютный рекорд сильнейшего порыва ветра над поверхностью Земли, который не побит до сих пор: 12 апреля 1934 г. ветер на горе Вашингтон разогнался до умопомрачительного 371 км/ч.

◀ **Метеостанция.** Синоптик из метеослужбы Гонконга получает не только местную информацию о погоде, но и данные о метеорологической ситуации со всего света. Глобальный подход к изучению погоды необходим для понимания процессов, происходящих в атмосфере.

▼ **Возможности спутника.** На спутниковой фотографии представлена ситуация около г. Сент-Луис (США) во время пика половодья в 1993 г. Розовые участки — город. Синим и черным цветом показаны площади затопления. На фотографии изображены река Миссисипи (от левого верхнего угла до правого нижнего) и река Миссури — левый нижний угол. Глобальная система наблюдений позволяет без труда обмениваться важными данными.

У ПОГОДЫ НЕТ ГРАНИЦ

Всемирная метеорологическая организация (ВМО) основана в 1947 г. при Организации Объединенных Наций. В ее состав входят около 180 стран-участниц. Всемирная служба погоды ВМО состоит из трех взаимосвязанных информационных систем: глобальной системы наблюдений (ГСН), в рамках которой осуществляется мониторинг окружающей среды и готовятся данные для международного обмена; глобальной системы обработки данных (ГСОД), предназначенной для обработки гидрометеорологической информации и подготовки прогнозов. В России действует один из трех Мировых метеорологических центров — ММЦ Москва (наряду с аналогичными центрами в Вашингтоне и Мельбурне). Глобальная система телесвязи (ГСТ) обеспечивает обмен данными практически между всеми странами мира.

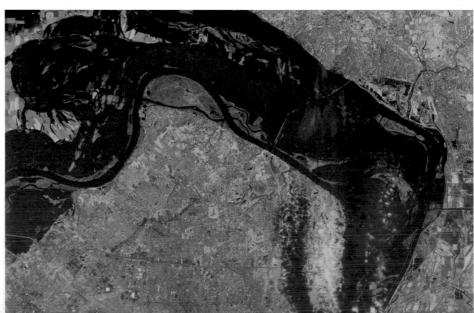

ПОЛЕТ В ЧИСТОМ НЕБЕ

Авиация — один из основных потребителей метеоинформации. История знает множество примеров авиакатастроф, вызванных плохими метеоусловиями. Но сейчас благодаря новым технологиям подобные инциденты случаются все реже. Пилоты современных авиалайнеров прокладывают курс, опираясь на прогноз ветров, и заправляются с учетом возможных неблагоприятных погодных условий по маршруту следования.

▶ **Прогноз погоды для вооруженных сил.** Успех военных операций на земле, на море и в воздухе в значительной степени зависит от погодных условий. Самолет-истребитель имеет на борту минимальный запас топлива, поэтому прогноз на посадку должен быть очень точным.

Моделирование погоды

В начале XX в. ученые пришли к выводу, что погоду можно прогнозировать с помощью математических уравнений. Но эти уравнения были настолько сложны, что осуществить проверку теории было практически невозможно. Компьютер справился с этой задачей, и в настоящее время сложнейшие модели погоды широко используются национальными службами. Компьютерное моделирование стало главным инструментом синоптиков при разработке прогнозов. Некоторые модели позволяют составить очень подробный прогноз на один-два дня для ограниченной территории, при помощи других дается менее подробный прогноз, но на одну-две недели. Во многих странах разрабатываются модели повышенной сложности, способные обрабатывать непрерывно увеличивающийся поток данных.

УЧЕСТЬ ВСЕ

В моделях погоды используется огромное количество математических уравнений, необходимых для вычисления возможного поведения атмосферы и океанов. Одни из них описывают воздушные потоки, другие — образование, движение и исчезновение облаков всех типов и вероятность выпадения дождя, снега или града. В уравнениях должно учитываться множество переменных, которые влияют на формирование погоды. Только с помощью компьютерного моделирования циркуляции всей атмосферы Земли с учетом всех остальных (оптических, аэрозольных, химических и т. д.) процессов, влияющих на нее, можно решить задачи моделирования климата и прогноза погоды. Математическое моделирование с каждым годом совершенствуется благодаря расширению глобальной метеосети наблюдений и самым современным компьютерным технологиям.

▲ **Помощь электроники.** При моделировании процессов, происходящих в атмосфере, необходимо произвести невероятное количество расчетов. Для этого синоптикам нужны самые мощные и быстродействующие вычислительные машины. Такие суперкомпьютеры используются в мировых метеорологических центрах. Лидирует в списке 500 мощнейших вычислительных систем планеты *Earth Simulator* (Япония), который способен оперировать моделями с шагом расчетной сетки всего около 10 км. Это дает возможность моделировать климатические процессы с невиданным ранее уровнем детализации, например, наблюдать за локальными циклонами и ураганами на ранних стадиях их образования. В настоящее время прогнозирование по ансамблю, то есть по группе прогнозов, позволяет автоматически получать информацию о вероятностях метеорологических событий применительно к потребностям пользователей. Подобные технологии все более усовершенствуются.

▼ **Раскрашенная атмосфера.** Комбинация ярких цветов, линий и стрелок позволяет показать на карте одновременно несколько параметров погоды. Это дает возможность синоптикам увидеть сочетание и взаимовлияние различных факторов.

▼ **Как выглядит ветер сверху.** Прогнозистам необходимо увидеть, как меняется поведение ветра в верхних слоях атмосферы в зависимости от наземных условий. На этом трехмерном изображении стрелками показано, что происходит с ветром на различных высотах.

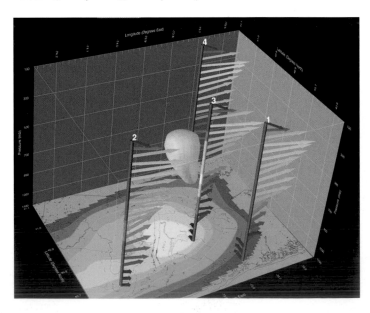

ОГРАНИЧЕННЫЕ ВОЗМОЖНОСТИ

Прогнозы с заблаговременностью, превышающей несколько часов, почти всегда полностью основываются на численном прогнозировании погоды (ЧПП). Модели ЧПП представляют атмосферу на трехмерной сетке. Точно могут предсказываться только метеорологические системы, которые в несколько раз превышают шаг сетки, и поэтому явления меньших масштабов описываются лишь приблизительно, с использованием статистических и других методов. Такие ограничения в моделях ЧПП оказывают особое влияние на подробные прогнозы местных элементов погоды, такие как облачность и туман, а также экстремальные явления, такие как интенсивные осадки и пиковые порывы. Синоптики знают, что качество некоторых прогнозов страдает из-за наличия районов с очень бедным охватом данных. Поэтому необходимо постоянно совершенствовать системы наблюдений и методы учета и обработки информации в моделях ЧПП.

▶ **«Видимая» погода.** Современные технологии позволяют создавать трехмерные многоцветные изображения грозы.

МОДЕЛИРОВАНИЕ ГРОЗЫ

В прогнозах широко используются сложные компьютерные модели. На рисунке вверху представлено трехмерное изображение мезомасштабной модели мощной фронтальной грозы над юго-востоком штата Нью-Йорк (США) 31 мая 2002 г. Белым показаны облака, а голубым — грозовые облака. Подобные модели используются для изучения причин возникновения опасных погодных явлений, а полученные данные применяются в моделях прогнозирования текущей погоды.

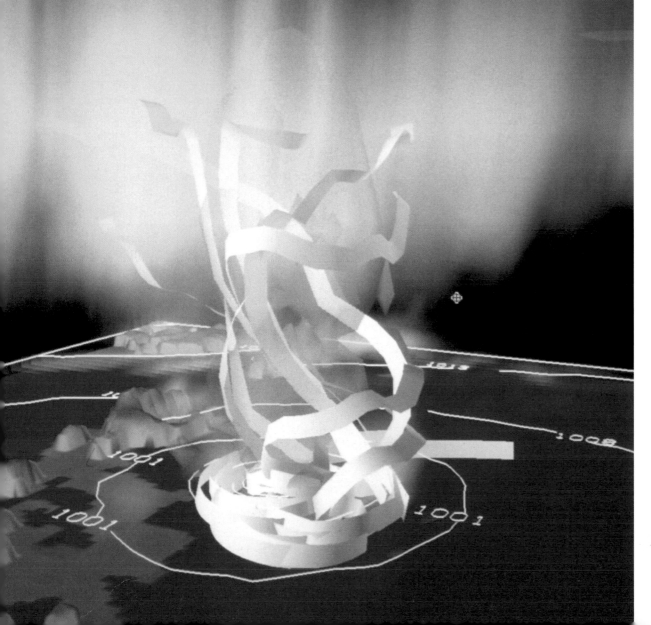

◀ **«Ленточки» ветра.** В этой модели использованы ленточки, чтобы показать, как дует ветер в циклоне, а затем в верхних слоях атмосферы. Получилась очень наглядная картина процессов, происходящих в атмосфере.

Прогнозы в масштабах сезона

С давних времен деятельность человека опиралась на некую климатическую «норму» для определенного времени года. К сожалению, текущая погода не всегда совпадает со средними показателями. Заблаговременная информация о том, что ждет нас в предстоящем сезоне, чрезвычайно важна, в особенности для сельского хозяйства. При сезонном масштабе прогнозирования гидрометцентры используют ряд специальных методик. В настоящее время такие прогнозы готовятся с использованием как статистических схем, так и динамических моделей. Статистический подход основан на обнаружении повторяющихся схем в климате: за влажным следует сухой период, за холодным — жаркий. Основными инструментами динамического прогнозирования являются совмещенные модели — те, что включают как атмосферу, так и другие важные среды, особенно океан.

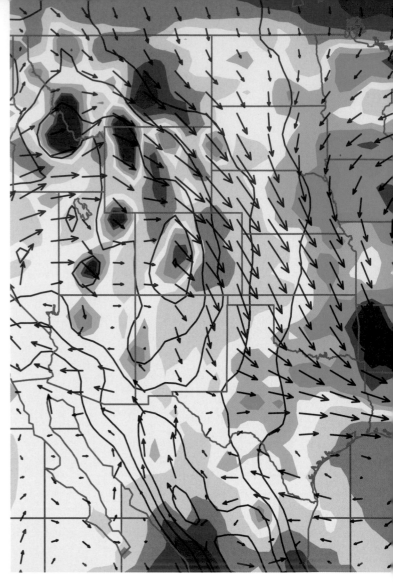

ЗАГЛЯНУТЬ НА НЕСКОЛЬКО МЕСЯЦЕВ ВПЕРЕД

Компьютерные модели широко применяются при изучении изменений климата во времени и пространстве. Существует определенная предсказуемость аномалий температуры и осадков на сроки вплоть до нескольких сезонов. Она возможна вследствие повторяющихся взаимодействий между атмосферой, океанами и поверхностью суши в масштабах данного сезона. Вместе с тем в этих моделях необходимо учесть, как влияют на долгосрочные изменения климата полярные льды, загрязнение атмосферы, вырубка лесов.

▶ **Региональный прогноз.** Региональный прогноз на лето 2002 г. для США дает значительный разброс температур по территории. Наиболее важным элементом региональных моделей сезонного прогнозирования является как можно большая подробность данных.

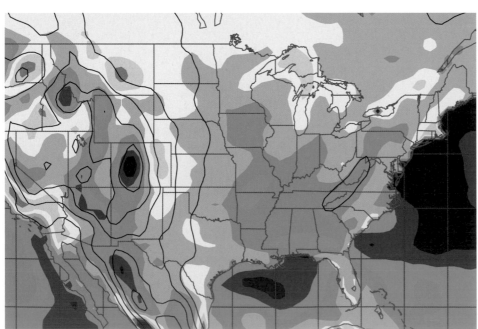

ПРЕДСКАЗАНИЕ НА ВСЕ СЕЗОНЫ

Краткосрочные прогнозы на один или два дня, как правило, достаточно точны. Особенно это касается прогноза максимальной и минимальной температуры. Но при составлении долгосрочных прогнозов уровень их точности неизбежно снижается. Это происходит из-за неупорядоченности процессов, происходящих в атмосфере. Именно поэтому прогноз климата в масштабе сезона носит вероятностный характер. Это не точная последовательность изменений метеоэлементов погоды, а скорее некоторые аспекты статистических данных о ней, например средняя температура или ее амплитуда, колебание осадков, влажности за сезон.

◀ **Влияние ветра.** По прогнозу на лето 2002 г. в центральной части США ожидалось преобладание северных ветров и осадки выше нормы в восточных штатах. Изменения температуры и уровня осадков в долгосрочных прогнозах часто зависят от ожидаемых аномалий ветра.

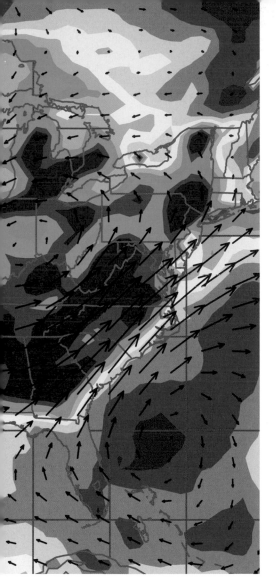

▶ **Заглянуть в будущее.** На рисунке представлен прогноз температуры воздуха на лето 2002 г. для Северного полушария. Красным обозначены районы с температурами выше средней, оттенки голубого показывают, где ожидаются более низкие, чем обычно, температуры.

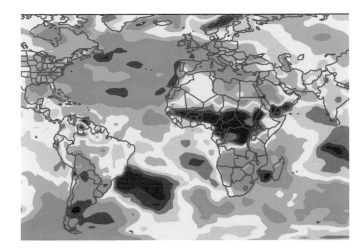

▶ **Цветовое кодирование дождя.** Информация о возможных осадках важна для многих сфер экономики. Этот прогноз составлен на три летних месяца 2002 г. для Северного полушария. Голубым цветом показаны отклонения от среднего в сторону увеличения количества осадков, красным — в сторону уменьшения. Прогнозы для лета и зимы бывают более точными, чем прогнозы для весны и осени.

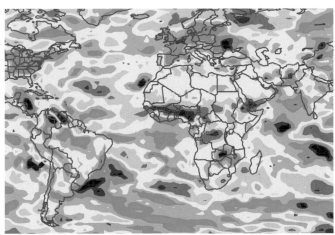

ВЛИЯНИЕ ОКЕАНА НА АТМОСФЕРУ

Ученые достаточно давно выявили, что изменение распределения холодных и теплых масс воды в Мировом океане оказывает огромное влияние на погоду последующих месяцев. В верхних слоях океанов содержится огромное количество энергии. Если вода теплая, в атмосферу поступает больше влаги, которая в подходящей метеорологической системе преобразуется в дождь. Холодные воды оказывают противоположное влияние на формирование погоды. Взаимодействие атмосферы и океана проявляется в глобальном масштабе, когда температурные аномалии поверхностных вод распространяются на десятки тысяч квадратных километров. Наиболее показательным примером такого взаимодействия можно назвать явление Эль-Ниньо, которое приводит к значительным сдвигам в глобальном климате с интервалами в пределах от 2 до 7 лет.

▶ **Помощь фермерам.** На схеме дается прогноз влажности почв. Красным показаны районы с более сухими условиями, голубым — более влажные.

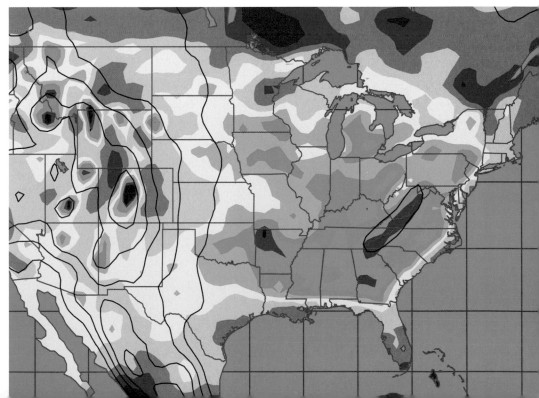

Карты погоды

Карты погоды, которые метеорологи называют синоптическими и прогностическими, основной инструмент их работы. На синоптических картах показаны элементы погоды в заданное время для определенной территории. На прогностических отражена вероятная погода в будущем. Исходным материалом для тех и других служат метеорологические наблюдения. Они проводятся в определенное, установленное для всех время, чтобы в картах не нарушалась непрерывность перехода от одной временной зоны к другой. Информация с земли и с моря поступает в прогностические центры, где в виде символов наносится на картографическую основу.

ДОСТУПНАЯ КАРТА ПОГОДЫ

Карты погоды в настоящее время стали более доступными для населения. В выпусках новостей телевизионные каналы демонстрируют упрощенные схемы с цветовыми и динамическими эффектами. Большинство газетных изданий публикуют карты погоды, иногда на несколько дней вперед. Множество компьютерных карт погоды размещено в Интернете.

▲ **Увидеть структуру.** Метеоролог использует спутниковые изображения для того, чтобы правильно расположить на карте фронтальную систему. Составляя карту, он следит за атмосферным образованием, которое оказывает влияние на погоду данного региона. В картах погоды огромное количество метеорологической информации собирается воедино в виде общепризнанного международного формата.

◄ **В помощь яхтсмену.** Возможность получать через спутниковую и радиосвязь прогнозы текущей погоды и штормовые предупреждения помогает морякам следовать безопасным курсом. Радио и другие сети связи обеспечивают регулярное обновление бюллетеней погоды для судов в открытом море.

▲ **Отслеживание фронта.** На картах погоды холодный фронт, двигающийся на юг Африки, показывается линией с треугольными шипами. Это дает возможность метеорологам следить за перемещением фронтов.

▶ **Международные символы погоды.** Международная система метеорологических символов позволяет специалистам читать информацию на картах погоды.

▼ **Делая погоду видимой.** На этой карте при помощи изобар (линий, соединяющих точки с одинаковым атмосферным давлением) показана глубокая атмосферная депрессия (мощный циклон) над проливом Ла-Манш. Области высокого давления расположены к западу, югу и востоку.

МЕЖДУНАРОДНЫЕ СИМВОЛЫ ПОГОДЫ

Текущая погода

слабая морось	непрерывный умеренный дождь	град
непрерывная слабая морось	сильный дождь с перерывами	переохлажденный дождь
умеренная морось с перерывами	непрерывный сильный дождь	дымка
непрерывная умеренная морось	слабый снег	смерч
сильная морось с перерывами	непрерывный слабый снег	пыльная буря
непрерывная сильная морось	умеренный снег с перерывами	туман
слабый дождь	непрерывный умеренный снег	гроза
непрерывный слабый дождь	сильный снег с перерывами	зарница
умеренный дождь с перерывами	непрерывный сильный снег	ураган

Низкие облака

слоистые	кучевые	кучево-дождевые «лысые»
слоисто-кучевые	кучевые мощные	кучево-дождевые с наковальней

Средние облака

высокослоистые	высококучевые	высококучевые башенкообразные

Высокие облака

перистые	перисто-слоистые	перисто-кучевые

Облачность (в баллах)

безоблачно	3	6
1 и более	4	7 и более
2	5	8

Скорость ветра (км/ч)

штиль	14—23	89—97
1—3	24—33	192—198
4—13	34—40	

Радар следит за погодой

Метеорологические радиолокаторы незаменимы при составлении краткосрочных прогнозов. Они универсальны и обеспечивают высокую степень детализации данных. Современная метеорадиолокационная сеть позволяет выдавать каждые 5—10 минут подробные трехмерные изображения метеорологических образований — от гроз до фронтов и ураганов. Поэтому радар стал непременным инструментом в арсенале средств прогнозирования. Это единственный прибор, который может предупредить о приближении или возможном формировании мощных грозовых бурь и смерчей. Радар также позволяет отслеживать ураганы при их приближении к суше. Текущие изображения, полученные радиолокатором, в настоящее время доступны в Интернете и используются в телепрограммах. Таким образом, общественность всегда в курсе того, где происходят опасные метеорологические явления. Когда службы предсказания погоды только зарождались, о нынешней быстроте и точности прогнозов можно было только мечтать.

ИССЛЕДОВАНИЕ НЕБА

Метеорадиолокатор посылает импульсы радиоволн, которые возвращаются, отражаясь от различных объектов в атмосфере. Такими объектами могут быть дым и пыль, но самый сильный эхосигнал приходит от капель дождя, снега и града. Радар Доплера определяет изменение частоты отраженных сигналов, что позволяет вычислить скорость ветра. У этих приборов очень острый луч, который сканирует небо под разными углами, в результате чего можно получать трехмерное изображение. Радар в состоянии заглянуть и далеко в глубь приближающейся грозовой бури.

◄ **Полет в бурю.** Самолет с радиолокатором на борту способен подойти совсем близко к эпицентру грозы, чтобы обеспечить ученых трехмерным изображением фронтов ветра и дождя. В США создана одна из лучших радиолокационных сетей в мире, обеспечивающая почти полное покрытие территории. В стране, где в год бывает 10 тыс. сильных бурь, 5 тыс. наводнений и до 1 тыс. торнадо, такая плотная сеть необходима, чтобы определить потенциально опасные бури, сократить количество ложных штормовых предупреждений и обеспечить точность и заблаговременность прогнозов.

Посланный сигнал

Отраженный сигнал

Ливень

Дисплей

КАК РАБОТАЕТ МЕТЕОРАДИОЛОКАТОР

Радар, или радиолокатор, был изобретен во время Второй мировой войны и предназначался для обнаружения самолетов неприятеля. Позже выяснилось, что он способен также обнаруживать дождь, что сделало этот прибор незаменимым в метеорологической практике. Антенна радара посылает радиолучи в цель, например в ливень. Дождевые капли отражают сигналы. Эти отраженные лучи воспринимаются прибором и затем преобразуются, в результате чего на экране появляются данные о цели — ее размеры и дальность. Метеорологам известно, на какой ближайший дождь была направлена антенна радара.

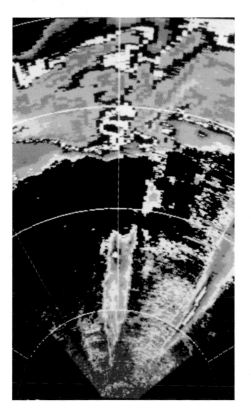

▼ **Преобразование показаний радара в прогноз.** Специалист изучает изображения, полученные с помощью радара, и другие данные, собранные в рамках программы FASTEX (слежение за фронтами и бурями в Атлантике).

◄ **Моментальный снимок зарождения торнадо.** На этом снимке изображена мощная гроза. Эхо-сигналы указывают на зарождение торнадо.

▲ **Вглядываясь в сердце урагана.** Изображение урагана «Хуго», полученное метеорадаром, совмещено со спутниковой фотографией в момент его выхода на побережье Южной Каролины в 1989 г. Отчетливо виден глаз бури. Совмещение различных изображений одного и того же явления помогает метеорологам выявить особенности опасных метеоявлений и обеспечить своевременное предупреждение населения.

Космические исследования

Вслед за первым запуском метеорологического последовала целая череда других. С помощью таких своего рода «глаз в небе» ученые получали бесценные фотографии, вызывающие огромный интерес в обществе. Обилие визуальной информации, полученной при помощи беспилотной космической техники и во время пилотируемых полетов, помогло существенно расширить наши знания об атмосферных процессах и механизмах образования бурь и ураганов. Первым снимкам из космоса уже более 40 лет. С годами они приобретают все большую ценность, так как позволяют выявлять динамику природных процессов на глобальном уровне.

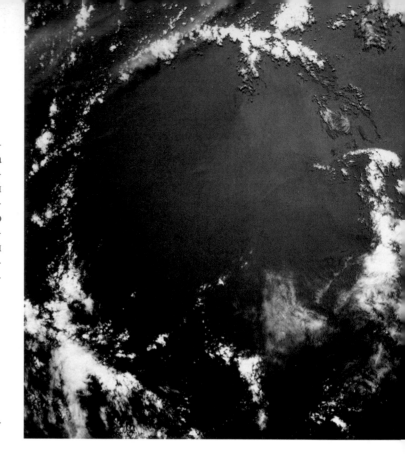

ПОРТРЕТЫ ЗЕМЛИ

Первые космические фотографии были черно-белыми, но с середины 1960-х гг. с запуском пилотируемых кораблей появились и цветные изображения. В настоящее время специалисты получают из космоса снимки очень хорошего качества с высокой четкостью и контрастностью. В результате метеорологи смогли увидеть то, что раньше с Земли разглядеть не удавалось.

▼ **Там, где дуют пассаты.** Широкая полоса облачности, плывущая над вершинами гор гавайского острова Оаху, образовалась в результате столкновения северо-восточного пассата с горным хребтом. Ветер дует из правого верхнего угла в сторону нижнего левого, и облака образуются на наветренном склоне. В горах видна пышная растительность, а на подветренной стороне засушливые районы, где осадков немного.

▲ **Конец грозы.** Круговая облачность образовалась после того, как гроза исчерпала себя. Такие облака возникают в результате радиального оттока воздуха из центра бывшей грозы.

▼ **Ураган у берега.** На фотографии изображен ураган «Эрин», двигающийся в сентябре 2001 г. к северу от Бермудских островов. Великие озера видны наверху слева.

ОРБИТАЛЬНЫЕ НАБЛЮДАТЕЛИ

Современные космические фотографии высокого разрешения позволяют увидеть замысловатые облачные образования, неизвестные еще несколько десятилетий назад. На снимках видно расположение отдельных облачных ячеек, что дает возможность метеорологам лучше понять механизмы формирования небольших атмосферных образований. Сюда входят морские бризы, грозы, вихри Ван-Кармана — сложные облачные системы, образующиеся при столкновении ветра с препятствием в виде острова или горы. Помимо фотографий облаков многие спутники обеспечивают специалистов информацией о состоянии моря, ветрах в верхних слоях атмосферы и температуре поверхности. Кроме того, спутниковые фотографии дают представление о месте нашей планеты в космосе.

Над Новой Зеландией распогодилось. Острова Новой Зеландии обрамлены узкими полосами облаков. Большая облачность, двигавшаяся с юго-запада, разделилась, задев вершину горы на острове Южный.

Первые метеоспутники летали над Землей на высоте 800 км. В 1966 г. орбиты некоторых достигли 35 800 км над экватором, а их скорость сравнялась со скоростью вращения Земли. Они все время остаются над одной и той же точкой земной поверхности. Это так называемые геостационарные спутники, которые передают на Землю ряды последовательных снимков, дающих представление о развитии метеорологических процессов. Это очень важно для оценки и прогнозирования холодных фронтов, ураганов и циклонов. Кроме того, снимки в инфракрасных лучах позволяют определять температуру воздуха на высотах, куда не могут добраться шары-зонды.

▶ **Наводнение на Янцзы.** На верхнем снимке показана река Янцзы (Китай) в августе 2002 г. до наводнения, на нижнем показана разлившаяся река, затопившая огромную территорию.

▼ **Ураган над Мексикой.** Это изображение урагана «Дуглас» в июле 2002 г. недалеко от Мексики. Подобные фотографии очень важны для прогнозирования и измерения метеорологических явлений.

МЕТЕОРОЛОГИЧЕСКИЕ СПУТНИКИ ЗЕМЛИ

Наблюдения за состоянием атмосферы и океанов в глобальном масштабе ведутся с полярно-орбитальных и геостационарных метеорологических искусственных спутников Земли. Полярно-орбитальные спутники серии NOAA уже более 25 лет являются основным космическим звеном метеорологических служб всего мира. Геостационарные спутники располагаются в экваториальной полосе и обеспечивают непрерывный обзор погоды от 70° ю. ш. до 70° с. ш.

МЕЖДУНАРОДНОЕ СОТРУДНИЧЕСТВО

Современная система метеорологических спутников, осуществляющих оперативные наблюдения за состоянием атмосферы, океанов и суши, состоит из восьми геостационарных спутников (США, России, Индии, Японии, Китая и Европейского космического агентства) и полярных спутников США и России. Новейшие системы связи, которыми оснащены современные серии спутников, позволяют автоматически и оперативно передавать данные измерений как со спутников, так и через них непосредственно потребителям. Регулярные наблюдения с помощью приборов, установленных на метеорологических спутниках, объединяются в Глобальную систему наблюдений. Основная цель оперативной сети — постоянная оценка состояния атмосферной циркуляции в режиме реального времени. Информацию со спутников постоянно принимают в 125 странах мира на более чем 1000 приемных станциях.

Источник вдохновения

Постоянно меняющаяся картина неба во все времена была источником вдохновения для творческих людей. Задолго до появления спутниковых фотографий голландский живописец XIX в. Винсент Ван Гог рисовал облака причудливых спиралевидных форм. Они совсем не похожи на те, что мы видим с Земли, но имеют поразительное сходство с фотографиями, сделанными из космоса. Спутниковые фотографии по содержанию, форме и цвету иногда не уступают лучшим произведениям искусства. Здесь наука и искусство переплелись воедино. Совершенствование оптики и практически неограниченные возможности компьютерной графики позволяют создавать настоящие шедевры.

▲ **Клубящиеся облака.** Картина Ван Гога «Горный ландшафт за лечебницей Сен-Поль» написана им в начале июня 1889 г. в Сен-Реми (Франция).

◄ **Странное небо.** «Звездная ночь», возможно, самая известная картина Ван Гога, также была написана в 1889 г. Считается, что образ беспокойного неба отражает больное душевное состояние художника. Существует предположение, что на картине изображено созвездие Овна и Венера (самая яркая звезда наверху справа). Эта планета находилась в фазе первой четверти, когда создавалась картина.

► **Воздушный рисунок.** Эту фотографию облаков сделал спутник над Алеутскими островами. Цветовая гамма создана разницей температур и размерами водяных капелек в облаках.

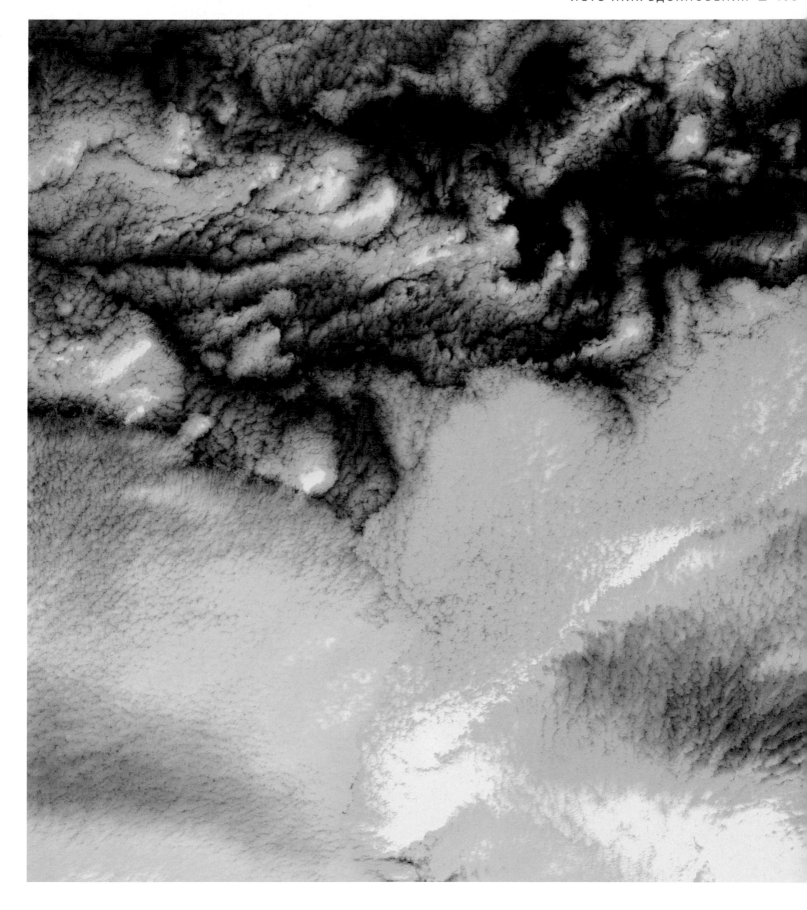

Не так давно получило распространение так называемое математическое искусство. Оно заключается в выражении полученных математических результатов в цвете, а не в числах. Иногда получаются изображения очень похожие на спиралевидные облачные формации. Спиральные рисунки присутствуют и в изображениях, полученных радарами. Они возникают при отражении радиолучей от водяных капелек.

▶ **Картину пишет радар.** На изображении видны спиральные полосы осадков в циклоне, который приближается к берегам Калифорнии. Спираль — это и атмосферное явление, и художественный образ.

▼ **Волны в море Уэдделла.** На фотографии, сделанной из космоса, запечатлены два больших вихря, которые видны на самой северной части паковых льдов (многолетний тяжелый морской лед) Антарктиды. Их рисунок чрезвычайно похож на облачные формации. Подобные спирали и вихри также могут быть воспроизведены при помощи компьютерной графики.

ФРАКТАЛЬНЫЕ ЗАВИТУШКИ И ВИХРИ

Фракталы (геометрическая структура с дробной размерностью, каждая ее часть является уменьшенной копией целого) — область удивительного математического искусства, в которой с помощью простейших формул и алгоритмов получаются картины необычайной красоты и сложности. Фрактальные деревья, горы, облака и целые пейзажи задаются простыми формулами и легко программируются. Но это стало возможным только с появлением компьютеров, позволяющих делать огромное количество вычислений. Во фрактальной геометрии, как и в природе, только несколько прямых линий. Переплетения бесчисленных спиралей, завитков и вихрей превращаются в узоры интригующей красоты и сложности.

Абстрактная красота. Это эффектное изображение — пример фрактального и математического искусства. Оно называется «Алмазная шахта» и удивительно похоже на некоторые облачные образования при взгляде из космоса.

Пустыни с их песчаными дюнами — одни из самых унылых и неприветливых мест на Земле.

Климат Земли

На нашей планете существует огромное разнообразие форм жизни. Это и антарктические императорские пингвины, и африканские зебры, и удивительные растения влажных тропических лесов и пустынь. Все это в значительной степени определено великим многообразием климатических условий, представленных на нашей планете. Люди также смогли успешно приспособиться к самым разным климатическим зонам и заселить даже наиболее суровые места.

Климатические зоны

Уже в V в. до н.э. греки разделили климат известного им мира на жаркий, умеренный и холодный в соответствии с углом падения солнечных лучей. С тех пор было предложено большое количество классификаций климата. Наибольшее признание получила система, в которой типы климата выделены по температурному режиму, степени увлажнения и преобладающей растительности.

Климат определенной местности зависит от ее географического положения, высоты над уровнем моря, расстояния до крупных водных объектов и горных цепей, а также от общих условий циркуляции атмосферы. В этой книге мы будем пользоваться общепринятой классификацией, которая охватывает широкий спектр климатических зон Земли. Каждая из них, в свою очередь, подразделяется на более мелкие категории. Это обусловлено влиянием различных климатообразующих факторов. Ну а невероятное разнообразие растительной и животной жизни на нашей планете — прямое следствие таких разных климатических условий.

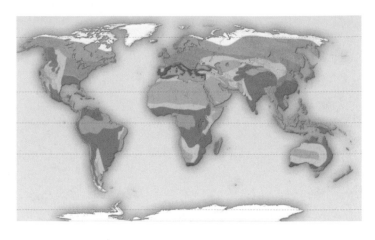

КЛИМАТИЧЕСКИЕ ЗОНЫ

- Экваториальный климат
- Субэкваториальный климат
- Засушливый климат
- Полузасушливый климат
- Средиземноморский климат
- Умеренный климат
- Бореальный климат
- Полярный климат
- Горный климат
- Прибрежный климат

КЛИМАТИЧЕСКАЯ КАРТА МИРА

Если мы посмотрим на карту климатических зон, то легко сможем убедиться в том, что они располагаются по широтам, прежде всего между Северным и Южным тропиками и в полярных областях. Правда, иногда, главным образом под влиянием рельефа и в зависимости от конфигурации материков, их направление меняется на меридиональное и субмеридиональное.

▼ **Сухой.** Засушливый климат характеризуется низкой влажностью воздуха, а также скудными осадками. В некоторых районах дожди не выпадают по нескольку лет. Очень велики суточные колебания температур, иногда достигающие 40°. При отсутствии растительности песок легко собирается ветром в дюны, которые находятся в постоянном движении.

▼ **Горный.** Климат горных районов характеризуется более низкими температурами, чем на той же широте на равнинах, пониженным атмосферным давлением и резкими контрастными изменениями природных условий в зависимости от высоты. Здесь бывают сильные снегопады, часто возникает порывистый ветер. Растениям и животным необходимо приспосабливаться к нехватке кислорода.

▶ **Экваториальный.** Буйная растительность бассейна Амазонки обязана своим происхождением высоким температурам, обильным дождям и влажности, то есть экваториальному климату. Дождевые леса изобилуют разнообразием животных и растений: здесь насчитывается более 1,5 млн видов.

▼ **Умеренный.** Красочная осень — характерная черта умеренного климата. Клены, березы, дубы и орешник сбрасывают листья и зимой находятся в состоянии покоя.

▼ **Прибрежный.** Погода в прибрежной зоне зависит от температуры поверхности воды и не имеет практически ничего общего с климатом соседних, но удаленных от моря территорий. Несмотря на то что температура здесь относительно постоянна, ветер, волны и соленые брызги оказывают значительное влияние на флору. Растения стелются по земле, у многих на листьях имеется восковой налет, который предотвращает потери влаги, мощная корневая система удерживает их в сыпучем грунте. Целебные свойства климата традиционно используются в климатотерапии.

▼ **Полярный.** Климат в Антарктиде самый холодный, сухой и ветреный. Длительная полярная ночь делает зиму чрезвычайно холодной и долгой, а лето, хоть и с незаходящим солнцем, остается прохладным и относительно коротким. Пингвины и другие обитатели этих широт живут в более мягких полярных зонах вдоль побережьн или на Антарктическом полуострове. На открытых пространствах Арктики зимой могут выжить только самые выносливые животные: полярные медведи, мускусные быки и волки. Другие впадают в спячку или мигрируют в более теплые районы.

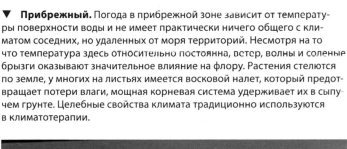

Экваториальный климат

Зоны с экваториальным климатом располагаются между Северным и Южным тропиками. Здесь большую часть года очень жарко и влажно. Количество суммарной солнечной радиации, поступающей на поверхность суши, практически не изменяется круглый год. Температура воздуха постоянно высокая, максимальная — до 35 °C, минимальная — не ниже 18 °C. Осадки здесь обильны (ежемесячно до 100 мм), имеют ливневый характер и часто сопровождаются грозами. Порой в экваториальном климате четко выделяются сухой и влажный периоды. Обилие света, тепла и влаги создали здесь идеальные условия для огромного видового разнообразия растительности. Тропические экваториальные леса, или гилеи, занимают всего 7 % суши, но в этих регионах встречается почти половина всех видов растений и животных, населяющих Землю. К сожалению, в последнее время отмечается значительное сокращение площади лесов в результате вырубок и пожаров.

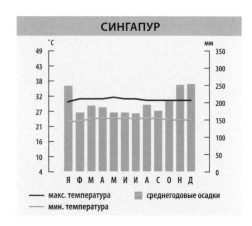

СИНГАПУР

°C — макс. температура
мм — среднегодовые осадки
— мин. температура

Я Ф М А М И И А С О Н Д

ЖАРКИЙ И ВЛАЖНЫЙ

В Сингапуре в течение года температура почти не меняется. Ее годовая амплитуда составляет не более 1—2 °C. Осадки здесь обильны круглый год, хотя их максимум приходится на ноябрь—декабрь. Обычна высокая влажность воздуха.

Стремясь к свету. Тропический климат создает идеальные условия для развития растений. Было бы место под солнцем! Вьющиеся растения, лианы, используют стволы деревьев в качестве опоры, чтобы выбраться к свету.

Влажная зона. Тропические леса Центральной и Южной Америки — идеальная среда обитания для ядовитого суринамского древолаза. Здесь ему комфортно как на земле, так и на деревьях.

Жизнь в лесах. Приматы тропической зоны, например белоплечий капуцин, приспособились к жизни на деревьях, обладают острым зрением и удивительной координацией. Они редко спускаются на землю.

◄ Ярусы тропического леса. Влажные тропики характеризуются богатством фауны. Животный мир обитает здесь на четырех ярусах. Это кроны самых высоких деревьев, густой полог крон, сумеречный ярус под ними и, наконец, влажная поверхность почвы.

■ ЗОНЫ ЭКВАТОРИАЛЬНОГО КЛИМАТА

Экваториальный климат распространен в пределах тропических районов Центральной и Южной Америки, включая бассейн Амазонки, в Африке в бассейне Конго, в Юго-Восточной Азии, включая Индонезию, Филиппины и некоторые острова Океании. Продолжительность дня здесь мало меняется в течение года.

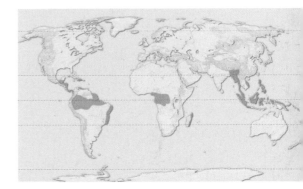

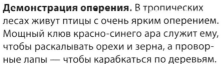

Демонстрация оперения. В тропических лесах живут птицы с очень ярким оперением. Мощный клюв красно-синего ара служит ему, чтобы раскалывать орехи и зерна, а проворные лапы — чтобы карабкаться по деревьям.

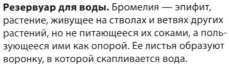

Резервуар для воды. Бромелия — эпифит, растение, живущее на стволах и ветвях других растений, но не питающееся их соками, а пользующееся ими как опорой. Ее листья образуют воронку, в которой скапливается вода.

Амазонский охотник. Каймановая ящерица — полуводное животное, живущее в бассейне Амазонки. Питается голыми слизнями и моллюсками, раковины которых легко дробит мощными челюстями.

Субэкваториальный климат

К северу и югу от зоны экваториального климата располагаются субэкваториальные районы с ярко выраженными сухим и влажным сезонами и относительно высокими среднегодовыми температурами. Их разница между самым холодным и самым жарким месяцем составляет не более трех-четырех градусов.

Смена сезонов происходит здесь в результате перемещения области высокого давления летом в сторону полюсов, а зимой — в сторону экватора. Летом эти районы находятся под воздействием влажных экваториальных воздушных масс, зимой преобладает сухой воздух тропических пассатов. Продолжительность сухого сезона увеличивается по мере удаления от экватора. В этом же направлении постоянно влажные леса сменяются на сезонно влажные.

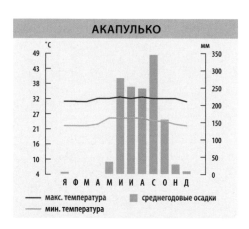

АКАПУЛЬКО

— макс. температура
— мин. температура
▭ среднегодовые осадки

СЕЗОННЫЕ ЦИКЛЫ

В Акапулько (на берегу Тихого океана, Мексика) круглый год наблюдается высокая температура воздуха лишь с небольшим понижением в зимний период. Основная часть осадков выпадает во время влажного сезона, длящегося с июня по сентябрь.

Влажный сезон — время вить гнезда. В австралийском национальном парке «Какаду» насчитывается более 200 видов птиц. С приближением влажного сезона водоплавающие начинают искать места для гнездования.

Обед на лету. Изумрудная колибри питается нектаром тропических цветов. У этой маленькой птички очень активный обмен веществ, поэтому ей приходится поглощать большое количество нектара.

Водяное убежище. Это небольшое озеро в Северной Австралии служит местом сбора водоплавающих птиц, когда в конце сухого сезона поймы рек пересыхают и превращаются в цепочки изолированных водоемов.

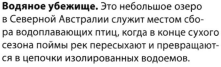

Туманные горы. Вдоль склонов гор Африки, Центральной и Южной Америки, Индонезии и Новой Гвинеи, где воздух охлаждается и водяной пар превращается в облака, распространены леса, которые называются «облачными». В регионах, где наблюдается хроническая засушливость, деревья выжили только благодаря тому, что научились собирать влагу из облаков и тумана.

■ ЗОНЫ СУБЭКВАТОРИАЛЬНОГО КЛИМАТА

Сезонные перемещения области высокого давления, влажные экваториальные воздушные массы и тропические пассаты формируют климат большей части Южной Америки, Центральной Африки, Южной и Восточной Азии, Северной Австралии. Здесь температуры ниже, чем в экваториальном климате, а осадки имеют сезонное распределение.

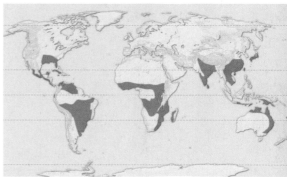

Защитный механизм. Тело зеленой игуаны покрыто кератиновыми (роговое вещество) чешуйками. Это позволяет ей уменьшить потери воды во время сухого периода в сезонно влажных лесах Центральной и Южной Америки.

Плавающий лист. Листья кувшинки удерживаются на плаву благодаря воздушным мешочкам, расположенным в подводных стеблях. Водные растения — основные компоненты водных экосистем.

Муравьи бывают разные. В период дождей муравьед питается муравьями, а в сухой сезон, когда потребность организма в воде увеличивается, — термитами, потому что они содержат больше воды.

Засушливый климат

В условиях аридного (сухого) климата образуются пустыни. Здесь среднегодовое количество осадков составляет менее 250 мм, а при высоких температурах испарение превышает осадки. В пустынях велики суточные колебания температуры. Днем при отсутствии облаков поверхность сильно нагревается, но быстро остывает после захода солнца. Многие аридные зоны находятся под воздействием областей высокого давления, где наблюдаются нисходящие токи воздуха, что приводит к безоблачному небу и отсутствию осадков. Некоторые пустыни расположены внутри континентов, куда не проникает влага с океанов. Прибрежные пустыни находятся в сфере влияния холодных океанических течений, которые подавляют осадкообразование. Однако многие растения, несмотря на скудные осадки, высокую температуру воздуха и иссушающий ветер, приспособились к этим суровым условиям.

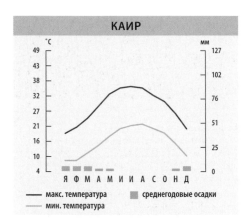

КАИР

°С ... мм
49 — 127
43 — 102
38 — 76
32
27 — 51
21
16 — 25
10
4 — 0

Я Ф М А М И И А С О Н Д

— макс. температура   ■ среднегодовые осадки
— мин. температура

ЖАРКО И СУХО

В Каире в течение всего года выпадает крайне мало осадков. Максимальных значений температуры воздуха достигают здесь в середине года при практически безоблачном небе. Наблюдается относительно низкая влажность и резкий контраст дневных и ночных температур.

▼ **Преходящая красота.** Когда, наконец, в пустыне выпадают дожди, она внезапно покрывается ковром цветущих растений. Это появляются эфемеры — однолетние травянистые растения, завершающие полный цикл развития за очень короткий и обычно влажный период (от 2—6 недель до 5—6 месяцев).

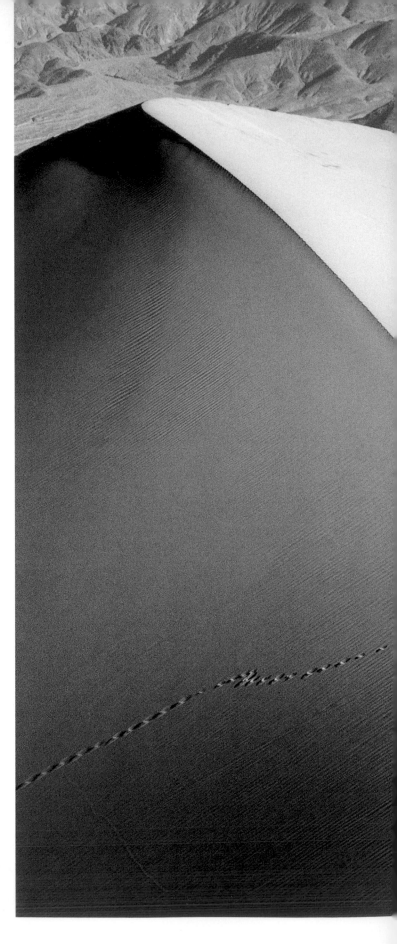

▲ **Надежный резервуар.** Цереус гигантский — кактус, растущий в пустыне Соноран в Мексике, во время редких дождей накапливает влагу в стеблях и корнях. Восковой налет на его стебле уменьшает испарение воды.

◄ **По милости ветра.** В Долине Смерти, расположенной в Калифорнии (США), встречаются громадные песчаные дюны. Постоянно дующие ветры собирают песок в огромные скопления, а воздушные вихри придают им форму дюн.

▼ **Корабли пустыни.** Верблюды могут несколько дней обходиться без воды, поедая сочную растительность, питательные вещества они накапливают в горбах. Их широкие раздвоенные копыта хорошо приспособлены для преодоления горячих сыпучих песков пустыни. Во время песчаных бурь верблюды способны плотно закрывать носовые ходы. Двойные густые ресницы защищают глаза не только от песка, но и от яркого солнца.

АТМОСФЕРА-РАЗРУШИТЕЛЬНИЦА

Аридные ландшафты часто бесплодны и представляют собой выходы коренных пород на поверхность. Отсутствие дождей замедляет здесь формирование почв. Только около 25 % пустынь мира песчаные, большинство их — труднопроходимые, каменистые ландшафты, такие как Долина Монументов в штате Юта (США). Пустыня Сахара, самая большая на Земле, обычно воспринимается как бескрайнее море песка. На самом же деле песчаные дюны занимают только четверть ее общей площади. В Северном полушарии в зоне засушливого климата расположены пустыни Сахара, Аравийская, Тар, пустыни юго-запада США и Мексики, в Южном полушарии — пустыни Намиб и Калахари в Африке, Атакама в Южной Америке и пустыни Центральной Австралии.

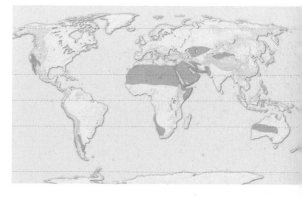

■ ЗОНЫ ЗАСУШЛИВОГО КЛИМАТА

В аридных зонах преобладает антициклональная циркуляция атмосферы. Она характерна для районов Северного и Южного тропиков. Крупные пустыни расположены на севере и юге Африки, юго-западе Азии и в Австралии.

Полузасушливый климат

В зонах полузасушливого климата расположены огромные пространства саванн и степей. Годовое количество осадков колеблется здесь от 250 до 760 мм. Этой влаги достаточно для травянистой растительности, но мало для полноценных лесов. Полузасушливые районы тянутся от тропиков в умеренные широты, куда системы атмосферной циркуляции приносят небольшое количество осадков. Жестокие засухи в этих районах явление довольно обычное. На открытых ровных пространствах с редкими деревьями преобладают сильные ветры. Необходимыми условиями существования травянистой растительности этой зоны являются регулярные пожары и выпас крупных стадных животных, которые освобождают растительные сообщества от накопившейся соломы и уничтожают кустарники. Основная часть растительной массы травы сосредоточена под землей. Мощная корневая система позволяет ей накапливать питательные вещества и влагу. Пожары и выпас травоядных стимулируют возобновление растительности.

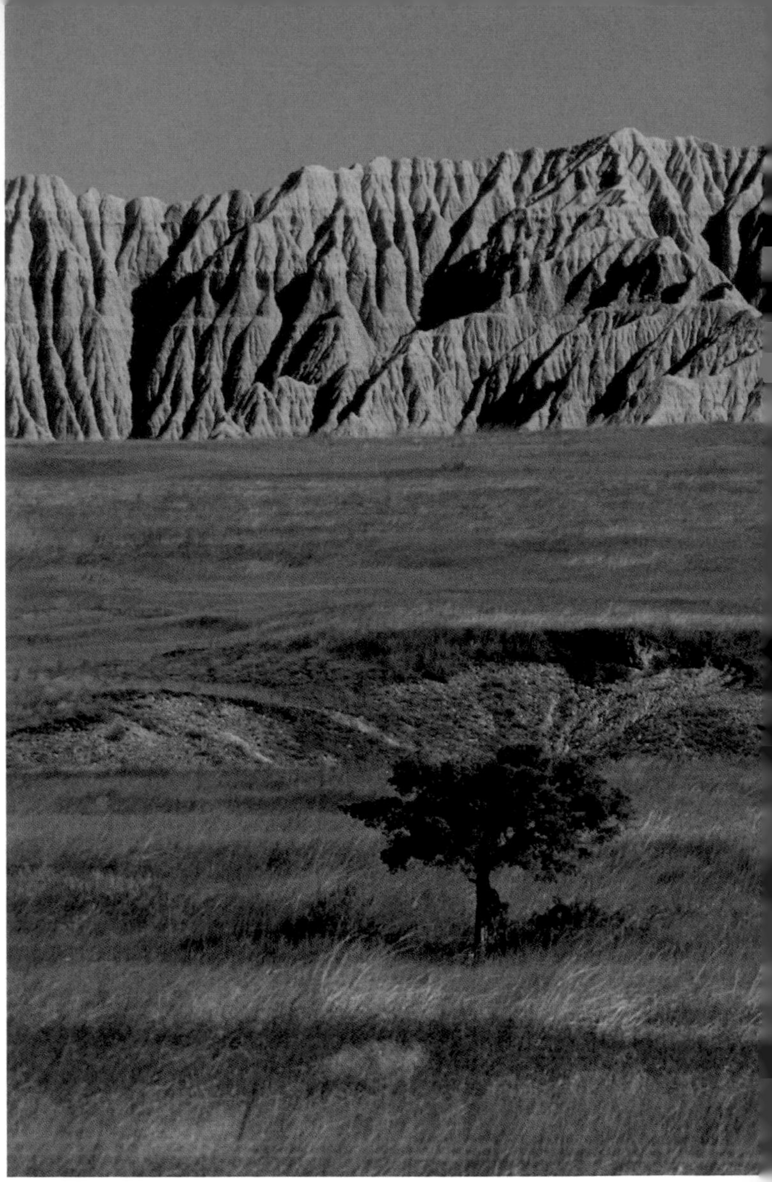

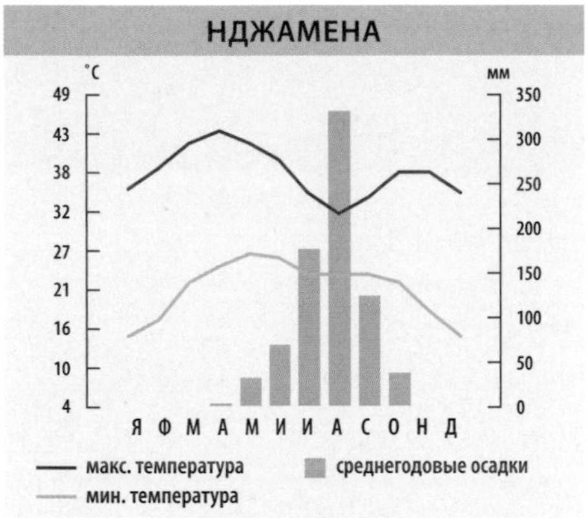
НДЖАМЕНА
°C
мм
49
43
38
32
27
21
16
10
4
350
300
250
200
150
100
50
0
Я Ф М А М И И А С О Н Д
макс. температура
мин. температура
среднегодовые осадки

ЛЕТНИЙ ДОЖДЬ
Город Нджамена (Республика Чад) расположен в районе саванн к югу от Сахары. Здесь практически всегда жарко, и только в течение короткого влажного периода, с июля по сентябрь, немного прохладнее. В этот период здесь выпадает более 80 % годовой нормы осадков.

Жизнеспособность травы. Узкие восковые листья травянистой растительности сохраняют влагу, а глубокие разветвленные корни накапливают питательные вещества и могут быстро дать жизнь новым наземным побегам.

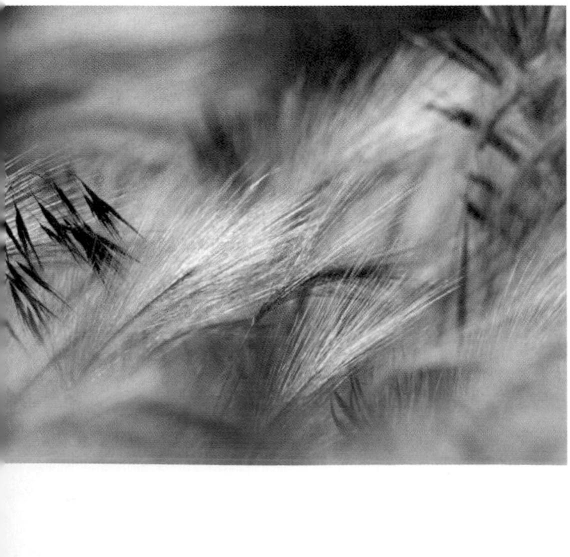

Живые сенокосилки. Огромные стада травоядных, таких как зебры, антилопы, газели, пасутся на просторах африканских саванн. Три четверти жизни они проводят, поедая траву и кустарники.

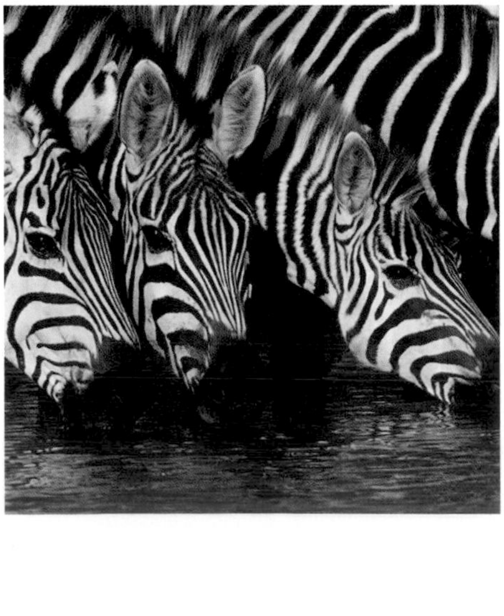

Выставка цветов. Африканские ромашки — многолетние растения с красивыми цветками. Они растут в полузасушливой зоне Южной Африки. Для того чтобы цветки полностью раскрылись, необходимо много солнечного света.

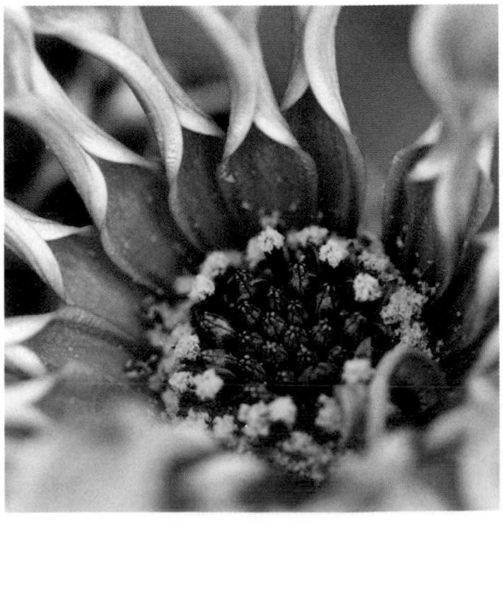

До самого горизонта. Травянистая растительность национального парка Бедленд в Северной Дакоте (США) сформировалась в дождевой тени Скалистых гор. Это часть обширных североамериканских прерий, территория которых покрыта многолетними травами и составляет 3,6 млн км².

■ ЗОНЫ ПОЛУЗАСУШЛИВОГО КЛИМАТА

В них входят велды (пастбища) Африки, прерии запада Северной Америки, степи юга России и пампасы Южной Америки. Растительность саванн Африки представляет собой сообщества трав с редкими деревьями. Обилие растительной пищи способствует разнообразию животных: крупных травоядных, хищников, грызунов, птиц, пресмыкающихся, насекомых.

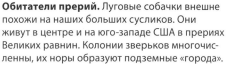
Обитатели прерий. Луговые собачки внешне похожи на наших больших сусликов. Они живут в центре и на юго-западе США в прериях Великих равнин. Колонии зверьков многочисленны, их норы образуют подземные «города».

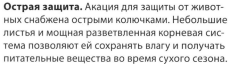
Острая защита. Акация для защиты от животных снабжена острыми колючками. Небольшие листья и мощная разветвленная корневая система позволяют ей сохранять влагу и получать питательные вещества во время сухого сезона.

Дождевая «тень». Облака оставляют основную часть осадков на наветренной стороне горной цепи. Переваливая через хребет и спускаясь по подветренной стороне, воздух становится горячее и суше.

Средиземноморский климат

Этот тип климата характеризуется жарким сухим летом и мягкой влажной зимой. Он формируется под влиянием двух воздушных масс. Летние антициклоны приносят горячий и сухой воздух субтропиков на западные окраины материков, зимой они смещаются в сторону экватора, уступая место циклонам умеренных широт, которые несут осадки. С климатом связан и особый тип растительности с яркими чертами приспособления к летней сухости. Это жестколистные вечнозеленые леса и кустарники. Однолетние растения, например маки, также хорошо приспособлены к таким условиям, их семена находятся в состоянии покоя летом, а зимой прорастают. Из млекопитающих здесь встречаются лани, кролики, другие грызуны.

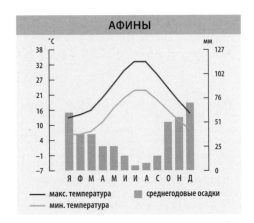

АФИНЫ

°C / мм
38 — 127
32 — 102
27 —
21 — 76
16 — 51
10 —
4 — 25
−1 —
−7 — 0

Я Ф М А М И И А С О Н Д

— макс. температура
— мин. температура
■ среднегодовые осадки

ВЛАЖНО И ЖАРКО

Пример типичного средиземноморского климата с жарким сухим летом и прохладной дождливой зимой приведен на этом совмещенном графике, где показаны среднемесячные температуры воздуха и количество осадков в Афинах (Греция). Морские бризы смягчают летнюю жару.

▼ **Скрэб (заросли низкорослых сухолюбивых кустарников) под разными именами.** В Калифорнии и Мексике средиземноморский тип растительности называется чапараль (заросли низкорослых вечнозеленых дубов), на побережье Средиземного моря — это маквис, матораль — в центральных районах Чили, финбос — в Капской области Южной Африки, мали-скрэб — в Австралии.

▲ **Умная сойка.** Эта всеядная птичка обитает в зарослях средиземноморских кустарников. В сухое время года необходимую воду она получает с пищей — ценное приспособление к сухому климату.

◄ **Плодовые деревья.** Засухоустойчивые оливы и миндаль — типичные деревья Средиземноморья. Они культивировались здесь с античных времен как продовольственные культуры. Чтобы на оливах завязались плоды, нужна прохладная зима, а чтобы они созрели — жаркое лето.

▼ **Устойчивость к засухе.** Эвкалипты и коалы хорошо приспособлены к средиземноморскому климату Австралии. Эвкалипты — вечнозеленые деревья с сочными листьями, способные хорошо переносить засушливый климат. Коала удовлетворяет потребность в воде, поедая листву.

ЛЕТНИЙ ФЕНОМЕН

Во время длительных сухих периодов в зонах средиземноморского климата часто случаются пожары. Многие растения этих районов, в том числе полынь, эвкалипт и розмарин, содержат в листьях масла, которые способствуют возгоранию. Для возобновления жизнедеятельности некоторым растениям требуется огонь. Их семена могут находиться в состоянии покоя годами и прорастут только после пожара. В районах со средиземноморским климатом распространены кустарниковые заросли вокруг деревьев. Их густые переплетенные ветви уменьшают потери воды с поверхности почвы жарким летом. У них, как правило, толстые восковые листья, что предохраняет их от потери влаги в жаркую сухую погоду. Некоторые листья имеют зазубренные края для отпугивания травоядных, другие опушены волосками, что также уменьшает потери воды.

■ ЗОНЫ СРЕДИЗЕМНОМОРСКОГО КЛИМАТА

Средиземноморский тип климата присущ главным образом западным берегам континентов. Такие зоны наиболее хорошо выражены в Средиземноморье, распространены также в Калифорнии, Южной Африке, Южной и Юго-Западной Австралии, на Южном берегу Крыма и Черноморском побережье Кавказа.

Умеренный климат

В средних широтах, там, где около полугода температура воздуха поднимается выше 10 °C, наблюдается умеренный климат. Во всех этих районах четко выражены четыре времени года, а суровость зимы зависит от близости к морю. Вдоль западных берегов континентов преобладающие океанические ветры создают условия для морского климата. Здесь температура самого холодного месяца редко падает ниже 0 °C, и зимой практически нет снежного покрова. В условиях континентального умеренного климата на один-два месяца в году образуется устойчивый снежный покров. В целом осадков выпадает достаточное количество, летом в виде дождя, зимой в виде снега. Основной вид растительности — лиственные и смешанные леса, в которых доминируют клен, береза, можжевельник, каштан, дуб, бук, ива, магнолия, сосна, ель, пихта и т. д. Животным приходится приспосабливаться к холодным зимам и сезонным изменениям в рационе питания.

МЯГКИЙ И РОВНЫЙ

Для столицы Германии Берлина обычна холодная, иногда снежная зима и теплое лето с температурой воздуха около 24 °C. Максимальное количество осадков выпадает летом, но они достаточно равномерно распределены в течение года.

ВРЕМЕНА ГОДА

Весна. Когда продолжительность дня начинает расти, на растениях появляются бутоны и раскрываются почки, а перелетные птицы возвращаются.

Лето. Под лучами яркого солнца земля покрывается обильной растительностью. Лето самое теплое время года. В умеренном поясе длится около трех месяцев.

Осень. Период вегетации заканчивается, и с уменьшением светового дня деревья меняют окраску листвы. Яркие краски ранней осени сменяются унылым пейзажем.

Зима. Зимой многие растения находятся в состоянии покоя, некоторые животные перемещаются в теплые края или погружаются в спячку.

Оттенки осени. Осенью, когда продолжительность дня уменьшается, а температура воздуха понижается, хлорофилл, который окрашивает листья деревьев в зеленый цвет, разрушается. В листьях остаются каротиноиды, которые придают им оранжевые и красные оттенки. Как притягательны яркие краски осени!

■ ЗОНЫ УМЕРЕННОГО КЛИМАТА

Они расположены вдоль западного побережья Северной Америки, в Европе, на востоке Северной Америки и Азии, на юге Чили, на юго-востоке Австралии и в Новой Зеландии.

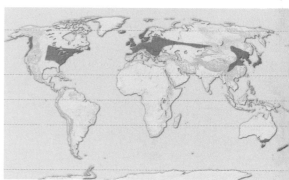

Про запас. Некоторые животные этой зоны сохраняют активность в течение всего года. Летом белки делают в дуплах запасы, чтобы холодной снежной зимой было чем питаться. В кладовой у белки можно найти до 10 кг различных семян и орехов.

Благоухание лаванды. Весной и летом Прованс, что на юге Франции, покрывается ковром цветущей лаванды, которая используется в парфюмерии и медицине. Летнее солнце усиливает аромат этого цветка, а легкий ветер разносит его по окрестностям.

Опустевшая роща. Листопад — выработанное растениями в процессе эволюции приспособление в неблагоприятных условиях уменьшать поверхность надземных органов, что сокращает потерю влаги и предотвращает поломку ветвей под тяжестью снега.

Бореальный климат

Бореальный (северный) климат формируется только в Северном полушарии и совпадает с границами распространения хвойных лесов. На севере бореальная зона граничит с тундрой, на юге — с лиственными лесами умеренного пояса. Хвойные бореальные леса, называемые тайгой, занимают около 10 % суши. В них произрастают ель, пихта, сосна, лиственница, подлесок беден.

Характерные особенности бореального климата: относительно низкая среднегодовая температура, хорошо выраженные времена года — продолжительная холодная зима и относительно короткое теплое лето. Только в течение одного месяца в году среднемесячная температура воздуха превышает 10 °C. Осадков выпадает немного, зимой образуется устойчивый снежный покров, летом бывают проливные дожди. Во время весенних оттепелей почвы раскисают от воды и часто остаются заболоченными благодаря многолетней мерзлоте, которая играет роль водоупора.

АНКОРИДЖ

— макс. температура
— мин. температура
■ среднегодовые осадки

БОЛЬШОЙ КОНТРАСТ
В Анкоридже на Аляске длинная и холодная зима, которую сменяет короткое прохладное лето. Климат достаточно сухой, но в конце лета — начале осени отмечается увеличение осадков. В морозные дни с сильным ветром можно обморозиться.

Мир лесов. Бореальные леса в основном состоят из хвойных деревьев, крона которых имеет форму конуса, чтобы ветви не ломались под тяжестью снега, а листья превратились в иголки, чтобы противостоять холодной сухой зиме.

Белое на белом. У зайца-беляка широкие лапы, которые позволяют ему без труда передвигаться по свежевыпавшему снегу. С приближением зимы его коричневая летняя шубка превращается в белую — для маскировки, и на снегу он становится практически незаметен для врагов.

Вересковые. Голубика, черника и брусника — представители семейства вересковых. У них сочные стебли, а листья приспособлены хорошо переносить относительно засушливый климат. Разветвленная корневая система способна добывать питательные вещества из почв.

Как сохранить тепло. Северные олени покрыты толстым мехом, защищающим их зимой. Крупные размеры не допускают переохлаждения животных, а широкие копыта приспособлены для передвижения на большие расстояния в поисках пищи по мягкому глубокому снегу зимой и болотистой почве летом.

■ ЗОНЫ БОРЕАЛЬНОГО КЛИМАТА

Они охватывают субполярные районы Северной Америки и Евразии и совпадают с границами распространения хвойных лесов. Южная граница этой зоны проходит в районе 50—55° с. ш., северная совпадает с границей распространения лесов около Северного полярного круга. Обычно здесь девять месяцев в году царит холодная суровая погода.

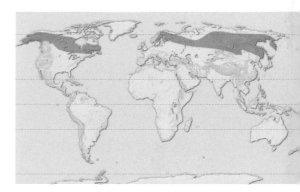

Морозостойкий вереск. Этот хвойный лес устлан ковром из вереска. Невысокие кустики расположены очень близко друг к другу и хорошо переносят зиму под снегом. Их небольшие листья уменьшают испарение воды растением.

Холодная тайга. Хвойные леса с небольшой примесью лиственных пород (береза, осина и др.). «Тайга» — тюркское слово, употреблявшееся сначала для обозначения российских лесов, но позже распространенное на сходные растительные сообщества Северной Америки.

К зиме — на юг. Весной с юга в районы бореального климата прилетают на гнездовье гуси. Осенью они возвращаются на юг, где зимуют. Перелеты гуси совершают большими стаями до миллиона особей, обычно ночью и на большой высоте.

Полярный климат

Климат полярных районов Северного и Южного полушарий определяется полярной ночью и полярным днем. Зима здесь очень долгая и темная, а лето короткое и холодное. Средняя температура самого теплого месяца года обычно ниже 10 °C. Осадки небольшие, в основном в виде снега, их среднегодовой объем составляет менее 250 мм. Суровые условия отразились на ландшафтах — они покрыты низкорослой тундровой растительностью или полярными льдами. Южная граница зоны совпадает с границей распространения лесов. Арктическая растительность представлена здесь морозостойкими видами трав и осок, мхов и лишайников. Животный мир характеризуется исключительной бедностью, например, малым числом видов млекопитающих: на Таймыре их 10—11, в Гренландии 7, на арктических островах 2—4. В Антарктике распространены мхи и лишайники, обитают киты, тюлени и птицы.

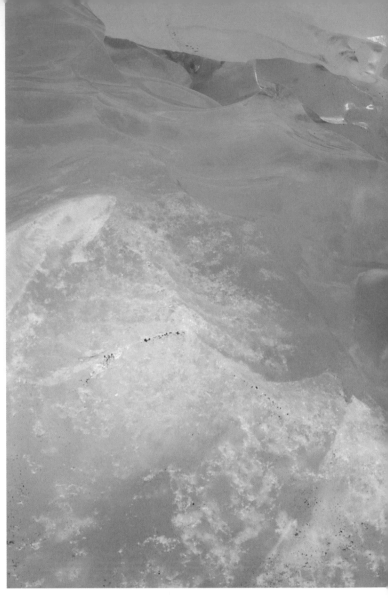

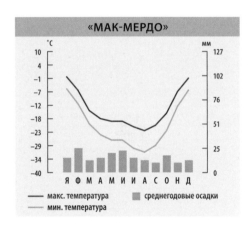

«МАК-МЕРДО»

°C / мм
- макс. температура
- мин. температура
- среднегодовые осадки

ЯФМАМИИАСОНД

ХОЛОДНО И СУХО

Годовой график температуры и осадков, регистрируемый на американской станции «Мак-Мердо» в Антарктиде, — прекрасная иллюстрация сурового полярного климата с исключительно холодной зимой и небольшим количеством осадков.

Император Антарктики. Императорский пингвин — ныряющая птица, живущая на берегах континента и в его прибрежных водах. Толстый слой жира и плотное оперение, не пропускающее воду, защищают птиц от холода.

Суровая красота. Тундра — холодная арктическая пустыня северной полярной зоны. Здесь растут только многолетние травы и осоки, приспособившиеся к короткому вегетационному периоду и малому количеству осадков.

Полуночное солнце. Летом в полярных районах солнце остается над горизонтом круглые сутки. Несмотря на продолжительный световой день, снег и лед не всегда тают летом, что усугубляет суровость климата.

Ледовые просторы. В Скандинавских горах находится центр современного оледенения, возраст которого более 10 тыс. лет. Самое большое ледяное поле, площадью около 850 кв. км, расположено в горном массиве Юстедальсбре. Концы долинных ледников расходятся от него во всех направлениях (слева) и лежат на высоте 100—200 м над уровнем моря, а некоторые спускаются даже до 50 м. Поверхность каменистых пород обработана деятельностью ледника.

■ **ПОЛЯРНЫЕ ЗОНЫ МИРА**

Зоны полярного климата расположены в Арктике и Антарктике. В Северном полушарии это территории за полярным кругом, омываемые Северным Ледовитым океаном. Антарктида полностью расположена в южной зоне полярного климата. В этих районах доминируют снег и льды.

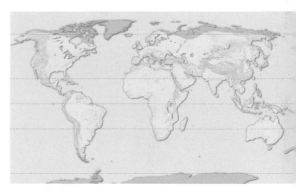

Цепкие растения. Только лишайники, а также некоторые растения могут существовать в Антарктиде при отрицательных температурах. Они стремятся поселиться на темных, хорошо поглощающих тепло скалах.

Арктический житель. Полярный медведь — самый крупный представитель отряда хищных. Он обитает у берегов Северного Ледовитого океана и на дрейфующих льдах и хорошо приспособлен к низким температурам.

Постоянная зима. Основное количество осадков выпадает в виде снега, который не тает круглый год, а постепенно превращается в лед. Паковый лед (многолетний тяжелый морской лед) окружает сушу большую часть года.

Горный климат

Влияние высоты и освещенности в горных районах создает мозаику режимов погоды, объединяемых понятием «горный климат». Горы перехватывают и изменяют направление движения воздушных масс, формируют собственные метеорологические модели. Общие особенности горного климата — пониженное атмосферное давление, высокая интенсивность солнечной радиации со значительным количеством ультрафиолетового излучения (вследствие чего освещенность увеличивается, особенно на снежных полях, а небо получает более густую синюю окраску), пониженная температура воздуха, увеличение количества осадков с высотой, сильные горно-долинные ветры. Уровень, на котором начинается зона горного климата, зависит от широты местности. В Гималаях эта зона начинается от 2700 м, в Альпах ее граница проходит выше 900 м, а в Западных Кордильерах на высоте 1200 м. В этих условиях хорошо себя чувствуют хвойные деревья — сосны и ели.

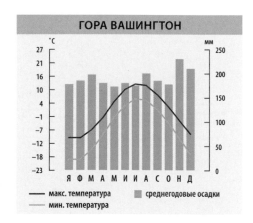

ГОРА ВАШИНГТОН

°C / мм

27 / 250
21
16 / 200
10
4 / 150
-1
-7 / 100
-12
-18 / 50
-23 / 0

Я Ф М А М И И А С О Н Д

—— макс. температура   ▮ среднегодовые осадки
- - - мин. температура

ИЗМЕНЧИВАЯ ПОГОДА

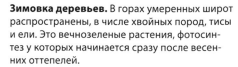

Гора Вашингтон в США имеет высоту 1921 м. Зима в этом районе холодная и ветреная, с частыми снегопадами, лето мягче, со средней температурой июля около 13 °C. Здесь в январе 1985 г. зафиксирован самый сильный порыв ветра в современной истории — 278 км/ч.

Крыша мира. С востока на запад высочайшая горная система мира — Гималаи — пересекает Пакистан, Индию, Тибет, Непал и Бутан. Зона горного климата начинается на высоте 2700 м и простирается до 7600 м.

Проворные животные. Горные козлы Скалистых гор встречаются в горах Северной Америки выше линии распространения лесов. Эти проворные животные питаются скудной растительностью, произрастающей на склонах.

Зимовка деревьев. В горах умеренных широт распространены, в числе хвойных пород, тисы и ели. Это вечнозеленые растения, фотосинтез у которых начинается сразу после весенних оттепелей.

Высокие и могучие. Климат в горах Патагонии на юге Аргентины и Чили может посоперничать в суровости с полярным. Самые высокие пики достигают здесь высоты 6700 м, а многие вершины лежат выше 6100 м. Некоторые склоны покрыты обширными ледниками, другие круглый год укрыты снегом. Здесь широко распространены ледниковые формы рельефа — большие цирки, моренные гряды.

ЗОНЫ ГОРНОГО КЛИМАТА

Они занимают значительные территории в Азии (Гималаи), Европе (Альпы), в Северной Америке (Восточные Кордильеры), в Южной Америке (Анды) и в горах Экваториальной Африки. Но в каждом из этих регионов специфические условия формируют свой особый тип горного климата.

Летний всплеск. Альпийские луга характеризуются суровыми погодными условиями и коротким периодом вегетации растений. Когда приходит лето, астры и другие низкорослые цветы быстро распускаются.

Высокогорный медведь. Североамериканский медведь гризли ранее был широко распространен, но теперь встречается только на охраняемых территориях. Питается он мясом, рыбой, кореньями и ягодами.

Горное озеро. На острове Южный в Новой Зеландии озеро Вакатипу наполняется водой от таяния снега и ледников Южных Альп. Колебания атмосферного давления часто изменяют уровень озера.

Прибрежный климат

Климат на берегах океанов и других крупных водных объектов находится под сильным воздействием воздушных масс, сформировавшихся над их поверхностью. Он сильно отличается от климата местностей, расположенных даже не очень далеко от берега. Это происходит потому, что температура воды в течение года изменяется довольно медленно. Климат побережий характеризуется небольшими колебаниями температуры воздуха, прохладным летом и мягкой зимой, время наступления самых высоких и самых низких температур запаздывает по сравнению с континентальными областями. Однако, несмотря на это, на побережьях могут складываться и достаточно суровые погодные условия. Растения и животные должны противостоять сильным ветрам, иногда с песком, волнам и соленым брызгам. Песчаные берега и дюны порой превращаются в пустыню из-за быстрого просачивания воды. Каменистые берега испытывают на себе мощное воздействие прибоя.

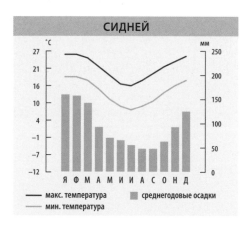

НЕБОЛЬШИЕ КОЛЕБАНИЯ

В Сиднее мягкий климат (зимой 17 °C, а летом 27 °C). На летние температуры влияет ярко выраженный морской бриз, осадки распределены достаточно равномерно в течение года. Сухой сезон приходится на весенне-зимние месяцы август и сентябрь.

Истерзанные климатом. Растениям на побережье полуострова Юкатан (Мексика) приходится несладко. Они должны быть засухоустойчивыми и низкорослыми, чтобы существовать на лишенной влаги песчаной или каменистой почве и сопротивляться ветрам.

▲ **Детские ясли на пляже.** Как и другие ее собратья по виду, кожистая черепаха выходит на берег, чтобы отложить яйца в песчаную яму на пляже. На какое-то время теплый песок становится инкубатором. Вылупившиеся младенцы на пути к океану должны преодолеть песчаный пляж и при этом не попасться на съедение хищникам.

◄ **Лес на воде.** Мангровые острова в национальном парке Эверглейдс во Флориде образованы густыми зарослями растений, обитающих в пределах заболоченной приливной полосы.

▼ **Солестойкие растения.** Мангровые деревья растут на побережьях вдоль заболоченных эстуариев и соленых болот. Чтобы избежать обезвоживания, они выделяют соль через листья.

Рыболов. Атлантический тупик — морская птица, которая гнездится в скалах по берегам Северной Атлантики. В своем зазубренном клюве она способна удержать сразу несколько небольших рыбешек. Самые распространенные места обитания морских птиц — скалы, утесы, песчаные берега, тинистые эстуарии и мангровые болота. Каждому типу среды соответствует определенный вид птиц. Крачки и песчанки заселили берега, бакланы и тупики гнездятся в утесах, ржанки — в эстуариях. Мангровые заросли наиболее привлекательны для длинноногих болотных птиц — ибисов, колпиц и цапель. Некоторые птицы устраивают гнезда в норках, другие живут большими колониями на берегу, третьи гнездятся на краях утесов (яйца у таких птиц с одной стороны уже, чем с другой, чтобы не скатывались с края). Климат определяет среду обитания и кормовую базу пернатых, живущих на побережье.

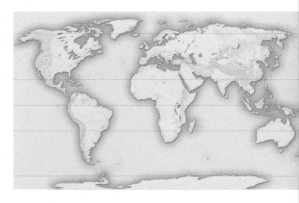

■ **ЗОНЫ ПРИБРЕЖНОГО КЛИМАТА**
На побережьях всех материков, независимо от широты, господствует прибрежный климат. Более ярко он выражен в умеренных широтах.

Климат и формы ландшафта

Под влиянием различных природных факторов (ветер, вода, живые организмы) происходит разрушение и изменение земной поверхности. Этот процесс называется эрозией. При физическом выветривании в процесс вовлечены мороз, вода, температура воздуха и атмосферное давление. Эти атмосферные факторы механически разрушают горные породы без изменения их химического состава. При химическом выветривании растворенные в воде вещества изменяют состав горных пород, таким образом разрушая их. При биологическом выветривании растения и животные разрушают горные породы в процессе своей жизнедеятельности (например, рост корней дерева или рытье нор животными).

Образовавшиеся продукты разрушения горных пород перемещаются ветром, водой (поверхностным стоком) или льдом (снегом, ледниками). В результате процессов эрозии складывается ландшафт.

▶ **Галерея естественной скульптуры.** Каменные колонны в штате Юта (США) известны под названием «колдовские столбы». Они образовались в результате попадания воды в трещинки горной породы, где она, замерзая, расширялась, разрушая породу. Этот процесс шел до тех пор, пока не образовались колонны. Разнообразие их форм связано с тем, что плотность слоев, образующих горные породы, различна, и выветриваются они с разной скоростью.

▼ **Отполированная поверхность.** В засушливых горах юго-запада Америки растет сосна остистая, одно из самых древних растений на Земле. Под воздействием ветра со снегом и песком кора деревьев исчезла, обнажив извилистые и скрученные стволы.

▼ **Форма вещей.** Колебание дневных температур ведет к выветриванию горных пород, при котором внешние слои, нагреваясь, расширяются больше, чем внутренние, становятся более рыхлыми, крошатся, в результате чего образуются округлые валуны. Резкие колебания температур приводят к дроблению горных пород на фрагменты разной величины. Примерно к такому же результату приводит и морозное растрескивание, только разрушающим фактором здесь выступает лед.

РАССЛОЕНИЕ

РАСТРЕСКИВАНИЕ

▶ **Сила воды.** Обломочный материал, образующийся в результате выветривания, сносится склоновым стоком в реки. Эти обломки, влекомые водным потоком, полируют выступающие камни. При впадении реки в озеро или море продукты выветривания превратятся в осадки.

▼ **Камни, обработанные морозом.** Вершина горы Глайдер-Феч (Северный Уэльс) подвержена постоянно чередующемуся циклу мороз—оттепель. Вода во время оттепели просачивается в трещины риолита и при замерзании расширяется и потихоньку откалывает неровные кусочки породы.

▶ **Каменные монументы.** Эти каменные столбы в Западной Австралии образовались в результате выпадения слабокислых зимних дождей, которые растворяли относительно мягкий известняк, а ветер полировал более твердые породы песком. В результате посреди песчаной пустыни возник ряд сказочных изваяний.

МОРОЗНОЕ ВЫВЕТРИВАНИЕ

Как приспосабливаются растения

Растения обитают в любых климатических условиях, даже самых неблагоприятных. Но их формы и разновидности тесно связаны с особенностями климата. Количество доступной воды, температура, солнечная радиация и концентрация углекислого газа имеют огромные различия от места к месту, но растения сумели приспособиться к любым условиям.

Большинство растений получают влагу из почвы при помощи корневой системы, а листья выполняют функции фотосинтеза (образование органических веществ при участии энергии солнца), транспирации (испарение воды) и газообмена. Лист испаряет воду через устьица, их движения (открывание и закрывание) регулируют интенсивность транспирации. В сухих условиях они закрываются, чтобы уменьшить влагопотерю. Засухоустойчивые растения имеют развитую корневую систему, чтобы доставать воду из глубоких слоев почвы, или сильно разветвленные корни, расположенные в верхних слоях почвенного покрова, чтобы собирать влагу с максимально возможной площади. Как правило, это растения суккуленты с сочными листьями и стеблями, в которых накапливается влага.

В районах с жарким климатом, где хорошо выражены сухой и влажный сезоны, или в районах с холодным климатом, где зимой снег и лед «запирают» влагу, многие растения сбрасывают листву. Морозную погоду и ограниченное количество солнечной радиации в зимние месяцы многие растения переносят, находясь в состоянии покоя. Растения тундры, например арктический гравилат, стелются по земле, чтобы получать больше тепла. У них толстые опушенные листья для сохранения влаги и тепла. Даже в суровых климатических условиях Антарктики лишайники, водоросли и мхи имеют свою нишу. Они приспособились к минимальному количеству питательных веществ, существуют практически без почвы и воды. Находясь в состоянии покоя большую часть года, они так медленно растут, что их возраст измеряется веками.

▼ **Завоеватель камней.** Эти скалы служат домом для лишайников — маленьких, медленно растущих организмов, представляющих собой ассоциации грибов с водорослями. Они могут жить в самых суровых климатических условиях, получая все необходимые питательные вещества из воздуха и голого камня.

▶ **Ствол, полный воды.** Баобабы распространены в полупустынях Африки. Они накапливают влагу в стволах, похожих на огромные бутылки. Это листопадные деревья, которые сбрасывают листву во время длинного сухого сезона и вновь распускаются и цветут, когда наступает сезон дождей.

Безжалостный ветер. В районах, где дуют мощные ветры, их господствующее направление определяет форму растений. Ветви этих деревьев подчинились силе ветра.

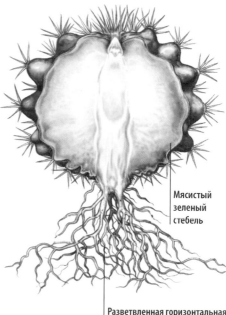

Мясистый
зеленый
стебель

Разветвленная горизонтальная
корневая система

Колючие растения. Кактусы — растения пустынь Америки. Это типичные суккуленты, у них мясистый зеленый стебель, покрытый колючками. Они благополучно существуют в очень сухом климате, накапливая влагу в стебле, покрытом восковым налетом. Не уходящая глубоко, но сильно разветвленная корневая система собирает влагу, попадающую в почву с росой и редкими дождями, на максимально возможной площади, пока та не просочилась в песок. Складчатая поверхность кактусов позволяет им увеличиваться в размерах, когда они насыщаются водой, и сжиматься при ее потерях, а колючие шипы отпугивают животных. Другие представители суккулентов — опунции и агавы.

Резервуар. Бромелиевые растут в тропических дождевых лесах Центральной и Южной Америки. Они располагаются на деревьях и собирают воду в образованные листьями резервуары. Для привлечения насекомых-опылителей во время цветения листья становятся ярко-красными.

Береговое укрепление. Мангровые деревья образуют заросли в тропических соленых болотах и приливной полосе эстуариев. Ходульные корни удерживают их стволы над уровнем воды. Переплетение корней снижает береговую эрозию, удерживая осадочные породы.

Способы адаптации животных

За миллионы лет эволюции животные приспособились к жизни в различных климатических условиях. Способы адаптации животных подразделяются на физиологические (подкожная жировая прослойка, отложение запасов питательных веществ, связывание метаболической воды для перенесения неблагоприятных условий) и этологические, проявляющиеся в различных защитных реакциях (прятание в норах, миграции). Некоторые животные впадают в спячку, другие мигрируют, когда становится слишком жарко или слишком холодно.

Птицы и млекопитающие — теплокровные животные. Постоянную температуру тела они поддерживают, расщепляя жиры или углеводы. Чтобы оставаться активными холодной зимой, они должны постоянно питаться. Перья, мех и жир помогают сохранять тепло в холодном климате, а потоотделение и частое дыхание — справляться с жарой. Все другие животные, включая рыб и рептилий, холоднокровные, температура их тела зависит от окружающей среды. Для поддержания постоянной температуры они должны находиться под солнечными лучами или прятаться от них.

Теплые влажные тропики изобилуют различными видами животных, но и полярные районы, пустыни и горные вершины также обитаемы, несмотря на суровые условия жизни. Малочисленность видов, населяющих высокие широты, компенсируется за счет значительной плотности популяций.

▲ **Дом в снегу.** Кровеносная система полярного медведя приспособлена для сокращения потерь тепла. Плотный мех, который есть даже на ступнях, обеспечивает изоляцию от холода. Слой подкожного жира защищает животное от потери тепла при погружении в ледяную воду.

Заяц-беляк   Американский заяц-беляк   Калифорнийский заяц   Антилоповый заяц

◄ **Длинные и короткие.** Размеры и форма тела теплокровных животных зависят от условий их обитания. У зайца-беляка лапы и уши короче, чем у зайцев и кроликов, живущих в теплом климате. С меньшей поверхностью тела легче переносить морозы. Пальцы на лапах широко расставлены, что позволяет легко передвигаться по мягкому снегу, цвет шкуры зимой становится белым, а летом коричневым, что круглый год обеспечивает маскировку. У калифорнийского и антилопового зайцев, живущих в субтропиках, длинные ноги и уши повышают теплоотдачу организма в жаркие дни.

◄ **Маскировка.** Песцы хорошо приспособились к полярному климату и остаются активными в зимний период. Их пушистый мех, на 70 % состоящий из теплого подшерстка, уменьшает потери тепла и круглый год обеспечивает маскировку. У большинства песцов зимой мех пушистее и белее, а летом он становится менее густым и коричневеет. У некоторых песцов, живущих вблизи океанов, мех зимой голубовато-серого цвета, а летом — шоколадно-коричневый.

▶ **Зарыться.** Муравьед — ночной охотник. Днем он спит в своей норе, пережидая жару, а ночью поедает муравьев и термитов. Большие уши помогают ему регулировать температуру тела.

ПОБЕЖДАЯ ЖАРУ

Несмотря на свое название, пустыня доста-точно плотно населена. Главные неблагоприятные факторы здесь — чрезмерная жара и нехватка воды, поэтому животные должны были выработать приспособления, чтобы под-держивать температуру тела на приемлемом уровне и ограничивать потери воды организмом. Такие приспособления включают в себя содержание минимального количества жид-кости в продуктах жизнедеятельности, нали-чие защечных мешочков для запасов пищи, рытье нор, впадение в спячку в наиболее жар-кий период, ночную охоту и др. Эта пустын-ная гадюка (фото наверху) поджидает добычу, замаскировавшись в обжигающем песке пустыни Намиб.

◄ **Главное — никуда не торопиться.**
Ленивцы живут в тропических дождевых лесах. Большую часть времени они спят или едят. Чтобы ограничить выработку тепла, они мало двигаются и имеют очень медленный обмен веществ. Во влажном климате на их шерсти поселяются водоросли, обеспечивая защит-ную окраску от хищников — орлов и ягуаров. Ленивцы редко спускаются на землю и неуклю-же передвигаются на четырех лапах.

Человек и погода

Человек — теплокровное существо. Ему необходимо поддерживать постоянную температуру тела около 37 °C. Значительное ее повышение может привести к обезвоживанию организма и смертельно опасной гипертермии. Чрезмерное понижение может закончиться обморожением и гипотермией, также представляющей смертельную опасность.

В теплом климате терморегуляция заключается в повышении притока крови к конечностям. При жаре или во время физических нагрузок начинается потоотделение, и кожа за счет испарения пота охлаждается. Чтобы привыкнуть к умеренному климату, человеку требуется всего неделя. За это время секреторные и циркуляционные механизмы начинают работать эффективно.

В холодном климате организм человека сохраняет тепло, сужая подкожные кровеносные сосуды. Это приводит к дрожи, которая способствует выработке дополнительного количества тепла путем повышения обмена веществ. Но в целом мы плохо переносим холод. Нам необходим защитный микроклимат из слоев одежды, теплых укрытий и дополнительного обогрева. Во все времена люди прилагали усилия, чтобы создать себе комфортные условия жизни.

▼ **Потоотделение.** Физические упражнения активизируют обмен веществ и приводят к повышенному потоотделению. Пот испаряется, и температура кожи понижается. В экстремальных условиях организм человека может терять до 4 л жидкости в час.

▶ **Одет по погоде.** Традиционный способ охоты на морских животных и крупную рыбу у народов Севера при помощи гарпуна (метательного орудия в виде копья на длинном тросе). Одежда охотника, защищающая от сильных морозов, изготовлена из шкур карибу.

ОХЛАЖДАЮЩИЕ ЖЕЛЕЗЫ
Потовые железы расположены в подкожной жировой клетчатке. Через потовые протоки пот выделяется на поверхность кожи. Охлаждение организма происходит за счет его последующего испарения.

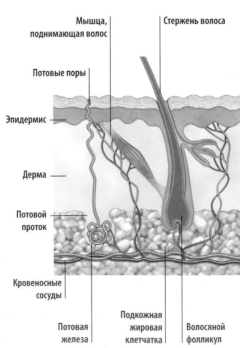

Мышца, поднимающая волос

Стержень волоса

Потовые поры

Эпидермис

Дерма

Потовой проток

Кровеносные сосуды

Потовая железа

Подкожная жировая клетчатка

Волосяной фолликул

▲ **Практичная крыша.** В странах, где снеж-
▲ ная зима, дома традиционно строят
с покатой крышей, чтобы снег не накапливал-
ся, а скатывался вниз.

▲ **Естественная изоляция.** Жители Туниса,
чтобы защититься от дневной жары, соору-
жают жилища в земле. Она медленно нагревается и медленно остывает, выступая в роли
изолятора и защищая людей от дневной жары
и ночного холода.

◄ **Экстремальная высота.** Условия жизни в
горах многим людям могут показаться экстре-
мальными. На высоте 3440 м в воздухе содержится всего $^2/_3$ кислорода от его количества
на уровне моря. Здесь нужно чаще дышать.
У некоторых людей, живущих высоко в горах,
повышен уровень гемоглобина в крови. Это
помогает восполнять недостающий кислород. Люди привыкают к разреженному воздуху, но выше 5000 м постоянно жить не могут.
Кроме того, в горах надо приспособиться
к более низким температурам и сухому воздуху. Горный воздух в силу своей разреженности
удивительно чистый, в нем не содержится
тяжелых газов, которые из-за высокой плотности оседают внизу.

Погода на службе у человека

В течение столетий люди использовали солнце, ветер и воду для производства энергии, чтобы согреваться, перемещаться, производить сельскохозяйственную и промышленную продукцию. XIX—XX вв. ознаменовались мощным увеличением применения ископаемых видов топлива — нефти, угля и природного газа. Но их запасы стремительно уменьшаются, а загрязнение природной среды возрастает. В последние годы возродился интерес к возобновляемым источникам энергии, что привело к развитию технологий с применением солнечной, ветровой и гидроэнергии.

Возобновляемые источники энергии зависят от климатических особенностей региона. Гелиоэнергетика, использующая энергию солнечных лучей, требует относительно безоблачного неба и наличия яркого солнца. Ветроэнергетика эффективна в районах с устойчивыми ветрами достаточной силы, чтобы приводить в движение генераторы. Гидроэнергетические установки могут работать только при наличии достаточных объемов воды в водохранилищах.

Хотя возобновляемые источники энергии экологически более чистые, чем тепловые электростанции, они все же оказывают определенное негативное влияние на окружающую среду. Но, несмотря на эти недостатки, использование энергии солнца, ветра и воды вполне реально, особенно учитывая возможные последствия потепления климата.

▼ **Первые ветряные мельницы.** Эти ветряные мельницы были построены в Испании в XVI в. Основной механизм каждой из них состоит из вала с крыльями-лопастями, которые приводят в движение главный вал. Механизм привода жерновов может быть употреблен для подключения генератора, а при накопительной системе еще и для зарядки аккумуляторов.

▲ **Энергия воды.** В Непале женщины до сих пор размалывают зерно при помощи водяных мельниц. Энергия потока вращает лопасти водяного колеса и приводит в движение жернов. Египтяне первыми начали использовать такую энергию в устройствах для перемалывания зерна. В настоящее время на Асуанской ГЭС, воздвигнутой здесь в 60-х гг. XX в. при помощи СССР, производится большая часть всей электроэнергии страны. Один из самых распространенных источников возобновляемой энергии — вода: гидроэнергия вращает турбины, которые вырабатывают электричество. Продолжительная засуха может наложить свои ограничения на объем выработки электроэнергии.

▲ **Использование солнечной энергии.** Устройства, потребляющие энергию солнца, разработаны для отопления, освещения и вентиляции зданий, небоскребов, опреснения воды, производства электроэнергии. Такие устройства находят применение в различных технологических процессах. Появились транспортные средства с «солнечным приводом»: моторные лодки и яхты, солнцелеты и дирижабли с солнечными панелями. Солнцемобили, совсем недавно сравнивавшиеся с забавным автоаттракционом, сегодня пересекают страны и континенты, почти не уступая в скорости обычному автомобилю. На фотографии — одна из самых крупных солнечных электростанций в Калифорнии, на которой вырабатывается энергия достаточная, чтобы обеспечить электричеством город с населением 350 тыс. человек.

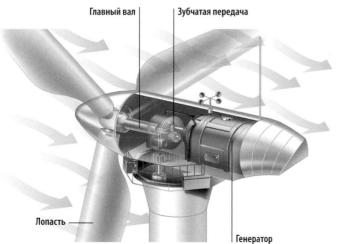

Главный вал   **Зубчатая передача**

Лопасть

Генератор

ЗАСТАВИТЬ ВЕТЕР РАБОТАТЬ

Турбины этих установок в Калифорнии приводятся в движение при помощи энергии ветра. Основным препятствием для коммерческого развития ветроэнергетики является непостоянство ветров. Поэтому крупные ветроэлектростанции должны сочетать в себе генераторы и аккумуляторы — для накопления энергии. В настоящее время в Калифорнии на таких установках производится около 1 % всей электроэнергии.

    Первая в мире ветроэлектростанция мощностью 100 кВт была построена в 1932 г. в Крыму. Одна из самых больших ветроэлектростанций России (2,2 МВт) расположена у деревни Тюпкильды в Башкортостане.

◄   **Современная модель.** По своей сути ветер — одна из форм солнечной энергии. Он возникает в результате неравномерного нагревания поверхности Земли солнечными лучами. Современная ветроустановка представляет собой электрогенератор, закрепленный на мачте. Ветер приводит в движение лопасти, которые вращают вал, соединенный с генератором. Электроэнергия поступает в энергетическую систему и распределяется потребителям.

Изменяя погоду

На протяжении веков человечество пыталось управлять погодой. Сначала при помощи молитв и ритуалов. Более практичные земледельцы придумывали различные приспособления, чтобы орошать посевы в сухую погоду, оберегать их от заморозков; чтобы защитить растения от ветра, высаживали лесозащитные полосы. Такая практика продолжается и сейчас, только теперь на вооружении у нас есть сложные технологии и современное оборудование.

В XX в. началось активное вмешательство человека в атмосферные и климатические процессы. Облака стали опылять частицами йодистого серебра, чтобы вызвать осадки, рассеять туман, уменьшить размеры градин, ослабить силу ураганов. Эти опыты были относительно успешными, но их результаты признаны весьма спорными.

▶ **Укрытие против заморозков.** Низкие температуры воздуха ночью могут повредить нежные растения. Посадки картофеля защищены от мороза синтетическим укрытием.

▼ **Орошение пустыни.** Кружочками на спутниковой фотографии обозначены посевы, орошаемые при помощи больших консольных дождевальных установок. Вода для орошения поступает из глубоких подземных источников.

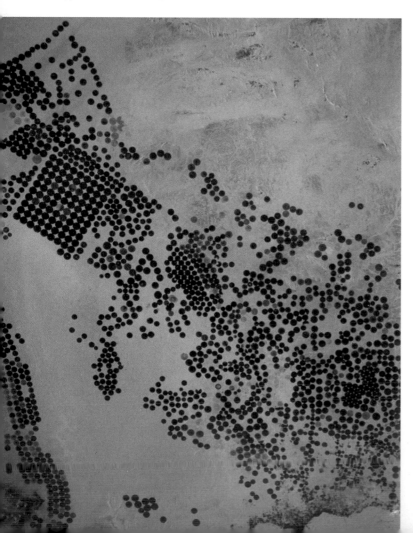

▲ **Холодный парник.** В пустыне парники защищают растения от губительного воздействия прямых солнечных лучей. Современные технологии позволяют подавать сюда охлажденный воздух, чтобы уменьшить испарение. Вода — главный источник жизни в пустыне. Человечество научилось управлять скудными водными ресурсами пустыни. Простые и доступные способы сохранения и использования воды, совершенствовавшиеся веками, до сих пор применяются во многих местах.

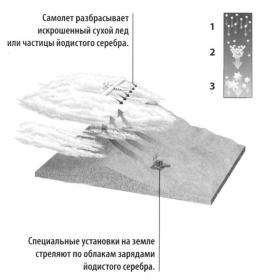

Самолет разбрасывает искрошенный сухой лед или частицы йодистого серебра.

Специальные установки на земле стреляют по облакам зарядами йодистого серебра.

ИСКУССТВЕННОЕ ВОЗДЕЙСТВИЕ НА ПОГОДУ

Реальный прорыв в отношениях человека и земной атмосферы произошел в 1940-х гг., когда стало возможно искусственно вызывать дождь или снег методом опыления облаков. Этот метод применяется, когда капельки дождя или кристаллики льда в облаке недостаточно велики, чтобы превратиться в осадки. При помощи специальных установок на земле или с самолетов облака обрабатываются искрошенным сухим льдом или частицами йодистого серебра.

1. Капельки воды. Облако состоит из мельчайших капелек воды, которые не могут слиться в большие и пролиться на землю дождем.

2. Реагент. Облако опыляется искрошенным сухим льдом или частицами йодистого серебра. Это дополнительные ядра конденсации, вокруг которых образуются более крупные кристаллы льда.

3. Кристаллы льда. Крупные кристаллы льда, получившиеся в результате опыления облака, превращаются в снежные хлопья, которые по пути на землю тают и становятся дождем.

◄ **Символы дождя.** Черные вертикальные полосы на лице индейского мальчика символизируют идущий дождь. Иногда белыми кружочками изображается град.

Климат планет земной группы

Климат других планет зависит от того, насколько далеко они расположены от Солнца. Те, что расположены ближе, получают больше тепла, чем удаленные. На погоду и климат также влияет угол наклона оси планеты к плоскости ее орбиты и скорость вращения. На планете с перпендикулярной осью вращения времен года будет меньше, чем на планете с сильно наклоненной осью. Чем быстрее вращение, тем больше дневные колебания температуры. Климатические особенности определяются составом атмосферы (показан на графиках), который зависит от массы планеты и ее расстояния от Солнца. Планеты, расположенные близко к нему, — небольшие и каменистые, с относительно тонкой атмосферой.

ВРЕМЕНА ГОДА НА МАРСЕ

Ось вращения Марса наклонена так же, как и земная. Здесь четыре времени года, но длятся они вдвое больше, чем земные, потому что орбита Марса больше. В Северном полушарии весной и летом обычно ясно и пыли в воздухе немного. Облака образуются в высоких широтах. Осенью и зимой полярные «шапки» закрыты облаками.

▶ **Облака на Марсе.** На поверхности Марса видны кратеры и цирки. Белые пятна — облака, состоящие из воды и льда и, возможно, схожие с земными перистыми облаками.

ВЕНЕРА

Известна с античных времен

Расстояние от Солнца в афелии (наибольшее расстояние от Солнца)
108,9 млн км

Расстояние от Солнца в перигелии (ближе всего подходит к Солнцу)
107,5 млн км

Средняя температура поверхности 480 °C

Солнечная радиация 190 % от земной

Прочие газы 0,8 %
Азот 3,2 %
Углекислый газ 96 %

▼ **Парниковый эффект на Венере.** Солнечные лучи проникают сквозь облака и нагревают поверхность, но облака и углекислый газ атмосферы препятствуют возвращению тепла в космос. Поэтому на полюсах Венеры так же жарко, как и на экваторе, а на освещенной стороне такая же температура, как и на неосвещенной. Проходя через облака, солнечный свет становится оранжевым. Днем на Венере светло, как в пасмурный день на Земле.

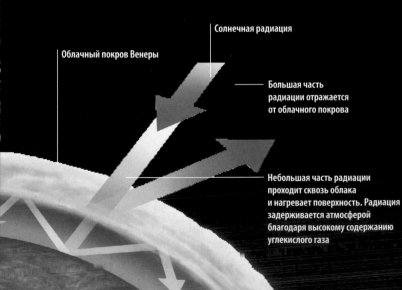

Солнечная радиация

Облачный покров Венеры

Большая часть радиации отражается от облачного покрова

Небольшая часть радиации проходит сквозь облака и нагревает поверхность. Радиация задерживается атмосферой благодаря высокому содержанию углекислого газа

▲ **Восход Солнца на Марсе.** Марсоход сделал этот снимок в июле 1997 г. На этой планете, четвертой от Солнца, возможно, когда-то были океаны или моря. На спутниковых фотографиях видна обширная система каньонов, которая могла образоваться в результате движения водных потоков (или, возможно, жидкого углекислого газа). Как и на Земле, здесь бывают пыльные бури, которые участвуют в формировании ландшафта планеты. Иногда они приобретают планетарный характер и могут закрыть весь диск желтыми облаками.

МАРС

Известен с античных времен

Расстояние от Солнца в афелии (наибольшее расстояние от Солнца)
249,1 млн км

Расстояние от Солнца в перигелии (ближе всего подходит к Солнцу)
206,7 млн км

Средняя температура поверхности –23 °C

Солнечная радиация 36—52 % от земной

Прочие газы 0,7 %
Аргон 1,6 %
Азот 2,7 %
Углекислый газ 95 %

ТЕМПЕРАТУРА ПОВЕРХНОСТИ МЕРКУРИЯ

Кратеры Меркурия (внизу) образовались в результате падения метеоритов и комет. Это ближайшая к Солнцу планета, и температура ее поверхности наиболее высокая среди всех небесных тел Солнечной системы. Солнце, находясь в зените, нагревает поверхность Меркурия до 430 °C, а сторона, противоположная Солнцу, на 600 °C холоднее.

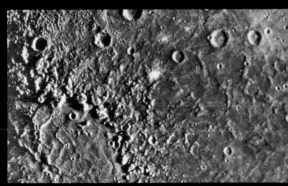

МЕРКУРИЙ

Известен с античных времен

**Расстояние от Солнца в афелии
(наибольшее расстояние от Солнца)**
69,8 млн км

Атмосферы нет ———

**Расстояние от Солнца в перигелии
(ближе всего подходит к Солнцу)**
46 млн км

Средняя температура поверхности 430 °C

Солнечная радиация
450—1040 % от земной

Климат планет внешней группы

Большие холодные планеты, расположенные за Марсом, — Юпитер, Сатурн, Уран и Нептун. В отличие от Земли они состоят из газов и жидкостей, а не из твердых пород и металлов. Это на самом деле гиганты: диаметр Юпитера в 11 раз больше земного, а по объему из Юпитера можно было бы сделать 1345 таких шаров, как Земля. Все газовые гиганты имеют кольца, наиболее известны они у Сатурна. Плутон резко отличается от прочих планет и из-за своих особенностей не входит ни в одну группу. Он значительно меньше газовых гигантов и по виду напоминает ледяные спутники внешних планет. Предполагают, что Плутон — малая планета из астероидного кольца, расположенного на внешней стороне Солнечной системы.

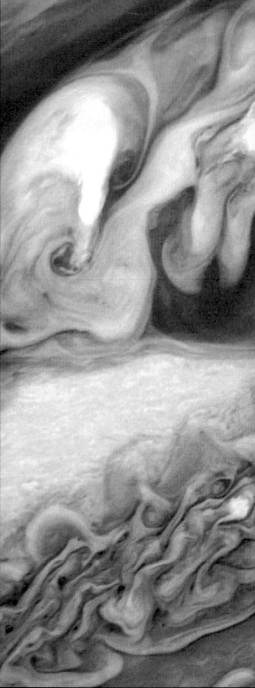

▲ **Вид Юпитера.** Фотография этой планеты сделана при помощи космического телескопа «Хаббл» в 1992 г. Струи ветра, циркулирующие в противоположных направлениях, образовали здесь темные и светлые потоки. Ветер достигает скорости 640 км/ч. Ветры, возможно, обусловлены конвекционными потоками, происходящими из-за переноса тепла внутри этой массивной планеты.

▼ **Планета в кольце.** Кольца Сатурна состоят из огромного количества вращающихся твердых обломков, покрытых инеем и льдом. Они образовались в результате метеоритных дождей. Голубым цветом показаны облака.

ЮПИТЕР

Известен с античных времен

Расстояние от Солнца в афелии (наибольшее расстояние от Солнца)
815,7 млн км

Расстояние от Солнца в перигелии (ближе всего подходит к Солнцу)
740,9 млн км

Средняя температура поверхности –150 °C

Солнечная радиация 3—4 % от земной

Гелий 10 %

Водород 90 %

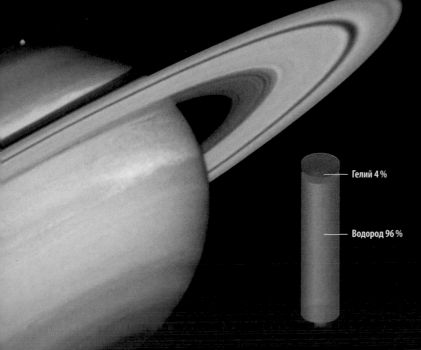

Гелий 4 %

Водород 96 %

САТУРН

Известен с античных времен

Расстояние от Солнца в афелии (наибольшее расстояние от Солнца)
1503 млн км

Расстояние от Солнца в перигелии (ближе всего подходит к Солнцу)
1348 млн км

Средняя температура поверхности –80 °C

Солнечная радиация 1 % от земной

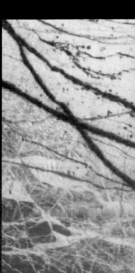

◀ **Динамичный Нептун.** Нептун — самая маленькая и далекая газовая планета. Ее масса равна 17 массам Земли. Динамичный и турбулентный мир планеты представлен чередой атмосферных вихрей и яркими ледяными облаками, образование которых обусловлено внутренней энергией. Наиболее известное вихревое атмосферное образование — Большое темное пятно, которое исчезло, но вместо него в северном полушарии планеты появилось другое подобное ему.

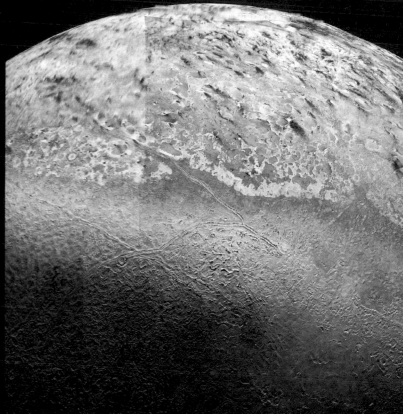

▲ **Гигантские вихри Юпитера.** Наиболее известная особенность Юпитера — это его вихреобразный овальный сгусток облаков. Он назван Большим красным пятном (справа вверху). Это образование похоже на гигантский ураган, который вызывает штормовые ветры, несущиеся с огромной скоростью над быстро поворачивающейся планетой.

◥ **Спутник Нептуна.** Тритон — самый большой из 13 известных спутников этой планеты. Температура его поверхности очень низка, и большая часть атмосферного азота представлена в виде льда.

◀ **Спутник Юпитера.** Европа — один из многочисленных спутников Юпитера. Ее поверхность, панцирь водяного льда, — этакий каток размером с планету.

НЕПТУН

Открыт в сентябре 1846 г. Иоганном Галле

Расстояние от Солнца в афелии (наибольшее расстояние от Солнца) 4546 млн км

Расстояние от Солнца в перигелии (ближе всего подходит к Солнцу) 4456 млн км

Средняя температура поверхности –220 °C

Солнечная радиация 0,1 % от земной

Метан 3 %
Гелий 18 %
Водород 79 %

Парижане изнемогают от зноя, август 2003 г.

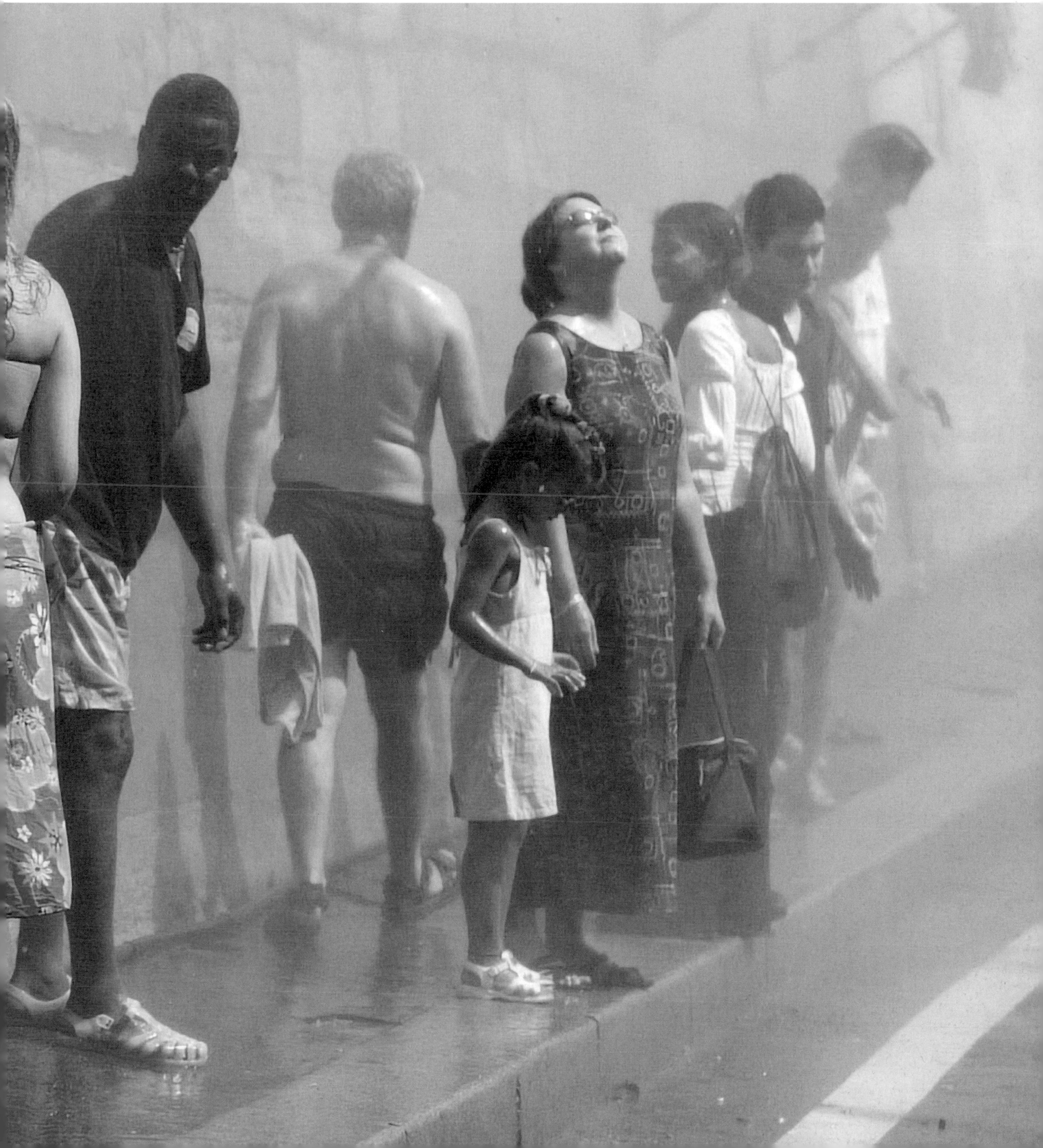

Изменение климата

На протяжении всей истории Земли ее климат постоянно менялся. Многие из таких колебаний были краткосрочными, но явления, происходившие в атмосфере, океанах и на материках, вносили свой вклад в долгосрочные изменения глобального климата. Кроме того, в настоящее время огромное влияние на него оказывает хозяйственная деятельность человека. Антропогенные изменения экосистем Земли могут привести к непредсказуемым последствиям.

Геологическая история Земли

Земля образовалась около 4,6 млрд лет назад, но нам ничего не известно о том, как менялся ее климат на протяжении почти 90 % этого срока. Задолго до появления водорослей (первых примитивных обитателей планеты), 3,5 млрд лет назад, здесь сформировались атмосфера и океаны — необходимые условия для развития жизни. Огромное количество вулканической пыли, выброшенной в атмосферу, способствовало охлаждению Земли, что явилось другим благоприятным для развития жизни фактором. В течение длительного времени, от 2,7 до 1,8 млрд лет назад, Землю покрывали ледники и ледовые щиты. С тех пор длительные периоды похолодания (ледниковья) и потепления (межледниковья) неоднократно сменяли друг друга.

▶ **Записи на скалах.** Хребет Бангл-Бангл в национальном парке Западной Австралии образовался 350—375 млн лет назад. Древние горные породы, такие как эти, являются памятниками климатических событий прошлых эпох.

▼ **Свидетельствуют кораллы.** На колонии этих животных, обитающих около берегов, влияет объем речного стока, что, в свою очередь, связано с количеством осадков. Ультрафиолетовый спектральный анализ поперечного сечения коралла позволяет восстановить историю тропического климата.

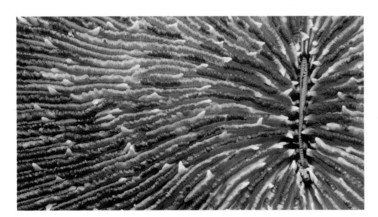

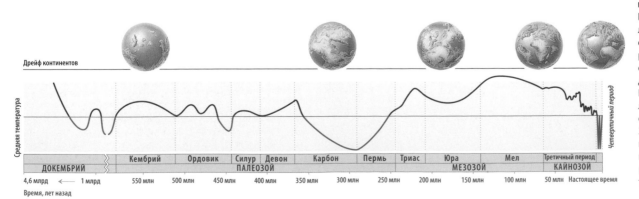

Долгосрочные изменения климата. Горизонтальная линия обозначает среднюю температуру. На глобусах сверху показан дрейф континентов. Продолжительный ледниковый период, имевший место 330—245 млн лет назад, совпадает по времени с формированием суперконтинента Пангея.

ИЗМЕНЕНИЕ КЛИМАТА: ПОСТОЯННЫЙ ПРОЦЕСС

Кайнозойская эра охватывает последние 65 млн лет истории Земли. В этот период климат был холодным, но не неизменно одинаковым. Последний период кайнозойской эры, начавшийся 1,6 млн лет назад и продолжающийся в настоящее время, называется четвертичным. На графике показаны изменения температуры в этот период. В начале его, в эпоху плейстоцена, произошло семь значительных оледенений. Мы живем в эпоху голоцена, которая началась 10 тыс. лет назад. Это относительно теплый период, но скорее всего он является межледниковым и закончится с наступлением нового оледенения.

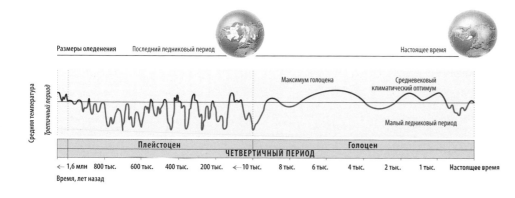

Размеры оледенения   Последний ледниковый период   Настоящее время

Средняя температура
Третичный период

Максимум голоцена
Средневековый климатический оптимум
Малый ледниковый период

Плейстоцен	Голоцен
ЧЕТВЕРТИЧНЫЙ ПЕРИОД	

← 1,6 млн   800 тыс.   600 тыс.   400 тыс.   200 тыс.   ← 10 тыс.   8 тыс.   6 тыс.   4 тыс.   2 тыс.   1 тыс.   Настоящее время

Время, лет назад

Долгосрочные изменения климата

Задолго до того, как человечество познакомилось с парниковым эффектом, в истории Земли неоднократно сменялись эпохи потепления и похолодания. Эти длительные колебания были вызваны комплексом причин, включая циркуляцию атмосферы, океанов, движение континентов и вращение Земли. Солнце — источник энергии, приводящий в действие процессы, формирующие погоду. Поэтому изменение количества поступающей на Землю солнечной радиации отражается на ее климате. Существует множество причин, по которым количество поступающей на планету энергии Солнца может измениться. Это и прямое воздействие метеоритов и комет на нашу атмосферу, и колебания самой солнечной активности. В результате падения крупного метеорита может образоваться огромное облако пыли, которое закроет Землю от Солнца, и наступит продолжительный период похолодания. Столкновение с кометой, или даже просто сближение с ней может изменить количество солнечной радиации, поступающей в атмосферу Земли. Геологические свидетельства прошлых эпох говорят о том, что пять раз флора и фауна почти полностью исчезала с лица Земли. Объяснить это можно только продолжительными изменениями климата. За последнее десятилетие глобальное изменение климата заняло прочное место в ряду главных глобальных экологических проблем, стоящих перед мировым сообществом.

СО ВРЕМЕНЕМ СОЛНЦЕ СТАНОВИТСЯ… ЯРЧЕ

Научные факты свидетельствуют о том, что с момента образования Земли около 4,6 млрд лет назад яркость Солнца увеличилась на 20—30 %. Это произошло в результате превращения водорода солнечного ядра в гелий. Меньшие изменения яркости, приблизительно на 2 %, связаны с периодической активизацией солнечных пятен — известным 11-летним циклом. Существуют и иные закономерности. Так, цикл между очень высокой и очень низкой активностью составляет 80 лет. Флуктуации магнитного поля, возникающие в результате изменения активности солнечных пятен, имеют 22-летнюю цикличность.

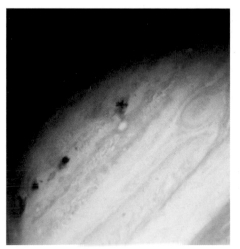

◀◀ **Беззащитная Луна.** В отличие от Земли у Луны нет атмосферы, защищающей ее от влияния метеоритов. Когда на ее поверхность попадает каменная или ледяная глыба, поднимается облако пара, а на ее поверхности образуется отметина. Такие отметины в форме кратера бывают размером с тарелку, но могут достигать огромных размеров. Поверхность Луны испещрена кратерами, так как в межпланетном пространстве в изобилии присутствуют метеорные тела.

◀ **Бомбардировка Юпитера.** В июле 1994 г. космический телескоп «Хаббл» зафиксировал падение крупных фрагментов кометы на поверхность Юпитера. Образовалось множество кратеров, а сила взрыва была такой, как если бы взорвалось все ядерное оружие, имеющееся на Земле.

▲ **След доисторического удара.** Большой метеорит, от которого остался этот запорошенный снегом кратер в Аризоне, врезался в Землю около 50 тыс. лет назад. Поверхность нашей планеты испещрена подобными свидетельствами столкновения с ней небесных тел. По ним можно судить о частоте, с которой падают метеориты, и о силе их ударов. Темной ясной ночью можно увидеть до пяти метеоров в течение часа, а во время звездного дождя — 20—50 метеоров. Падение крупного метеорита на Землю способно вызвать похолодание.

◥ **Дождь с безоблачного неба.** До сих пор атаки метеоритов не оказывали сильного воздействия на нашу планету. Этот живописный звездный дождь на фоне ночного неба зафиксирован в Калифорнии.

◀ **Серебряная вспышка.** Кометы часто посещают Солнечную систему. Некоторые появлялись здесь лишь однажды, другие делают это через определенные промежутки времени. Предполагают, что 65 млн лет назад из-за падения на Землю кометы или метеорита вымерло более 80 % видов животных.

Планетарные силы в действии

На долгосрочные изменения климата в первую очередь влияют Солнце и океаны. Количество солнечной радиации, поступающей на поверхность Земли, может изменяться по нескольким причинам. В 1930-х гг. сербский астрофизик Милютин Миланкович (на фото) обнаружил, что элементы земной орбиты подвержены ритмическим колебаниям, которые отражаются на количестве и режиме поступления солнечного тепла, на его распределении по земной поверхности. Анализ глубоководных отложений подтвердил наличие таких циклов. Их периодичность составляет 19 тыс., 23 тыс., 100 тыс. и 433 тыс. лет. Изменения в циркуляции океанов могут привести к климатическим сдвигам продолжительностью от нескольких лет до тысячелетий. Выбросы пыли и газа в атмосферу при вулканических извержениях, по всей вероятности, способствовали наступлению ледниковых периодов. Даже непрекращающийся процесс дрейфа материков изменяет климат Земли.

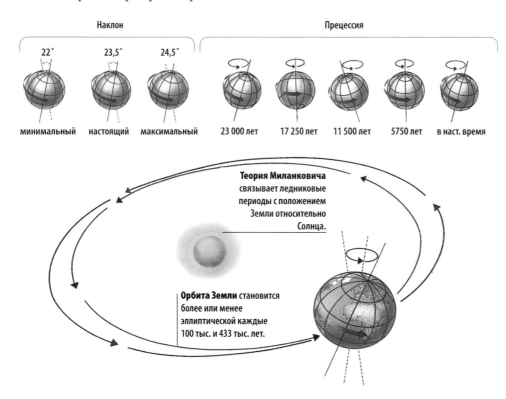

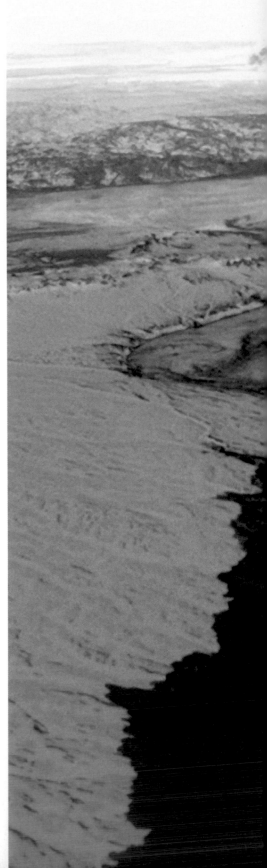

Наклон и прецессия. Угол наклона земной оси к небесному экватору изменяется от 22 до 24,5° каждые 41 тыс. лет (вверху). Кроме того, ось вращения Земли медленно перемещается по круговому конусу. Период полного оборота составляет около 23 тыс. лет (вверху справа). Конфигурация орбиты Земли также изменяется каждые 100 тыс. и 433 тыс. лет, становясь более, а затем менее эллиптической (справа).

ТЕОРИЯ МИЛАНКОВИЧА

Согласно теории Миланковича, ледниковые периоды связаны с тремя вариантами положения Земли относительно Солнца. На рисунке вверху показаны циклические изменения движения Земли. Все они отражаются на изменении количества солнечной радиации, которое может составлять 15 % в высоких широтах и влияет на распространение и таяние полярных льдов. Гипотеза Миланковича была встречена с недоверием, но новые научные факты в настоящее время свидетельствуют в ее пользу.

ВЕЛИКИЙ ОКЕАНИЧЕСКИЙ КОНВЕЙЕР

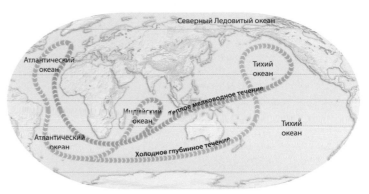

▲ **Туда и обратно.** Великий морской конвейер играет ключевую роль
▲ в долгосрочных изменениях температуры поверхностных вод океана. Холодные глубинные воды Атлантики направляются на юг и восток, в Индийском и Тихом океанах они поднимаются на поверхность и нагреваются. Назад теплое течение возвращается через Тихий океан и Южную Атлантику. Это путешествие туда и обратно занимает от 500 до 2 тыс. лет.

▲ **Разгадки таятся во льду.** Ученые осматривают пробу льда. Химический анализ таких проб дает возможность выявить изменения климата, имевшие место сотни лет назад, определить состав атмосферы того времени. Три более коротких цикла изменения климата, предложенные Миланковичем (19 тыс., 23 тыс. и 41 тыс. лет), находят все новые и новые научные подтверждения.

◄ **Факты из Исландии.** Солнце светит над ледником Гримсвотен (Исландия). Теория Миланковича подтверждается данными о характере солнечного освещения в высоких широтах.

Еще до динозавров

Для того чтобы проникнуть в тайны древнего климата, нужно быть настоящим детективом. Только по ископаемым остаткам животных и растений и метеоритным кратерам можно определить, какие условия существовали на Земле за тысячи лет до появления динозавров. Сравнивая ископаемые остатки древних организмов с теми, что обитают в настоящее время, ученые восстанавливают внешний облик древних вымерших животных и условия их жизни.

Возраст первых осадочных пород составляет 3,7 млрд лет. Предполагается, что тогда климат был на 10 °С теплее нынешнего. Водоросли (первая форма жизни на Земле) появились около 3,5 млрд лет назад. С тех пор вплоть до эпохи динозавров (250—65 млн лет назад) климат становился то теплее, то холоднее, наступали и отступали ледники.

ЗЕМЛЯ ДО ДИНОЗАВРОВ: ЖАРКОЕ, ДУШНОЕ МЕСТО

Найденные остатки ископаемых животных и растений свидетельствуют, что до появления динозавров климат на Земле весьма продолжительное время (миллионы лет) был жарким и влажным со средними температурами на несколько градусов выше, чем сейчас. Повышенная температура влияла на формирование океанов. Осадков, скорее всего, выпадало намного больше, чем в настоящее время. По ископаемым растениям, отпечатки которых сохранились в горных породах, можно установить, что растительность была представлена в основном разнообразными папоротниками, для буйного роста которых необходимы теплые влажные условия.

▲ **Сохранившийся в камне.** Папоротникам для развития необходима очень влажная и теплая среда. Этот отпечаток ископаемого растения каменноугольного периода (345—280 млн лет назад) свидетельствует о том, что в то время климатические условия были именно такими. Папоротники появились в девонский период и господствовали на Земле более 300 млн лет, сохраняя неизменными свои основные черты на протяжении всего этого времени. Ближайшие родственники тех папоротников росли в каменноугольном периоде в таком изобилии, что самые древние пласты углей преимущественно состоят из их остатков.

◀ **Метеоритный кратер.** Этот древний кратер, обнаруженный в пустыне Сахара при помощи спутниковой радиолокации, имеет метеоритное происхождение. При падении больших метеоритов в атмосферу Земли выбрасывалось огромное количество пыли, которая закрывала Солнце. Это неоднократно приводило к довольно продолжительным похолоданиям климата. Данный кратер настолько велик, что виден только из космоса. Каждый год на Землю падают тысячи метеоритов, но значительно меньшего размера.

▲ **Великие долгожители.** Строматолиты — плотные слоистые образования в толщах известняков и доломитов, возникающие в результате жизнедеятельности колоний синезеленых и других водорослей. Они известны практически на всем протяжении истории Земли: от архея до современности. Возраст строматолитов составляет приблизительно 3,5 млрд лет. Они образуются и ныне в мелководных, хорошо прогреваемых водоемах повышенной или пониженной солености. Сейчас их можно найти в горячих источниках Йеллоустонского национального парка (США), на западном берегу Австралии, в Гудзоновом заливе (Канада).

◄ **Морской фильтр.** Этой окаменелости криноида (морская лилия), принадлежащего к классу иглокожих, приблизительно 300 млн лет. Морские лилии обитали в относительно теплых водах. Это донные животные с телом в виде чашечки, в центре которой находится рот, а вверх отходит венчик из ветвящихся лучей (рук), который образует сеть для улавливания питательных веществ. Вниз от чашечки у стебельчатых морских лилий отходит прикрепительный стебелек. Каждая геологическая эпоха имела своих характерных представителей флоры и фауны. Окаменелости позволяют сравнивать слои горных пород, находящихся в разных концах Земли, и устанавливать их одинаковый возраст.

Эра динозавров

Около 330 млн лет назад, в начале каменноугольного периода, температура воздуха понизились, и наступило «большое похолодание» — пермско-каменноугольное оледенение, которое закончилось 245 млн лет назад. Затем наступил продолжительный теплый период, создавший условия для развития обильной растительности на мегаконтиненте Пангея. Согласно одной из теорий, такие условия установились в результате изменения угла наклона земной оси в сочетании с обширной морской трансгрессией (наступление океана на сушу).

ТЕПЛЫЙ ОКЕАН

Вода в океанах мезозойской эры, эры динозавров, была теплой, что обеспечивало развитие великого множества морских организмов. А повышенное количество осадков на суше способствовало бурному развитию растений. Это давало обилие растительного корма крупным травоядным динозаврам.

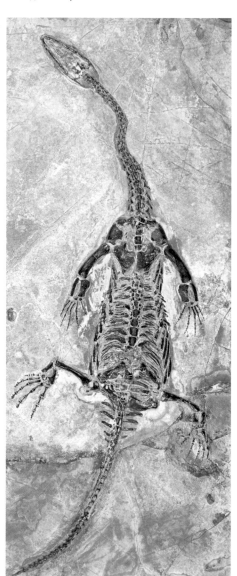

МЕНЯЮЩИЕСЯ МИРЫ

Ландшафты триасового периода совершенно отличались от привычных нам. Растительность красных, сухих почв была представлена лесами, в которых еще не было ни одного цветка. В это время, примерно 228 млн лет назад, появились первые динозавры. Но к концу триаса уже сформировались многие черты современного нам мира. Единый суперконтинент под воздействием тектонических процессов разделился на части, растения и животные изменились, климат приобрел более четкую сезонность.

◄ **Морское ископаемое.** Плезиозавры обитали более 230 млн лет назад. Размеры этих морских ящеров свидетельствуют о том, что океаны на протяжении миллионов лет изобиловали самыми разнообразными животными.

◄ **О чем поведал скелет.** Эти ископаемые остатки птеродактиля, найденные в Германии, аналогичны находкам на других континентах. Таким образом, есть основания предполагать, что на значительных и отдаленных друг от друга территориях в эпоху динозавров существовали одинаково благоприятные климатические условия. Птеродактили — близкие родственники динозавров и первые летающие позвоночные.

► **Когда рептилии летали.** Птеранодон парит над меловыми отложениями Канзаса (США). Когда-то здесь был мелкий океан. В этих отложениях хорошо сохранились окаменелости динозавров, возраст которых составляет 100 млн лет. Они дают нам еще один ключ к разгадке истории Земли.

ЧТО ПОГУБИЛО ДИНОЗАВРОВ?

Ученые пока так и не пришли к единому мнению, почему 65 млн лет назад внезапно вымерли динозавры. Ясно лишь, что произошло резкое изменение климата, о причинах которого можно только догадываться. Быстрое глобальное похолодание могло быть вызвано столкновением Земли с крупным метеоритом или кометой. Другие считают, что причиной похолодания стал дрейф континентов к южным широтам. Земля сильно охлаждалась зимой, образовались шапки полярных ледников, установился более холодный климат. Дрейф материков также изменил общую схему циркуляции поверхностных вод Мирового океана. Возможно, новая конфигурация суши частично заблокировала приток теплых экваториальных вод в средние широты. Это вызвало значительное падение температуры на обширной территории, в результате чего могла исчезнуть тропическая растительность, которой питались динозавры. Быстрое изменение среды обитания стало для них катастрофой.

◄ **Гигантские кости.** В 1909 г. американский ученый Эрл Дуглас нашел в пластах песчаника в Юте скелет динозавра. В результате раскопок, которые продолжались несколько лет, были найдены многочисленные ископаемые остатки этих доисторических животных. В настоящее время место раскопок является частью Национального музея динозавров. Здесь было найдено десять их видов. Они населяли обширные аллювиальные равнины и, возможно, погибли в результате наводнения. Скопления животных были найдены в излучинах рек, где течение замедлялось.

Послания из прошлого

Человечество уже на протяжении почти 300 лет измеряет количество осадков, температуру и влажность воздуха при помощи метеорологических приборов. Для истории Земли это очень короткий отрезок времени. Чтобы узнать, каким был климат до этого, необходимо проделать большую аналитическую работу, опираясь на свидетельства ряда событий, имевших место в прошлом и влиявших на его формирование. Наука в состоянии выявлять косвенные показатели и на их основе реконструировать климат прошлых эпох. Например, в своих реконструкциях палеоклиматологи широко используют литологические данные, являющиеся ценными индикаторами климата: соль — аридный, торф и каменный уголь — влажный, известняк — теплый, ледниковые морены — холодный. Палеоклиматология — один из самых захватывающих разделов климатологии, который помогает объяснить исторические события, например переселения древнего человека.

ВГЛЯДЫВАЯСЬ В МАГИЧЕСКИЙ КРИСТАЛЛ КЛИМАТА

Появляются все новые и новые косвенные свидетельства, на основе которых расширяются наши знания о климате прошлых эпох. Такие свидетельства дает изучение кораллов, проб льда из толщи ледников, сталактитов и сталагмитов, годичных колец древесины, ледников, песчаных дюн, озер, морских раковин и морских отложений. Например, кораллы и деревья имеют годичные кольца, по которым можно проследить изменения условий внешней среды, а в ледниках сосредоточена информация о климате Земли за 420 тыс. лет. Наука находится в постоянном поиске новых источников, хранящих информацию о климате прошлого.

▶ **Самая живучая.** Сосна остистая, одно из самых древних деревьев на Земле, растет в относительно засушливой зоне Белых гор на востоке центральной части штата Калифорния. Возраст отдельных деревьев достигает 4 тыс. лет. По толщине годичных колец на спилах можно судить о количестве осадков здесь в различные эпохи.

◀ **Подземный дождемер.** Сталактиты и сталагмиты — натечные минеральные образования (чаще известковые) — являются важным источником информации об осадках прошлых времен. Во влажные периоды отмечается их быстрый рост, в сухие — медленный. Датировка определенных участков этих образований позволяет определять время наступления таких периодов. Подобные свидетельства очень важны для понимания естественных колебаний климата.

▲ **Годичные кольца рассказали.** Каждое кольцо — это год жизни дерева. Широкие говорят о том, что климатические условия были благоприятными, узкие свидетельствуют о суровых временах. Долго живущие и медленно растущие деревья несут в себе легко читаемую информацию о долгосрочных изменениях климата.

◥ **Изменение скелета коралла.** Скелет кораллов, которые живут веками, состоит из карбоната кальция. Плотность скелета меняется в зависимости от климатических условий, что дает возможность узнать о температуре и осадках прошлых времен.

▶ **Замерзшее прошлое.** Глубокое бурение антарктических льдов позволило получить образцы льда с пузырьками воздуха, замерзшими тысячи лет назад. По данным химического анализа образцов построены графики изменения температуры в прошлом. Льды Гренландии имеют возраст около 15 тыс. лет, льды Антарктиды расширяют наши знания более чем на 420 тыс. лет.

Свидетельства ледников

Ледники — это естественные скопления льда, медленно движущиеся вниз по склону или долине. Их наступление и отступление указывает на изменение климата. В настоящее время ледники тают очень быстро. По этой динамике можно предположить, что они полностью исчезнут к 2100 г. По мере их отступания будет сокращаться летний речной сток, недостаток воды скажется на орошении и гидроэнергетике. Более того, исчезновение вечной мерзлоты увеличит эрозию почв и оползневые процессы. Отступание ледников носит глобальный характер. Оно наблюдается в Андах и в Альпах, уменьшается ледяная шапка горы Килиманджаро в Африке. В 1953 г. первый покоритель Эвереста Эдмунд Хиллари разбил базовый лагерь у подножия Гималаев. А к 2002 г. ледник отступил на 5 км. Таяние ледников может сильно повлиять на климат Европы. Гольфстрим поддерживает здесь мягкие климатические условия по сравнению с другими территориями на этих же широтах. Если ледники и айсберги растают, мощность течения увеличится в Северной Атлантике и произойдет мощный температурный скачок.

▼ **Вид сверху.** Это ледник на острове Элсмир (Канадский Арктический архипелаг). В прошлые ледовые периоды ледники покрывали обширные территории Северного полушария. Поскольку значительная часть поверхностных вод суши заключалась в ледовых щитах, уровень океана был ниже нынешнего.

▶ **Панорама ледника.** На фоне ледника в Национальном парке в Патагонии (Аргентина) туристы кажутся совсем крохотными. Сейчас площадь ледников заметно сократилась, они остались лишь в высоких широтах, а в прошлом занимали обширные территории. В последний ледниковый период они покрывали большую часть Северной Америки.

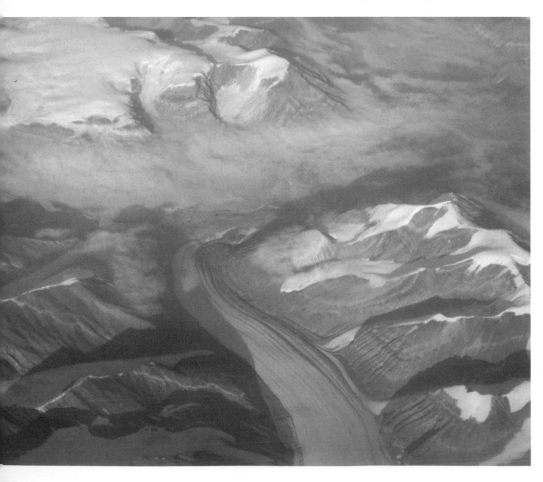

Вулканы и климат

После 100-дневного извержения вулкана Кракатау в 1883 г. была установлена взаимосвязь между крупными извержениями и неблагоприятными изменениями погоды. Мощный выброс пепла и газов в верхние слои атмосферы вызвал глобальное снижение температуры воздуха, которое продолжалось в отдельных местах не один год. Предполагают, что в результате мощного извержения пепел и газ попали в стратосферу и находились там несколько лет. Пепел отражал поступающую солнечную радиацию обратно в космос, снижая таким образом воздействие солнечных лучей на Землю. Впервые такое влияние на глобальное изменение климата было отмечено Бенджамином Франклином после извержения в Исландии в 1783 г.

НЕПРЕДСКАЗУЕМЫЙ ЭЛЕМЕНТ

При вулканических извержениях происходит мощный выброс пепла и сернистого ангидрида в верхние слои атмосферы. Сернистый ангидрид вступает в реакцию с водяными парами, в результате чего образуется плотный туман, который может находиться в стратосфере годами. Этот туман поглощает часть солнечной радиации, но еще большую отражает в межзвездное пространство. Происходит повышение температуры стратосферы и охлаждение лежащей ниже тропосферы. Если извержение достаточно сильное, то подобный эффект может длиться годами.

ГЛОБАЛЬНОЕ ПОХОЛОДАНИЕ

В середине июля 1991 г. на Филиппинах произошло извержение вулкана Пинатубо, сравнимое по мощности с извержением Кракатау. 20 млн т сернистого ангидрида превратились в атмосфере в серную кислоту, и эта взвесь быстро распространилась вокруг земного шара. По некоторым оценкам, температура воздуха понизилась на 0,5 °C. Уровень содержания аэрозоля в атмосфере оставался высоким по крайней мере два года, возможно замедляя процессы глобального потепления.

Распространение аэрозолей. На снимках слева показано распространение вулканических аэрозолей после извержения вулкана Пинатубо. Верхний снимок сделан неделю спустя — количество аэрозолей нормальное, с небольшим увеличением над Индийским океаном. Фото ниже — спустя 10 недель, аэрозоли распространились практически по всему земному шару. В апреле 1992 г., почти год спустя, космический аппарат запечатлел восход солнца над темной полосой аэрозоля, выброшенного при извержении вулкана (фото внизу).

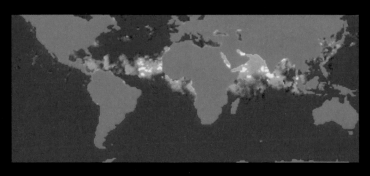

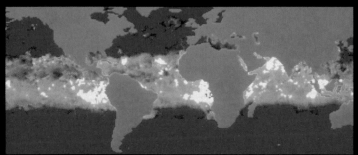

НАПОМИНАНИЕ ИЗ ПРОШЛОГО

Тонкий слой пепла, выброшенного при извержении вулкана Пинатубо, обнаружен в стратосфере на высоте 15 тыс. м. Около 10,5 км^3 продуктов вулканической деятельности распространилось вокруг Земли. Из-за присутствия в воздухе вулканической пыли цвет неба стал более бледным, а восходы и закаты Солнца окрасились в интенсивный красный цвет.

Местоположение о-в Лусон, Филиппины
Широта и долгота 15,13° с. ш., 120,35° в. д.
Высота 1485 м
Тип вулкана стратовулкан
Самое раннее извержение 4100 г. до н. э.
**Первое зафиксированное
в документах извержение** 1315 г.
Последнее извержение 1992 г.
Число извержений в XX в. 2
Самое мощное извержение 1991 г.

ВЫБРОСЫ СЕРНИСТОГО АНГИДРИДА

В настоящее время считается, что выбросы сернистого ангидрида в значительно большей степени влияют на изменение температуры, чем выбросы пепла. При извержении вулкана Эль-Чичон (Мексика), которое произошло через два года после извержения вулкана Сент-Хеленз в США, в атмосферу было выброшено такое же количество пыли, как и в первом случае, а сернистого ангидрида значительно больше. До 1970-х гг. количественные оценки выбросов продуктов вулканической деятельности не производились, но предполагают, что их объем при извержении вулкана Тамбора на юге острова Борнео (Калимантан) в 1815 г. был колоссальным. После этого извержения температура воздуха снизилась на 2—3 °C, что привело к продовольственной катастрофе, сопровождавшейся мятежами во Франции, голодом в Швейцарии и неурожаем в Америке.

НЕДАВНИЕ КРУПНЫЕ ИЗВЕРЖЕНИЯ ВУЛКАНОВ		
Вулкан	**Объем выброшенного материала (км³)**	**Сернистый ангидрид (тонны)**
Тамбора (1815)	50	Нет данных
Кракатау (1883)	18	Нет данных
Сент-Хеленз (1980)	0,5	1,1
Эль-Чичон (1982)	0,5	7
Пинатубо (1991)	10,5	20

Ледниковые эпохи

Ледниковые эпохи, или ледниковья, наступали каждые 200 млн лет и продолжались миллионы и даже десятки миллионов лет. Во время каждого такого периода обширные ледники покрывали большую часть суши, а различия в температуре воздуха на полюсах и экваторе не были столь заметны. За прошедшие 2 млн лет льды наступали и отступали пять раз. Последнее отступание ледников произошло уже в голоцене, на памяти человечества.

СРЕДА, ОКРУЖАЮЩАЯ ЧЕЛОВЕКА

Третий и наиболее длительный период кайнозойского оледенения оказал огромное влияние на развитие человека. Примерно 2,5 млн лет назад в Африке травы, характерные для сухого и более прохладного климата, распространились южнее нынешней Сахары, вытеснив влаголюбивые тропические деревья. Палеонтологи считают, что эти изменения окружающей среды повлияли на эволюцию человечества. Около миллиона лет назад наши предки вышли из Африки и начали заселять Старый Свет.

▼ **Замерзшее время.** Ледники Антарктиды содержат в себе свидетельства климатических эпох, возраст которых достигает 420 тыс. лет. Толщина годовых слоев фиксирует количество осадков, а химический анализ льда определяет температуру, при которой они выпадали. По пузырькам воздуха, замерзшим во льду, судят о составе атмосферы, кислотность — показатель вулканической активности; пыль — мерило ветровой деятельности. Образцы льда Гренландии «рассказывают» о том, что 10 тыс. лет назад климатические условия были весьма непостоянными.

▲ **Переживший оледенение.** Амбровое дерево исчезло в Европе во время ледниковых периодов, но уцелело в Северной Америке. Резкое похолодание климата в результате глобального оледенения 650 тыс. лет назад стерло с лица земли многие виды растений и животных на всех континентах. В Европе итогом последовательного наступления ледников стало исчезновение видов, которые встречаются теперь в США и Китае. Кроме амбрового дерева это еще актинидия китайская, плоды которой называются киви, и тюльпанное дерево.

▲ Погребенные тайны истории.
Существование ледниковых периодов подтверждается данными геологии, а именно большими скоплениями грубого обломочного материала, которые называются моренами, в долинах рек, по которым тысячи лет назад медленно двигались потоки льда. 1,8—2,7 млрд лет назад ледники покрывали обширные территории. Затем, вероятно, на Земле стало теплее, и они исчезли на 800 млн лет. Около 1 млрд лет назад, в позднем докембрии, четко выделяются три периода оледенения. Последний ледниковый период достиг своего максимума 18 тыс. лет назад.

ЛУИС АГАССИС

В 1837 г. швейцарский натуралист Жан Луи Агассис (1807—1873) выдвинул гипотезу о наличии ледниковых периодов в истории Земли. К мысли об их существовании его подтолкнули полевые исследования в Юрских горах (Швейцария). Он обнаружил там огромные гранитные валуны, оказавшиеся в 100 км от места своего происхождения. Только ледники могли проделать такую работу, а значит, в прошлом здесь было значительно холоднее. Даже скептики не смогли не согласиться, что Земля действительно некогда находилась в объятиях жестокой зимы.

Последнее ледниковье

Последний ледниковый период достиг своего максимума 18 тыс. лет назад. Ледниковые щиты толщиной до 3 км покрывали большую часть Северной Америки, всю Скандинавию, Восточно-Европейскую равнину, Урал и северную половину Британских островов. В Южном полушарии подо льдом оказалась большая часть Новой Зеландии и Аргентины и южная часть Австралии. Уровень моря упал, образовались временные сухопутные перемычки, по которым люди устремились на новые территории. Потепление началось примерно 7 тыс. лет назад, но наблюдаются небольшие кратковременные периоды похолоданий и потеплений.

МАЛЫЙ ЛЕДНИКОВЫЙ ПЕРИОД

С 1450-х по 1850-е гг. средняя температура была на 1 °C ниже, чем сейчас. Ледники занимали большие площади во многих альпийских районах, а обычно не замерзающие зимой реки покрывались льдом. На р. Темзе в Лондоне проводились ледовые ярмарки. Череда холодных влажных летних сезонов закончилась продовольственным кризисом в Европе. Хотя многие районы испытывали похолодание, термин «малый ледниковый период» долго обсуждался, пока ученые не пришли к выводу, что это было событие планетарного масштаба.

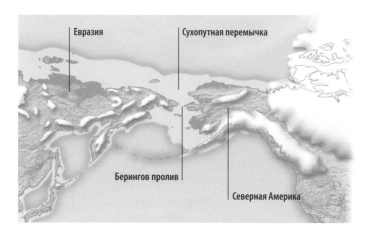

▲ **Переход на другой континент.** На рисунке показан сухопутный мост между двумя континентами, по которому, как принято считать, шло заселение Америки из Европы и Азии. Береговая линия и распространение ледников обозначены при максимуме последнего оледенения 18 тыс. лет назад.

▼ **Ледяная зима.** Нидерландский живописец Питер Брейгель (ок. 1525—1569) в своей работе «Охотники на снегу» изобразил суровую зиму 1565 г. Так называемый малый ледниковый период, возможно, был лишь серией похолоданий.

ДВИГАТЬСЯ ВМЕСТЕ С ЭПОХОЙ

Понижение уровня моря во время ледниковых периодов приводило к образованию сухопутных перемычек или цепочки островов между соседними континентами, по которым шло расселение человека. Аборигены Австралии, например, мигрировали из Юго-Восточной Азии около 50 тыс. лет назад, путешествуя на каноэ от острова к острову вдоль современной Индонезии. Много позже, 14—25 тыс. лет назад, во время последнего ледниковья, Восточная Сибирь соединилась с Аляской, что открыло людям путь по суше из Евразии в Америку.

Континенты врозь. Только 80 км ледяной воды отделяют сейчас русскую Чукотку от американского полуострова Аляска. На фотографии, сделанной космическим спутником в апреле 2002 г., запечатлен Берингов пролив, расположенный между Аляской (справа) и Чукоткой (слева). Чукотское море на севере.

Климат и цивилизация

Первые цивилизации возникли на Земле примерно 6 тыс. лет назад, когда теплая устойчивая погода пришла на смену климатическим катаклизмам доисторических времен, и создались условия, благоприятные для развития земледелия. Это произошло в Месопотамии и Египте. Люди научились сохранять избытки продовольствия, они объединялись в группы и селились сначала в деревнях, которые потом разрастались в большие города. При благоприятных условиях происходило расширение границ государств путем захвата новых территорий. С ухудшением климатических условий многие цивилизации приходили в упадок и возвращались в свои прежние границы. В разных частях земли эти изменения происходили в различное время. Ухудшение условий в одном месте часто совпадало с их улучшением в другом. Таким образом, существует тесная связь между миграциями человека и климатом в том или ином регионе. Она наложила свой отпечаток на культуру современных цивилизаций.

▲ **О чем говорят рисунки.** Предки австралийских аборигенов примерно 50 тыс. лет назад мигрировали из Юго-Восточной Азии, когда уровень моря был низким. В их наскальной живописи запечатлено изменение хозяйственных и климатических условий.

◄ **В Древнем Египте.** Правитель 18-й династии Древнего Египта приносит дары богу солнца Ра, прося его о том, чтобы разливы Нила, от которых зависит земледелие, были регулярными. Во многих культурах солнце олицетворяется с силами, дающими жизнь на земле. Засухи или наводнения трактовались как немилость богов.

КОГДА ЦИВИЛИЗАЦИИ ПРОЦВЕТАЮТ

Благоприятными климатическими условиями считались такие, когда осадки выпадали в достаточном количестве и регулярно, а температура была умеренной или теплой. Это идеальные условия для земледелия и животноводства. Людям требовалось меньше времени для поиска пищи и воды, они получали больше возможностей для исследования и завоевания новых территорий. Стабильный климат способствовал также развитию науки и искусства.

Жизнь древних египтян полностью зависела от регулярных разливов Нила, но они не знали природы этого явления. Нил для древних египтян олицетворял добрый и щедрый бог Хапи, повелитель разливов, приносящих на поля плодородный ил. Он заботился о том, чтобы берега не высыхали, чтобы пашни давали обильные урожаи, а на лугах была тучная трава для скота. Поэтому Хапи был одним из самых любимых богов, и благодарные египтяне воздавали ему великие почести.

Однако египтяне не только молились богам. Они начали измерять уровень воды в реке для того, чтобы прогнозировать урожай. Сначала это были просто метки на берегу, позднее стали строиться специальные лесенки, колонны или колодцы — нилометры. Если разливы Нила были небольшими или, наоборот, слишком высокими, наступали тяжелые времена. Если климатические изменения в бассейне Нила оказывались продолжительными, цивилизация приходила в упадок. Так, чрезмерные разливы реки, продолжавшиеся около 500 лет, заставили египтян отказаться от земледелия и вернуться к кочевому образу жизни. Это произошло 12 тыс. лет назад. А недостаточные разливы, имевшие место 4 тыс. лет назад, ознаменовали конец Древнего царства. Высокие же паводки спустя 2 тыс. лет ослабили власть Среднего царства, а низкие около 1100 г. до н. э. привели к упадку Нового царства.

▶ **Купание в святом Ганге.** Женщины из Северной Индии во время одного из праздников приносят дары священному Гангу и благодарят силы природы, от которых зависит их повседневная жизнь.

В артефактах, оставленных древними цивилизациями, заключена ценная информация об изменениях климата. Изображения на стенах пещер, строения, письменные свидетельства, археологические находки — все это помогает лучше понять, где и как жили наши предки. Главная роль в этом принадлежит климату. Грот Коскер, богатый росписями, сделанными 18 тыс. лет назад, в настоящее время затоплен Средиземным морем. Это говорит о повышении его уровня в конце последнего оледенения. Именно тогда изменились очертания береговой линии Европы. Засухи, наводнения и суровый климат заставляли людей покидать свои дома в поисках более благоприятных условий жизни.

УГАСШИЕ ОЧАГИ

Гибель скандинавской колонии в Гренландии — яркий пример влияния изменения климата на поселение людей. Колония была основана в 985 г. в межледниковье и состояла из 300—400 человек, приплывших из Исландии. Сначала поселение процветало и к началу XII в. насчитывало около 5 тыс. жителей. Снабжение осуществлялось из Исландии. Но затем наступило похолодание, участились штормы, увеличилась площадь паковых льдов. Связь с Исландией стала ослабевать и после 1410 г. совсем прервалась, а к концу века поселение прекратило свое существование.

▲ **Длинная зима.** Это все, что осталось от скандинавской колонии в Гренландии, которая не смогла противостоять резкому похолоданию климата в начале XV в. Перед археологами предстала грустная картина лишений и борьбы людей за выживание в суровых климатических условиях.

◀ **Свидетельство лучших времен.** Возраст этих фресок, обнаруженных в Алжире, составляет приблизительно 3,5—6 тыс. лет. Очень часто на них изображен выпас скота. Можно предположить, что когда-то там, где сейчас пустыня, простирались плодородные земли. Такого рода факты расширяют наши представления об изменении климата в обозримом историческом прошлом.

▲ **Искусство ледникового периода.** Наскальная живопись появилась в Европе около 24 тыс. лет назад и достигла своего расцвета во время последнего оледенения, то есть примерно 18 тыс. лет назад. Более теплые условия на побережье Атлантического океана в Юго-Западной Европе способствовали переходу населения к оседлому образу жизни, так как рыбы и растительной пищи было вдоволь. Мамонты, дикие лошади, пещерные львы, степные бизоны впоследствии вымерли. Тот факт, что бизоны были распространены на территории Франции, подтверждается росписью, найденной в провинции Дордонь.

◄ **Исчезнувшие майя.** С 800-х по 1000-е гг. цивилизация майя постепенно приходила в упадок. Возможно, причиной этого стали длительные засухи, вызванные потеплением. Когда-то оживленные центры, например Чичен-Ица в Мексике, опустели.

Усиление парникового эффекта

Так называемые парниковые газы — водяной пар, озон, углекислый газ — создают условия для жизни на Земле, пропуская к поверхности земли солнечную радиацию и поглощая длинноволновое излучение, отраженное от нее. Нагретая таким образом атмосфера посылает к Земле встречное излучение. В последнее время с развитием промышленности в атмосфере увеличилось содержание углекислого газа, метана и закиси азота. Поэтому естественный парниковый эффект, игравший защитную роль в процессе теплообмена Земли с мировым пространством, усилился, и климат стал теплее.

В сводном докладе Межправительственной группы экспертов по изменению климата при ООН (МГЭИК) говорится о том, что по сравнению с доиндустриальной эрой климатическая система Земли претерпела заметные изменения. Некоторые из них имеют антропогенный характер. Есть новые и более убедительные данные о том, что наблюдаемое в течение последних 50 лет потепление связано именно с деятельностью человека.

ГРИНТАЙ — программа международного информационного обмена в области технологий сокращения выбросов парниковых газов. Россия с 1997 г. официальный член Международной сети ГРИНТАЙ с образованием Российского отделения программы ГРИНТАЙ.

ЧЕЛОВЕЧЕСКИЙ ФАКТОР

Причиной усиления парникового эффекта, который вносит свою лепту в потепление климата, может оказаться хозяйственная деятельность человека. Среди парниковых газов, которые поступают в атмосферу с промышленными выбросами, преобладают углекислый газ, метан, закись азота и др. Концентрации углекислого газа в атмосфере постоянно увеличиваются со времен промышленной революции начала XIX в., когда человечество приступило к массовому сжиганию ископаемого топлива с целью получения энергии для промышленного производства. По прогнозам, если выбросы углекислого газа останутся на прежнем уровне, то к 2060 г. средняя температура воздуха на Земле увеличится на 1,5—4,5 °C, причем в полярных районах температура может повыситься на 9 °C.

АТМОСФЕРНЫЙ УГЛЕКИСЛЫЙ ГАЗ

Данные лаборатории в Мауна-Лоа, Гавайи

(график: Углекислый газ (‰), ось Y от 310 до 380; ось X — Год, от 1920 до 2000)

◄ **Содержание углекислого газа.** На этом графике показано изменение содержания углекислого газа с 1920 по 2000 г. по данным станции мониторинга атмосферы в Мауна-Лоа (Гавайи, США). Концентрации газа увеличивались очень быстро. Если доиндустриальный уровень содержания углекислого газа в атмосфере составлял 280 ‰, то к 2002 г. этот показатель достиг 370 ‰. При этом 30 % прироста произошло исключительно из-за хозяйственной деятельности человека.

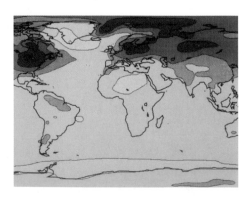

► **Естественный баланс.** Деревья играют жизненно важную роль в поддержании здоровья атмосферы. Они поглощают углекислый газ и накапливают его в листьях в виде соединений углерода. Когда леса вырубают, углерод возвращается в атмосферу в виде углекислого газа. Более того, вырубка лесов изменяет отражательную способность земли. Долгосрочные климатические последствия этого пока неясны.

◄ **Моделирование климата.** Эта климатическая модель дает прогноз последствий удвоения современного содержания углекислого газа в атмосфере. Цветом (от желтого до красного) показано увеличение температуры. Значительное потепление ожидается на всех континентах и в Арктическом секторе Северного полушария.

Влияние человека

Леса играют огромную роль в круговороте веществ и энергии в биосфере. Они активно взаимодействуют с тропосферой и определяют уровень кислородного и углеродного баланса, за что их часто называют «легкими» планеты. Но за последнее столетие над ними нависла серьезная угроза, в том числе и благодаря быстрому росту численности населения. Леса начали активно вырубать с целью получения древесины, топлива и целлюлозы. У лесных массивов также отвоевывают новые площади под пашню. Растущие города поглощают ценные сельскохозяйственные земли и увеличивают загрязнение атмосферы. Рост поголовья скота в полупустынных районах способствует развитию процессов опустынивания. В совокупности все эти факторы влияют на местный, региональный и глобальный климат. С увеличением народонаселения планеты климатические изменения становятся все более заметными, а скорость разрушения естественной среды обитания растений и животных возрастает.

ПРИЧИНЫ НАСТУПЛЕНИЯ ПУСТЫНИ

Многие считают, что причиной опустынивания являются засухи. Они вполне обычное явление в засушливых районах, экосистемы которых быстро восстанавливаются после первых же дождей. А основной причиной увеличения площади пустынь можно назвать продолжительное неудовлетворительное хозяйствование человека на прилегающих к пустыням землях. Нигде так ярко не выражен этот процесс, как в районе Сахеля в Западной Африке. Засуха, начавшаяся здесь в 1968 г. и усугубившая неправильное землепользование, унесла более 100 тыс. жизней людей, пало 12 млн голов скота. Сахель — переходная зона от пустынных ландшафтов Сахары к саванным. Процессы опустынивания привели к смещению южной границы Сахары в сторону экватора.

▶ **Относительное счастье.** Яркий пример того, как растущие потребности населения в продуктах питания влияют на климат планеты. Под рисовые чеки, продуцирующие метан, вырубили густые леса на склонах гор.

▼ **Исчезающий лес.** Тропические леса Бразилии показаны красным цветом, темно-красный цвет — вырубки, серые и черные пятна — места недавних пожаров. Вертикальные линии обозначают транспортные магистрали.

▼ **Строительство дорог.** Многие ученые серьезно обеспокоены строительством дорог в джунглях Амазонии. Улучшение дорожной сети может привести к дальнейшему уничтожению оставшихся тропических лесов.

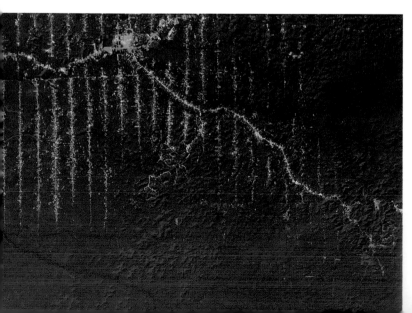

ЧЕЛОВЕЧЕСТВО НАСТУПАЕТ

Никогда раньше Земля не была так плотно населена. Пройдя большую часть исторического пути, человечество достигло численности 1 млрд только в 1800 г. С тех пор прирост населения идет стремительными темпами. Уже к 1999 г. нас стало 6 млрд, причем увеличение произошло главным образом за последние 12 лет. По прогнозам ученых США, к 2050 г. население планеты составит около 9 млрд человек. Понятно, что это увеличит потребности в пище, воде, жилье, перевозках и т. д. и неизбежно скажется на природных ресурсах Земли и ее климате. Человечеству придется решать все более сложные задачи, чтобы сохранить приемлемый уровень жизни растущего населения в условиях опустынивания, сведения лесов и разрастания городов, особенно в развивающихся странах, где рождаемость особенно высока.

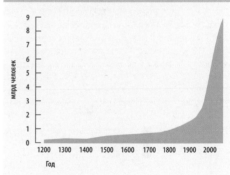

Когда пустыня наступает. В связи с опустыниванием саванн скотоводство западных штатов Нигера находится под угрозой. Всего в мире подвержено опустыниванию более 1 млрд га, но особенно острая ситуация сложилась в Африке в зоне Сахеля.

Самый ценный продукт. Ограничение водопотребления сельским хозяйством привело к изменению традиционных схем обводнения земель, которые применялись для выращивания хлопчатника. Поддержание высокого качества воды в настоящее время является первоочередной задачей.

В течение долгого времени человек практически не оказывал влияния на климат Земли. Но в последнее время картина резко изменилась. Наше наступление на окружающую среду приняло угрожающие масштабы. Нарушается равновесие экосистем, а промышленное и сельскохозяйственное производство ведет к их загрязнению и истощению природных ресурсов.

ПРОМЫШЛЕННАЯ РЕВОЛЮЦИЯ НА МАРШЕ

Промышленные предприятия выбрасывают в атмосферу огромное количество углекислого и других газов. Они вступают в реакцию с водяными парами, образуя кислотные дожди. Установлено, что такие дожди явились причиной гибели значительных участков лесов. На станциях наблюдения за состоянием атмосферы отмечено увеличение концентрации так называемых парниковых газов, происхождение которых также связано с хозяйственной деятельностью человека. Поскольку промышленные выбросы увеличиваются, антропогенное загрязнение атмосферы продолжается.

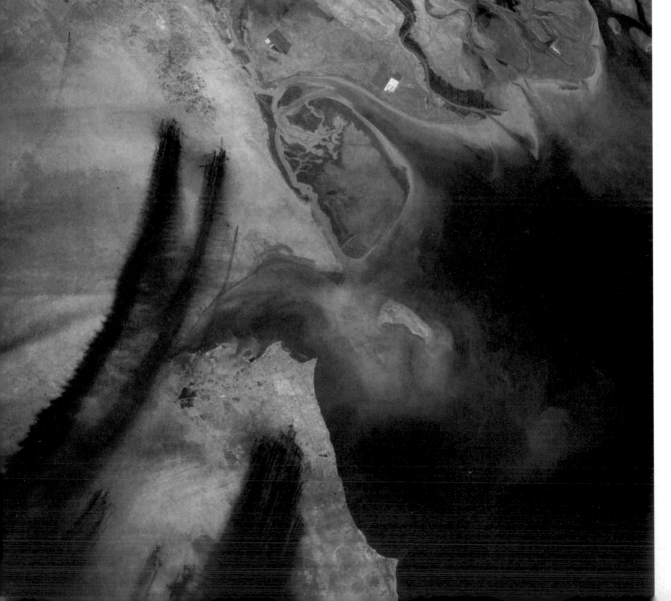

▲ **Друг или враг?** Эта сложная транспортная развязка в Токио — яркий символ главного поставщика углекислого газа — автомобиля. Увеличение количества автомобилей является серьезной угрозой глобального характера.

◄ **Катастрофа в Персидском заливе.** Во время войны в Персидском заливе в 1991 г. в результате пожаров на нефтяных скважинах Ирака и Кувейта в атмосферу было выброшено огромное количество ядовитых загрязняющих веществ. На фотографии: черный дым от горящих иракских нефтяных скважин на берегу Персидского залива относится ветром в сторону Саудовской Аравии. Подобного рода загрязнение представляет собой экологическую катастрофу, вызванную военными действиями.

▶ Производители газа. Многочисленное стадо, пасущееся в бразильской саванне, выбрасывает в атмосферу значительные объемы метана, который наряду с другими газами является причиной возникновения парникового эффекта.

▶▶ Сомнительное благо. Выхлопные газы реактивных самолетов способны нарушить химическое равновесие стратосферы.

ПЫТАТЬСЯ БЫТЬ ЧИЩЕ И ЗЕЛЕНЕЕ

При сжигании ископаемых видов топлива образуется углекислый газ, который усиливает парниковый эффект. Использование так называемой экологически чистой энергии поощряется некоторыми правительствами и постепенно становится более привлекательным применительно ко многим отраслям промышленности. Экологически безопасная энергетика включают в себя солнечную, ветровую и приливную. Необходимы усилия глобального уровня, чтобы как можно больше использовать потенциал этих альтернативных источников энергии.

◀ Как определить преступника? Выбросы тепловой электростанции в Западной Вирджинии (США) — безвредный водяной пар. А вот из узких высоких труб в атмосферу уходят опасные загрязнители.

Сокращение озонового слоя

Озон защищает Землю от вредного воздействия ультрафиолетовой радиации. Высокие уровни облучения могут вызвать рак кожи у человека и нанести вред другим формам жизни на Земле. В конце 1970-х гг. ученые обратили внимание на то, что каждый год поздней весной над Антарктидой образуется достаточно большая «озоновая дыра». В конце 1990-х гг. дыра меньшего размера впервые появилась и над Северным полюсом. Размер озоновых дыр с каждым годом увеличивается. Исследования показали, что причиной начавшейся деградации озонового слоя является возрастающее непомерными темпами загрязнение воздуха, особенно широкое использование в промышленности и быту хлорсодержащих хладонов (фреонов). В 1987 г. было подписано международное соглашение об охране озонового слоя — Монреальский протокол. Он предусматривает исключение из производства хлорфторуглеродов (ХФУ). Через пять лет их содержание в атмосфере сократилось на 40 %, но для того, чтобы они полностью исчезли, необходимы десятилетия.

▶ **Двойное извержение.** Два контрастных облака вулканического пепла были выброшены в атмосферу при внезапном извержении двух вулканов в Папуа—Новой Гвинее в 1994 г. Пыль и пепел вулканических извержений также способствуют разрушению озонового слоя.

◀ **Солнечные пятна осложняют проблему.** Природные концентрации озона в стратосфере изменяются в соответствии с 11-летним циклом активности солнечных пятен, что осложняет годовой прогноз размера озоновых дыр. Эти солнечные пятна наблюдались в июле 2002 г.

▼ **Защита от Солнца.** Растущее осознание опасности воздействия солнечных лучей на незащищенную кожу и повышение вероятности кожных заболеваний в связи с уменьшением озонового слоя внесло коррективы в нашу одежду и поведение на пляже.

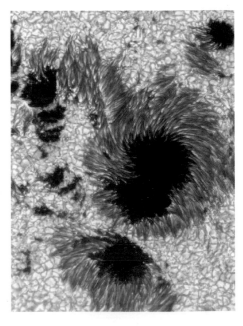

▲ Антарктическая научная станция.
Антарктическая научно-исследовательская станция «Дюмон д'Урвиль» занимается изучением озонового слоя. Легенда гласит, что, когда в 1985 г. были сделаны первые измерения, ученые решили, что приборы неисправны, так как результаты измерений оказались ошеломляющими. Через несколько месяцев приборы заменили, но результаты остались прежними. Так подтвердилось реальное существование озоновой дыры.

КАК ИСТОНЧАЕТСЯ ОЗОНОВЫЙ СЛОЙ
ХФУ нарушают естественный процесс образования озона. Попадая в стратосферу, фреоны подвергаются химическим превращениям, образуют соединения хлора и разрушают озон. Этот процесс особенно активно происходит над Антарктидой в конце зимы, когда в сильно охлажденном воздушном вихре образуются ледяные облака. Солнечный свет, ледяные облака и ХФУ, взаимодействуя между собой, разрушают озоновый слой.

ОПАСНАЯ «ДЫРА» В НЕБЕ
За последние несколько десятилетий озоновая дыра над Антарктидой неуклонно увеличивалась. На рисунке синим цветом показан низкий уровень стратосферного озона. Только совсем недавно замечено замедление роста озоновой дыры. По всей вероятности, оно связано с уменьшением производства ХФУ в соответствии с международным соглашением 1987 г. Озон в стратосфере образуется в основном над тропиками, куда поступает больше всего солнечной радиации. Затем он разносится ветрами в высоких слоях атмосферы. Зимой и весной над Антарктидой формируется изолированная воздушная масса, вращающаяся вокруг полюса. Воздух не нагревается Солнцем, облака состоят изо льда и охлажденных частичек, находящихся в стратосфере. Если среди этих частичек есть ХФУ, то с приходом весны и увеличением солнечной радиации начинаются сложные химические реакции, которые ведут к разрушению озонового слоя. Есть мнение, что причинами этого процесса могут быть и природные факторы.

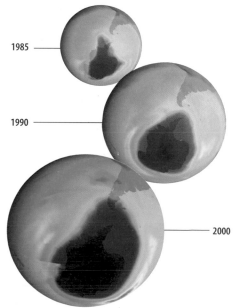

1985

1990

2000

Глобальное потепление

В настоящее время глобальное потепление климата рассматривается уже не как гипотеза, а как свершившийся факт: за последние сто лет температура воздуха повысилась на 0,5 °C. Тщательные измерения и исторические данные указывают на устойчивую тенденцию, начавшуюся в конце XIX в. Десять самых жарких лет XX в. пришлись на период 1985—2000 гг. Из них 1998 г. был самым жарким за всю историю наблюдений.

Эти данные подтверждаются увеличивающимся числом косвенных показателей. Ледники отступают, линия распространения снега перемещается вверх по склонам гор. Повышение температуры вызывает таяние льдов, в результате чего повышается уровень океана. Происходит изменение растительного состава ландшафтов, что особенно заметно в полярных и полупустынных районах.

СПОРЫ О ГЛОБАЛЬНОМ ПОТЕПЛЕНИИ

Потепление климата является бесспорным фактом. Но вопрос о том, каков вклад в этот процесс природных и антропогенных факторов, остается предметом научных дискуссий. Палеоклиматические данные свидетельствуют о том, что в истории развития Земли случались заметные колебания температур. В современных моделях глобального климата нынешнее потепление связывается с повышением уровня углекислого газа в атмосфере.

▼ **Снега отступают.** Гора Килиманджаро в Кении прекрасно иллюстрирует происходящие процессы. Каждый год контраст между жаркими равнинами и заснеженной вершиной становится все меньше и меньше. С 1912 г. снежный покров Килиманджаро сократился на 80 %. В соответствии с климатическими моделями, эти процессы продолжаются. Планету ждет таяние морских льдов, ледников и полярных шапок.

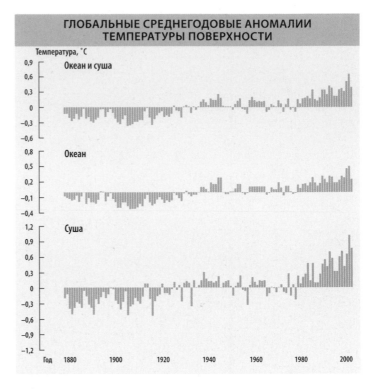

ГЛОБАЛЬНЫЕ СРЕДНЕГОДОВЫЕ АНОМАЛИИ ТЕМПЕРАТУРЫ ПОВЕРХНОСТИ

▲ **Статистика: на планете становится теплее.** Ученым удалось построить графики изменения температуры за последние 120 лет для Земли в целом (вверху), для океанов (в центре) и для суши (внизу). На всех трех графиках отчетливо видно устойчивое повышение температуры, причем самое заметное наблюдается на суше. Несмотря на некоторые отклонения, общая картина вырисовывается достаточно четко.

▲ **Сокращение ледников.** На спутниковой
фотографии Гималаев видны ледниковые озера — голубые ленты под белыми ледниками.
Их увеличение в последние годы — нагляд-
ное свидетельство глобального потепления.
Процесс таяния горных ледников идет достаточно быстро, и по некоторым прогнозам
большая их часть может исчезнуть к 2100 г.

▶ **На краю.** Эта широкая трещина в шель-
фовом леднике Ларсен Б (Антарктида) зафиксирована в феврале 1997 г. Позднее от него
откололась глыба размером 43×4,8 км.

КОГДА ПОЛЯРНЫЕ ЛЬДЫ ТАЮТ

Большая часть мировых запасов воды сосредоточена в полярных льдах и шельфовых
ледниках. Наряду с сезонными изменениями границ шельфовых ледников по каким-то
причинам происходит их разрушение. Таяние
больших участков шельфовых ледников приводит к подъему уровня моря.

Эль-Ниньо / Ла-Нинья

Изменение температуры поверхностных вод в тропических широтах Тихого океана определяет многие характеристики климата планеты. Оно, в частности, может стать причиной наводнений и засух в районах, расположенных вдали от тропической зоны. Возникновение необычно теплого течения, известного под названием Эль-Ниньо, связано с изменением циркуляции атмосферы. На смену традиционным юго-восточным пассатам тропических широт приходит западный ветер, который, в свою очередь, приносит теплые морские воды в восточную часть Тихого океана. На северо-западе Южной Америки начинаются наводнения, а на территории большей части Австралии — засухи. Влияние Эль-Ниньо можно проследить и в других частях света. Это течение вызывает аномальные зимние температуры в Северной Америке и зимние дожди в Северо-Западной Европе. Явление возникает с периодичностью от 2 до 7 лет и может длиться 3—4 года. Но порой случается обратное — на поверхность выходит холодное течение Ла-Нинья, и в прибрежные районы Перу приходит засуха, а на востоке Австралии начинаются наводнения.

ИНДЕКС ЮЖНОГО КОЛЕБАНИЯ

ПОЧЕМУ ИХ ТАК НАЗВАЛИ

Эль-Ниньо и Ла-Нинья представляют собой температурные флуктуации поверхностных вод в тропиках восточной части Тихого океана и чаще всего проявляются у берегов Перу в конце декабря. Первое упоминание термина «Эль-Ниньо» относится к 1892 г., когда капитан Камило Каррило сообщил на конгрессе Географического общества в Лиме, что перуанские моряки назвали теплое северное течение «Эль-Ниньо» (по-испански — «малыш»). Они впервые обнаружили это грандиозное явление как раз в канун Рождества и сравнили его с младенцем Христом. В научный оборот названия этих явлений впервые введены в 1923 г. Гилбертом Томасом Волкером. Ла-Нинья (по-испански — «малышка») понижает температуру тихоокеанских вод, омывающих побережья Эквадора и Перу, на 0,5—1 °С. Длится этот процесс примерно полгода. В результате зима в этих странах становится еще холоднее, чем обычно, а лето, наоборот, более знойным. С 1949 г. это природное явление наблюдалось 11 раз. Не исключено, что «девочка» косвенно повлияла на стужу 2006 г. в России, так как феномен Эль-Ниньо/Ла-Нинья приводит к погодным капризам по всей планете.

ЧТО ТАКОЕ ИНДЕКС КОЛЕБАНИЯ

После открытия Дж. Бьеркнесом связи явления Эль-Ниньо с южным колебанием для оценки степени возмущения глобальной атмосферной и океанической циркуляции ученые стали использовать индекс Эль-Ниньо/Южного колебания — SOI (Southern Oscillation Index), который равняется разнице между средними значениями давления воздуха у поверхности моря на Таити и в г. Дарвин (Австралия). Если SOI в течение нескольких месяцев отрицательный, ожидают Эль-Ниньо, если положительный — приходит Ла-Нинья.

Температура океана

Эль-Ниньо, январь — март 1998 г.

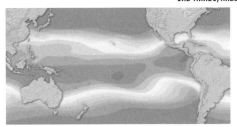

Ла-Нинья, январь — март 1989 г.

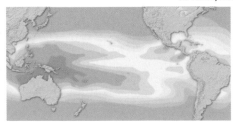

18 °С   24 °С   30 °С

Аномалии температуры океана

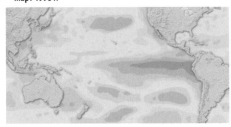

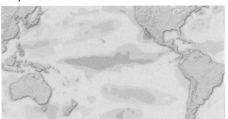

−3 °С   0 °С   3 °С

КЛЮЧ К РАЗГАДКЕ — В ТЕМПЕРАТУРЕ ОКЕАНА

Для того чтобы определить, какое явление формируется в данный момент, Эль-Ниньо или Ла-Нинья, необходимо вести наблюдения за температурой воды в тропической зоне Тихого океана. С приходом Эль-Ниньо в акватории Тихого океана распространяется огромное теплое пятно. Температура воды поднимается на 10—12 °С. Приход Эль-Ниньо к берегам Перу знаменует тяжелые времена для местных рыбаков. Из-за повышения температуры воды происходит массовый замор рыбы, в том числе анчоусов, главного объекта местного промысла. Морские птицы, которые питаются анчоусами, также погибают. Приход Эль-Ниньо в 1998 г. показан на рисунке (верхний левый). Аномальные температуры обозначены различными цветами.

Противоположная картина наблюдается, когда приходит Ла-Нинья, более холодное течение, которое продвигается в тропическую восточную часть Тихого океана, оттесняя теплые воды к северу Австралии. Мощное явление Ла-Нинья наблюдалось в 1989 г. (внизу слева). С его приходом в Австралии и Индонезии климат становится намного более влажным, чем при Эль-Ниньо.

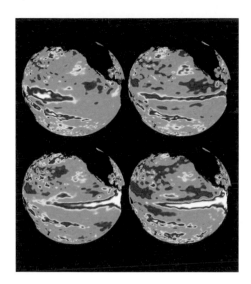

ЭЛЬ-НИНЬО В ДВИЖЕНИИ

На этих снимках показано распространение Эль-Ниньо в Тихом океане в апреле—сентябре 1997 г. Подъем среднего уровня моря, вызванный его приходом, обозначен цветом: фиолетовый — на 10 см ниже нормального уровня, белый — на 20 см выше. Между ними голубым, зеленым, желтым и красным показано постепенное повышение уровня. Черный цвет — это суша. Эль-Ниньо — красно-белый шлейф, движущийся в Тихом океане вдоль экватора на восток. Потепление климата не является причиной возникновения этого явления, множество данных (включая археологические) указывает на то, что оно существует уже сотни, а некоторые предполагают даже, что миллионы лет. Возможно, повышение температуры воды в Мировом океане, произошедшее в последнее время, усилило явление Эль-Ниньо, и оно стало более частым и мощным. Исследования показывают, что в соответствии с климатическими моделями и моделями температуры поверхностных вод океана явление Эль-Ниньо становится более регулярным.

 **Когда полыхают пожары.** К катастрофическим последствиям Эль-Ниньо относятся засухи в различных районах тропического региона, создающие идеальные условия для возникновения опустошительных лесных пожаров. Эль-Ниньо 1982—1983 гг. отличилось сильнейшими засухами в Индонезии, на Филиппинах, в Северной Австралии, Индии и Шри-Ланке, в Северной и Южной Африке, Мексике и южных районах Перу.

▶ **Плачевные последствия Эль-Ниньо.** Наводнение 2002 г. в Эквадоре. Такие стихийные бедствия, а также пожары и засухи, вызванные Эль-Ниньо, наносят колоссальный ущерб сельскому хозяйству и экономике стран, которые оказываются под воздействием этого явления.

Взгляд в будущее

Межправительственная группа экспертов по изменению климата при ООН (МГЭИК) пришла к выводу, что в ближайшие десятилетия воздействие человека на природу приведет к заметному потеплению климата. Он менялся и в прошлом, и, возможно, современное потепление может оказаться лишь фазой естественных колебаний циркуляции океана, атмосферы и солнечной активности. Однако существуют неопровержимые свидетельства влияния человека на климат. Поэтому международное сообщество предприняло ряд мер по уменьшению антропогенного воздействия на природу. Всемирный саммит 1992 г., состоявшийся в Рио-де-Жанейро, предусмотрел стабилизацию выбросов парниковых газов на уровне 1990 г.; в 1997 г. Киотский протокол обосновал необходимость снижения выбросов к 2012 г. в среднем на 5,2 % относительно уровня 1990 г. Эта задача стоит как перед развитыми, так и перед развивающимися странами. Следует беречь энергию, развивать экологически чистые производства и средства передвижения. Более эффективно и рентабельно должны использоваться возобновляемые источники энергии. Такие изменения технологически вполне возможны, а совместные усилия международного сообщества, правительств стран и отдельных граждан в состоянии их реализовать.

ВЫЗОВ ЗЕМЛЕДЕЛЬЦАМ

Изменение климатических условий внесет свои коррективы в традиционные формы ведения сельского хозяйства. Повышение температуры увеличит потребности в воде. Вполне вероятно, что засухи станут более частым явлением, поэтому во многих сельскохозяйственных регионах придется внедрять более засухоустойчивые культуры. Производство многих из них, например хлопчатника и риса, зависит от орошения. В условиях, когда осадки становятся в значительной степени непостоянными, эффективные методы ирригации будут иметь очень большое значение.

▼ **Интенсивное сельское хозяйство.** Китайский крестьянин пашет обводненное террасированное рисовое поле. Миллионы людей зависят от интенсивного ведения сельского хозяйства, и, как повлияет потепление климата на их жизнь, пока неизвестно.

ПРЕДСКАЗАТЬ БУДУЩЕЕ

Климатические модели помогают составить прогноз изменений климата. Трехмерные математические модели дают представление о климате будущего, его параметрах и их взаимодействии. Успешность такого моделирования зависит от того, насколько хорошо мы знаем современные процессы и факторы, которые могут повлиять на климат в будущем. Среди них концентрации парниковых газов, рост численности населения, экономическое развитие и эффективность использования энергии. Принимая во внимание все эти факторы, МГЭИК прогнозирует глобальное повышение температуры на 1,5—4,5 °С к середине XXI в.

◄ **Здоровая планета.** Лев в пустыне Калахари (Ботсвана, Африка). Человечество окажется не единственной жертвой глобального потепления. Изменения затронут также различные виды животных. Воздействие человека на природные комплексы Земли может привести как к глобальному потеплению, так и к совершенно непредсказуемым последствиям.

Земля

РАВНОДЕНСТВИЯ

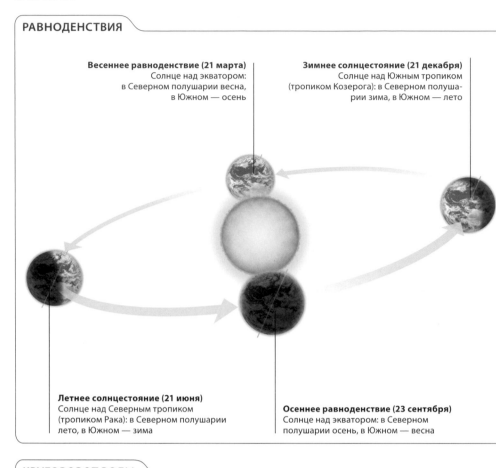

Весеннее равноденствие (21 марта)
Солнце над экватором:
в Северном полушарии весна,
в Южном — осень

Зимнее солнцестояние (21 декабря)
Солнце над Южным тропиком
(тропиком Козерога): в Северном полушарии зима, в Южном — лето

Летнее солнцестояние (21 июня)
Солнце над Северным тропиком
(тропиком Рака): в Северном полушарии
лето, в Южном — зима

Осеннее равноденствие (23 сентября)
Солнце над экватором: в Северном
полушарии осень, в Южном — весна

ОБОЛОЧКИ ЗЕМЛИ

Наша планета может рассматриваться как система, состоящая из пяти отдельных оболочек. Это атмосфера (воздух), гидросфера (вода), криосфера (лед), литосфера (твердая поверхность) и биосфера (живое вещество). Оболочки взаимосвязаны посредством обмена энергией и веществом.
Атмосфера. Воздушная оболочка Земли, защищающая жизнь от влияния космоса. Облака в атмосфере, взвешенные частицы и газ могут простираться до высоты почти 100 км над поверхностью.
Гидросфера. Водная оболочка Земли, состоящая из океанов и других крупных водных объектов. Гидросфера занимает около 71 % поверхности планеты, в ней сосредоточена большая часть воды.
Криосфера. Оболочка Земли, состоящая изо льда. Она включает ледники и полярные льды. Значительная часть запасов пресной воды на планете сосредоточена в криосфере.
Литосфера. Твердая часть Земли, включающая почвы и горные породы. Питательные вещества из атмосферы, попадая в почву, используются растениями биосферы.
Биосфера. Насколько известно, Земля является единственной среди планет, на которой есть жизнь. Растительный покров, животное население планеты, микроорганизмы, органическое вещество почвы составляют биосферу.
Биосферные взаимодействия. Зеленые растения содержат хлорофилл, который помогает превращать солнечную энергию в углеводы посредством фотосинтеза. Кислород высвобождается в атмосферу в качестве побочного продукта.

КРУГОВОРОТ ВОДЫ

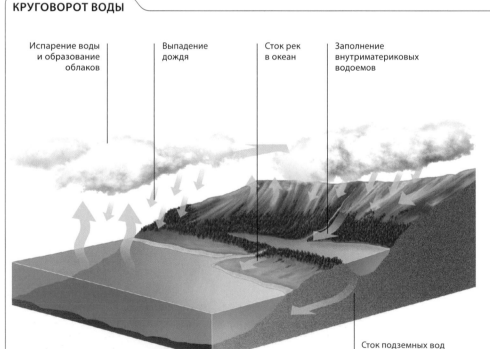

Испарение воды
и образование
облаков

Выпадение
дождя

Сток рек
в океан

Заполнение
внутриматериковых
водоемов

Сток подземных вод
в океан

КРУГОВОРОТ ВОДЫ

Океаны занимают 71 % поверхности Земли и содержат 97 % всей воды. Морская вода соленая и непригодна для питья. Запасы пресной воды составляют 3 %. Более 2 % пресной воды заключено в ледниковых покровах и ледниках, и менее 1 % составляют подземные воды. Доля запасов пресной воды в озерах, реках и атмосфере ничтожно мала. Вода постоянно переходит из одного природного состояния в другое, и этот процесс называется круговоротом воды в природе.

Большая часть воды, которая содержится в атмосфере, испарилась с поверхности океанов. При подъеме вверх влажный воздух охлаждается, образуются облака. Если они достаточно мощные, пойдет дождь или снег. Осадки впитываются в землю, стекают в озера и реки или испаряются в воздух.

Растения получают воду из почвы при помощи корней. Листья растений испаряют воду в воздух, этот процесс называется транспирацией. Вода также испаряется с поверхности озер и рек, попадает обратно на Землю в виде осадков и впитывается почвой. Водный цикл замыкается, когда вода возвращается со стоком рек или подземным стоком в океан.

В зависимости от места испарения воды и выпадения осадков, а также от путей ее переноса различают малый круговорот: море (океан) — атмосфера — море (океан), и большой круговорот: океан — атмосфера — суша — океан.

Ветер

ШКАЛА БОФОРТА

Баллы	Скорость ветра (км/ч)	Характеристика	Действие ветра
0	Менее 2	Штиль	Полное безветрие. Дым из труб поднимается вертикально вверх
1	3—5	Тихий	Дым из труб поднимается вверх, немного отклоняясь
2	6—11	Легкий	Движение воздуха ощущается лицом, шелестят листья
3	12—19	Слабый	Колеблются листья и мелкие ветки
4	20—29	Умеренный	Колеблются тонкие ветви, ветер поднимает пыль, на воде — рябь
5	30—38	Свежий	Колеблются ветви средних размеров, на воде появляются волны
6	39—51	Сильный	Колеблются большие ветви, качаются тонкие деревья
7	52—61	Крепкий	Качаются стволы небольших деревьев, поднимаются пенящиеся волны, трудно идти против ветра
8	62—74	Очень крепкий	Ломаются ветки деревьев, ветер срывает пену с волн
9	75—86	Шторм	Небольшие разрушения, срывается черепица
10	87—101	Сильный шторм	Заметные разрушения, деревья вырываются с корнем
11	102—120	Жестокий шторм	Большие разрушения — срывает крыши, ломает столбы
12	Более 120	Ураган	Опустошительный ветер, разрушающий даже каменные стены

Шкала Бофорта была разработана для измерения силы ветра.

ШКАЛА САФФИРА—СИМПСОНА

	Давление (гектопаскали)	Скорость ветра (км/ч)	Штормовые волны (м)	Ущерб
1	Более 980	118—152	1,2—1,6	Минимальный
2	965—110	153—176	1,7—1,6	Умеренный
3	945—964	177—208	2,6—3,7	Значительный
4	920—944	209—248	3,8—5,4	Огромный
5	Менее 920	Более 248	Более 5,4	Катастрофический

С 1970-х гг. Национальный центр наблюдения за ураганами в США использует шкалу Саффира—Симпсона для их классификации. Сила ураганов измеряется по пятибалльной шкале.

ШКАЛА ФУДЖИТЫ

Категория	Скорость (км/ч)	Характеристика
F0	64—117	Штормовой
F1	118—180	Умеренный
F2	181—251	Значительный
F3	252—330	Сильный
F4	331—417	Разрушительный
F5	Более 417	Невероятный

По шкале Фуджиты измеряется сила торнадо.

Океаны

ОКЕАНИЧЕСКИЕ ТЕЧЕНИЯ

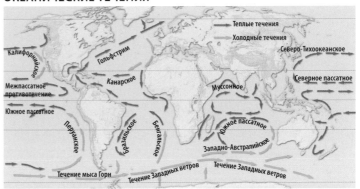

Океанические течения вызываются воздействием ветра на водную поверхность, действием силы тяжести и действием приливообразующих сил. По происхождению течения делятся на фрикционные, градиентные и приливно-отливные. Фрикционные течения, вызванные господствующими ветрами, называются дрейфовыми. Им принадлежит главная роль в циркуляции вод Мирового океана. Градиентные течения, сточные и плотностные, возникают в результате стремления силы тяжести выровнять поверхность и ликвидировать неравномерное распределение плотности. Приливно-отливные течения могут быть полусуточными, суточными и смешанными.

Основные поверхностные течения возникают под воздействием пассатов, дующих над океанами круглый год. В Северном полушарии течения закручиваются по часовой стрелке, в Южном — против. У западных берегов континентов образуются холодные течения, а у восточных — теплые. Главные холодные океанические течения, такие как Перуанское и Бенгальское, создают экстремально сухой климат на побережьях. Холодный воздух над течением содержит мало влаги, и дождевые облака не образуются. Главные теплые океанические течения, Гольфстрим и Калифорнийское, повышают температуру воздуха над сушей. Значительные изменения температуры поверхностных вод к западу от этих течений способствуют формированию областей низкого давления.

ВЕЛИКИЙ ОКЕАНИЧЕСКИЙ КОНВЕЙЕР

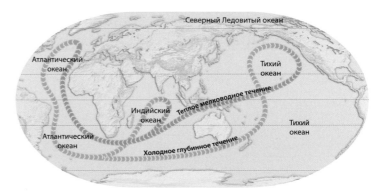

Это явление играет ключевую роль в долгосрочных изменениях температуры поверхностных вод океана и оказывает большое влияние на глобальный климат. Холодные соленые воды опускаются на глубину в Северной Атлантике и направляются на юг и восток, в Индийском и Тихом океанах они поднимаются на поверхность и нагреваются. Назад теплое течение возвращается через Тихий океан и Южную Атлантику. Это путешествие туда и обратно занимает от 500 до 2 тыс. лет. Последние исследования показывают, что это движение водных масс может легко изменить скорость или направление. Наблюдаемые ныне колебания температуры поверхностных вод океана оказывают влияние на климатические флуктуации и являются одной из причин продолжительной засухи в Сахеле начиная с конца 1960-х гг., уменьшения активности ураганов в Атлантике и явления Эль-Ниньо в тропических водах Тихого океана.

Атмосфера

ВИДЫ ОБЛАКОВ

Английский ученый Люк Ховард (1772—1864) предложил первую классификацию облаков на основе латинских названий, характеризующих три основные их формы: *cumulus* (кучевые), *stratus* (слоистые) и *cirrus* (перистые). Помимо внешнего вида, облака разделяют по высоте. Первое деление атмосферы на три яруса было предложено в 1803 г. французским естествоиспытателем Жаном Батистом Ламарком (1744—1829). В основу современной международной классификации облаков положено их разделение по высоте и внешнему виду.

ОСНОВНЫЕ ТИПЫ

I. Облака верхнего яруса, находящиеся выше 6000 м;
II. Облака среднего яруса, находящиеся на высоте от 2 до 6 тыс. м;
III. Облака нижнего яруса, находящиеся ниже 2 тыс. м;
IV. Облака вертикального развития. Основания этих облаков находятся на уровне нижнего яруса, а вершины могут достигать положения облаков верхнего яруса.

РОДА ОБЛАКОВ

Перистые. Выглядят как отдельные нити, гряды или полосы волокнистой структуры, белые, полупрозрачные, мало затеняющие солнечный свет. Образуются при наиболее низких температурах в верхних слоях тропосферы и состоят из ледяных кристаллов.
Кучевые. Плотные с резко очерченными контурами, развивающиеся вверх в виде холмов, куполов, башен, имеют ослепительно белые клубящиеся вершины (похожи на кочаны цветной капусты). При большом количестве образуют гряды. Состоят только из водяных капель и осадков не дают.
Слоистые. Однородный серый слой капельного строения. Солнечный диск, просвечивающий сквозь облака, имеет четкие очертания.
Перисто-слоистые. Комбинация перистых и слоистых облаков. Тонкая, белая, просвечивающая пелена. Состоят из кристалликов льда. Облака верхнего яруса.
Перисто-кучевые. Комбинация перистых и кучевых облаков. Слои и гряды прозрачных хлопьев и шариков. Облака верхнего яруса.
Высокослоистые. Ровная или слегка волнистая пелена серого цвета. Относятся к смешанным. Облака среднего яруса, состоят в основном из капелек воды.
Высококучевые. Облака среднего яруса с некоторым вертикальным развитием. Слои или гряды из белых пластин и шаров, валы. Состоят из мельчайших капелек воды.
Слоисто-кучевые. Облака нижнего яруса, с элементами вертикального развития. Слои и гряды из глыб и валов серого цвета. Состоят из капель воды.
Кучево-дождевые. Плотные клубы, развитые по вертикали, в нижней части водяные, в верхней — ледяные. Могут простираться до уровня тропосферы, где верхушка принимает форму наковальни. Обычно из таких облаков идет сильный дождь или град.
Слоисто-дождевые. Бесформенный серый слой. Это смешанные облака, расположены в нижнем и среднем ярусах.

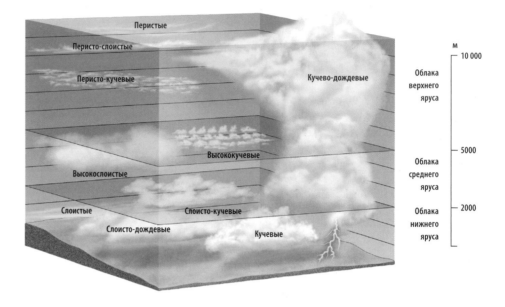

ВОЗДУХ, КОТОРЫМ МЫ ДЫШИМ

Мы живем в тропосфере, нижнем слое атмосферы. Воздух, которым мы дышим, состоит главным образом из азота и кислорода, небольшого количества водяных паров, аргона, углекислого и некоторых других газов. Водяные пары, сосредоточенные в тропосфере, оказывают влияние на большую часть погодных явлений.

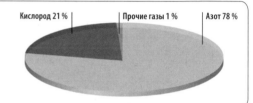

Кислород 21 % | Прочие газы 1 % | Азот 78 %

ТИПЫ ОСАДКОВ

Атмосферные осадки — вода в жидком или твердом состоянии, выпадающая из облаков или осаждающаяся из воздуха на земную поверхность и различные предметы.
Дождь представляет собой влажные осадки, которые выпадают из облаков. Это преимущественно кучево-дождевые и слоисто-дождевые облака. В них складываются благоприятные условия для образования крупных капель дождя. Мелкие капельки могут выпадать в виде мороси из некоторых слоистых или кучевых облаков, которые не сильно развиты по вертикали, то есть в них не сложились условия для образования крупных капель.
Морось состоит из очень мелких капелек. Обычно выпадает из слоистых облаков или тумана. Капельки настолько мелки, что создается впечатление, будто они висят в воздухе. Даже если морось продолжается довольно долго, существенного изменения суточного количества осадков не происходит. А дождь может быть и небольшим и ливневым, может вызвать наводнения и разрушения, особенно в городах.
Снег выпадает при отрицательной температуре у поверхности земли. Зимой снежные хлопья выпадают из слоистых или кучевых типов облаков. Ни одна из снежинок не идентична по форме другой.
Град выпадает из кучево-дождевых облаков при грозах и, как правило, вместе с ливневым дождем. В течение своей «жизни» градины многократно увлекаются то вверх, то вниз сильными токами конвекции, наращивая размеры путем столкновения с переохлажденными каплями. Это самый разрушительный вид осадков, так как градины могут достигать размеров апельсина.
Ледяная крупа имеет вид округлых ядрышек диаметром от 1 мм и более. Чаще всего крупа наблюдается при температурах близких к нулю, особенно осенью и весной.
Ледяной дождь — это замерзшие в воздухе капли дождя. Может стать причиной гололедицы.
Дождь со снегом — смешанная форма осадков, состоящая из снега и дождя.
Роса — мельчайшие капельки воды, обычно появляющиеся ночью на поверхности, на листьях растений, охладившихся в результате излучения тепла.
Иней — мельчайшие ледяные кристаллы. Образуется в тех же условиях, что и роса, но при температуре ниже 0 °C.
Изморозь — рыхлые снегообразные мелкие кристаллы льда или плотная снегообразная масса. Оседает на деревьях, проводах и углах зданий из воздуха, насыщенного влагой, при низких температурах.
Гололед — слой плотного льда, образующийся на поверхности земли и на предметах (стволах и ветвях деревьев, телеграфных проводах и т. д.) при замерзании на них переохлажденных капель тумана или дождя. Образуется преимущественно осенью и весной с наветренной стороны предметов.

СТРОЕНИЕ АТМОСФЕРЫ

По распределению температуры с высотой атмосферу делят на слои. Их высота зависит от широты и сезона года. Для большей наглядности соотношение между слоями на рисунке внизу несколько нарушено.

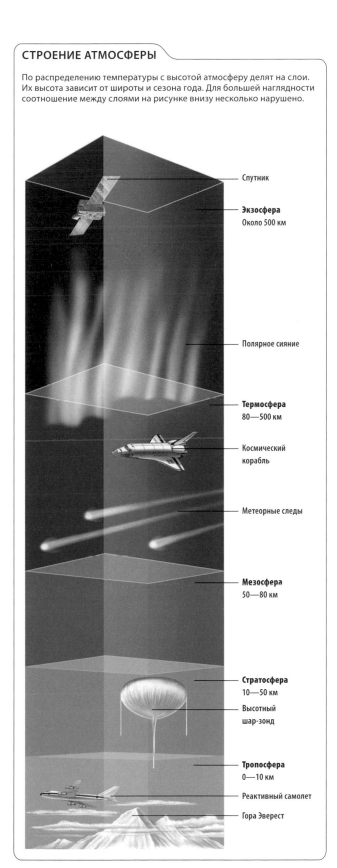

Спутник

Экзосфера
Около 500 км

Полярное сияние

Термосфера
80—500 км

Космический корабль

Метеорные следы

Мезосфера
50—80 км

Стратосфера
10—50 км

Высотный шар-зонд

Тропосфера
0—10 км

Реактивный самолет

Гора Эверест

МЕЖДУНАРОДНЫЕ СИМВОЛЫ ПОГОДЫ

ТЕКУЩАЯ ПОГОДА

,	слабая морось		непрерывный умеренный дождь		град
,,	непрерывная слабая морось		сильный дождь с перерывами		переохлажденный дождь
,	умеренная морось с перерывами		непрерывный сильный дождь		дымка
,,	непрерывная умеренная морось	*	слабый снег		смерч
,	сильная морось с перерывами	**	непрерывный слабый снег		пыльная буря
,,,	непрерывная сильная морось	* *	умеренный снег с перерывами		туман
•	слабый дождь	**	непрерывный умеренный снег		гроза
••	непрерывный слабый дождь	* * *	сильный снег с перерывами		зарница
•	умеренный дождь с перерывами	***	непрерывный сильный снег		ураган

НИЗКИЕ ОБЛАКА

—	слоистые	⌒	кучевые		кучево-дождевые «лысые»
⌣	слоисто-кучевые	⌂	кучевые мощные		кучево-дождевые с наковальней

СРЕДНИЕ ОБЛАКА

∠	высокослоистые	⌄	высоко-кучевые	Μ	высококучевые башенкообразные

ВЫСОКИЕ ОБЛАКА

⌐	перистые	2	перисто-слоистые		перисто-кучевые

ОБЛАЧНОСТЬ (в баллах)

○	безоблачно		3		6
	1 и более		4		7 и более
	2		5	●	8

СКОРОСТЬ ВЕТРА (км/ч)

◎	штиль		14—23		89—97
—	1—3		24—33		192—198
	4—13		34—40		

Температура и влажность

ТЕМПЕРАТУРА

ПЕРЕВОД ГРАДУСОВ

Градусы Цельсия в градусы Фаренгейта:
°F = (1,8 × °C) + 32

Градусы Фаренгейта в градусы Цельсия:
°C = 0,56 × (°F – 32)

ОХЛАЖДЕНИЕ ВЕТРОМ

Известно, что температура, которую показывает термометр, не всегда идентична нашим ощущениям. Метеорологи кроме обычной, сообщаемой в прогнозах температуры определяют и так называемую «эффективную температуру», которая намного лучше информирует человека о влиянии на него сразу трех факторов — температуры воздуха, его относительной влажности и скорости ветра. Для летнего периода эффективная температура значительно выше измеренной, а для зимнего — значительно ниже. При помощи таблицы можно узнать температуру по ощущениям человека при текущем ветре.

Скорость ветра (м/с)	Температура воздуха (°C)				
	10	5	0	–5	–10
4—5	4	–2	–8	–14	–21
8—9	0	–7	–14	–22	–29
13—14	–2	–10	–18	–26	–34
17—18	–3,5	–12	–20	–28	–36
	–15	**–20**	**–25**	**–30**	**–35**
2—3	–17,5	–23	–28	–33	–38
6—7	–32	–39	–44	–51	–58
11—12	–38	–46	–52	–60	–67
15—16	–42	–50,5	–57	–64	–73

ИЗМЕРЕНИЕ ВЛАЖНОСТИ

Воздух считается насыщенным, то есть содержит максимальное количество водяных паров, когда наступает динамическое равновесие между степенью насыщения и конденсации. Температура воздуха, при которой наступает полное насыщение, называется точкой росы. На этом графике показано, что если в 1 м³ воздуха содержится 10,7 см³ пара, то точка росы наступит при температуре 11,4 °C.

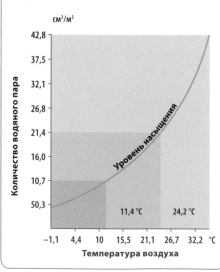

см³/м³

Количество водяного пара

Уровень насыщения

42,8
37,5
32,1
26,8
21,4
16,0
10,7
50,3

11,4 °C   24,2 °C

–1,1   4,4   10   15,5   21,1   26,7   32,2 °C

Температура воздуха

МЕТЕОРОЛОГИЧЕСКИЕ ИЗМЕРЕНИЯ

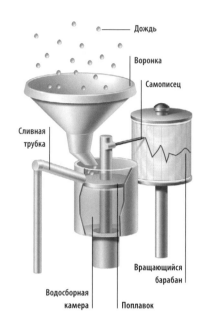

Дождь
Воронка
Самописец
Сливная трубка
Вращающийся барабан
Водосборная камера
Поплавок

Плювиограф. Этот прибор измеряет количество и норму дождевых осадков. Дождь попадает в воронку, стекает в приемную камеру, где находится поплавок, который поднимается.

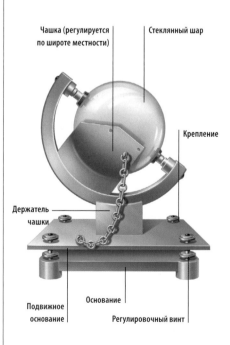

Чашка (регулируется по широте местности)
Стеклянный шар
Крепление
Держатель чашки
Подвижное основание
Основание
Регулировочный винт

Гелиограф. Стеклянный шар концентрирует солнечные лучи на ленте, чтобы получилась полоса прожога.

МЕТЕОРОЛОГИЧЕСКИЕ ПРИБОРЫ

Смоченный термометр измеряет температуру насыщения воздуха.
Сухой термометр измеряет температуру окружающего воздуха.
Барометр измеряет атмосферное давление.
Анемометр измеряет скорость и направление ветра.
Дождемер измеряет количество атмосферных осадков.
Термограф записывает температуру воздуха.
Гигрограф регистрирует влажность воздуха.
Гигрометр измеряет относительную влажность воздуха.
Плювиограф регистрирует продолжительность, количество и интенсивность осадков.
Флюгарка показывает направление ветра.
Ветровой конус показывает направление ветра и его скорость.
Гелиограф регистрирует продолжительность солнечного сияния.
Радиозонд измеряет температуру, атмосферное давление и влажность воздуха в атмосфере.
Наземный радар определяет местоположение и параметры дождя или снегопада.
Радиометр инфракрасный измеряет температуру верхушек облаков со спутника и рисует эпюры распределения температур в атмосфере.
СВЧ-радиометр предназначен для измерения радиотеплового излучения системы «атмосфера — подстилающая поверхность».

ЭКСТРЕМАЛЬНАЯ ПОГОДА

Самое влажное место — Моусинрам, Индия. Среднегодовое количество осадков 11 874 мм в год.
Самое дождливое место — потухший вулкан Вайалеале, о. Кауаи, Гавайи. 350 дней в году идет дождь.
Самое сухое место — г. Арика в чилийской пустыне Атакама. Среднегодовое количество осадков — 8 мм.
Самая высокая температура воздуха в г. Аль-Азизия, Ливия. 13 сентября 1922 г. зафиксирована температура 58 °C.
Самая низкая температура — станция «Восток», Антарктида. 21 июля 1983 г. зафиксирована температура –89,2 °C.
Самая большая амплитуда температур — г. Верхоянск, Центральная Сибирь. Летние температуры достигают 37 °C, зимние могут достигать –68 °C.
Самая большая скорость ветра вне торнадо — гора Вашингтон, США. 12 апреля 1934 г. зафиксирована скорость 371 км/ч.
Самая большая скорость ветра в торнадо — Великие равнины. Скорость достигала 500 км/ч.
Самые тяжелые градины — г. Гопалгандж, Бангладеш. В результате выпадения града 14 апреля 1986 г. убиты 92 человека. Вес градин достигал 1 кг.
Самое жаркое место — пустыня Сахара, Даллол, Эфиопия. Средняя дневная температура с 1960 по 1966 г. составила 34 °C.
Самое высокое атмосферное давление — 1083,5 гектопаскаля зафиксировано 31 декабря 1968 г. в г. Агата, Сибирь, Россия.

НАИБОЛЕЕ ЗНАЧИМЫЕ ПОГОДНЫЕ ЯВЛЕНИЯ XX В.

Местонахождение	Событие	Год
Индия	Засуха	1900, 1907, 1965—1967
Китай	Засуха	1907, 1928—1930, 1936, 1941—1942
СССР	Засуха	1921—1922
Сахель	Засуха	1910—1914, 1940—1944, 1970—1985
Китай	Тайфуны	1912, 1992
Китай	Наводнение на р. Янцзы	1931
Великобритания	Великий лондонский смог	1952
Европа	Штормовой нагон	1953
Иран	Наводнение	1954
Япония	Тайфун «Вера»	1958
Бангладеш	Циклоны	1970, 1989, 1991
Северный Вьетнам	Наводнение	1971
Иран	Снежная буря	1972
Эль-Ниньо	Течение	1982—1983
Филиппины	Тайфун «Тельма»	1991
Гондурас и Никарагуа	Ураган «Митч»	1998
США	Ураган «Эндрю»	1992
Индия	Циклон	1996
Франция, Германия, Швейцария, Великобритания	Ураган «Лотар»	1999
Индия	Ураган	1999
Грузия	Засуха	2000
Австралия	Наводнение	2000
Европа	Наводнение	2000
Россия	Снежный циклон	2001
12 стран Азии и Африки, расположенных по периметру Индийского океана	Цунами	2004
США	Ураган «Катрина»	2005
Испания	Засуха	2005
Алжир	Снегопад	2005

КАК НАЗЫВАЮТ УРАГАНЫ

В разных частях света штормовые циклоны называют по-разному. Штормовые ветры, которые формируются над Атлантическим или восточной частью Тихого океана, называются ураганами, в западной части Тихого океана и на Филиппинах — тайфунами, а в Индии и южной части Тихого океана это циклоны.

Практика присваивания имен бурям имеет долгую историю. В начале XIX в. ураганы в Вест-Индии стали называть именем ангела того дня, на который они пришлись. Например, ураган «Сан-Фелипе» обрушился на Пуэрто-Рико 13 сентября 1876 г. В 1928 г. в тот же день Пуэрто-Рико посетил новый ураган, который назвали «Сан-Фелипе Второй». Позже метеорологи стали использовать в названиях ураганов долготно-широтные характеристики. Но затем, чтобы избежать ошибок, перешли на более короткие и четкие названия. Преимущества такого метода очевидны при обмене информацией между сотнями метеостанций на суше и в море.

Женские имена стали использовать для названия ураганов во время Второй мировой войны после выхода в свет романа Джорджа Р. Стюарта «Шторм». С 1953 г. тропические циклоны стали называть в соответствии с разработанным в США списком названий ураганов, который поддерживается и обновляется Всемирной метеорологической организацией. До 1979 г. в эти списки входили только женские имена, теперь поочередно используются женские и мужские. Попеременно используются шесть списков. Так, список, который использовался в 2004 г., будет вновь применен в 2010 году. Список имен имеет французские, испанские, датские и английские корни, так как метеослужбы нескольких стран ведут наблюдения за ними. Имена, начинающиеся с букв Q, U, X и Y, в списки не включены — их очень мало.

Изменения в списке названий ураганов происходят только в том случае, если ущерб от определенного урагана и жертвы были так велики, что использование его имени для другого стихийного бедствия становится невозможным по этическим причинам. В таком случае имя с печальным прошлым заменяется другим. Так уже происходило неоднократно. Например, в списке 2002 г. «Кристобаль» заменил «Цезаря», вместо «Фэй» поставили «Фрэн», а «Ханну» поставили вместо «Хортенс». В списке 2004 г. «Гастон» заменил «Георга», а «Мэттью» — «Митча». В списке 2006 г. «Керк» — «Кейта».

УРАГАНЫ

УРАГАН, УНЕСШИЙ БОЛЬШЕ ВСЕГО ЖИЗНЕЙ

1970 г. В Бангладеш число жертв от циклона, по наиболее достоверным оценкам, достигло 300 тыс. человек.

УРАГАНЫ, НАНЕСШИЕ САМЫЙ БОЛЬШОЙ УЩЕРБ

В материальном выражении самый значительный ущерб был нанесен ураганом «Эндрю» (1992), который обрушился на Багамские острова, Флориду и штат Луизиана (США). Ущерб оценивается в 27 млрд долларов США. Однако если учесть инфляцию, изменение благосостояния и рост численности населения, то ущерб от «Великого урагана Майами», пронесшегося над Флоридой и Алабамой в 1926 г., в середине 1990-х гг. оценивался бы в 80 млрд долларов. В августе 2005 г. на южные штаты США обрушился сильнейший ураган «Катрина». Он прокатился по побережью Флориды, Мексиканскому заливу и штату Луизиана, разрушая все на своем пути. Был затоплен главный город штата — Новый Орлеан, затоплены и разрушены населенные пункты в прибрежных районах Луизианы, Миссисипи и Алабамы. Погибло 1160 человек. Общий ущерб от урагана оценивается в 125 млрд долларов.

САМЫЙ СИЛЬНЫЙ УРАГАН

Давление в центре тайфуна «Тип», разразившегося в северо-западной части Тихого океана 12 октября 1979 г., составляло 870 гектопаскалей, а скорость ветра у поверхности достигала 304 км/ч. Тайфун «Нэнси», зафиксированный 12 сентября 1961 г. в том же районе, имел скорость ветра 341 км/ч и давление в центре вихря 888 гектопаскалей.

Ураган «Гилберт», возникший в середине сентября 1988 г., оказался самым мощным циклоном, когда-либо формировавшимся в Атлантическом океане. Давление в нем составило 888 гектопаскалей. Он оказался всего на 20 единиц слабее упомянутого выше тайфуна «Тип».

Несмотря на то что в целом давление в тайфунах северо-западной части Тихого океана ниже, североатлантические ураганы сравнимы с ними по скорости ветра. В ураганах «Камилла» (1969) и «Аллен» (1980) скорость ветра достигала 304 км/ч.

САМЫЙ ДЛИТЕЛЬНЫЙ УРАГАН

Ураган / тайфун «Джон» продолжался 31 день. В августе—сентябре 1994 г. он перемещался по северо-востоку и северо-западу Тихого океана. Он сформировался в северо-восточной части Тихого океана, где набрал силу урагана, пересек международную линию смены дат и был переименован в тайфун «Джон», затем пересек линию смены дат в обратном направлении, и его опять переименовали, теперь уже в ураган «Джон».

АКТИВНОСТЬ УРАГАНОВ

Сезон 2005 г. останется в метеорологической летописи как рекордсмен по количеству тропических циклонических вихрей, зародившихся в Атлантике: 28 тропических штормов и 15 ураганов. Ожидается, что 2007 г. принесет 17 тропических циклонов, 9 из которых могут перерасти в тропические ураганы, ветры в которых могут достигать как минимум 120 км/ч.

Сведения о климате

КЛИМАТ ЗЕМЛИ

Карта климатических зон показывает их преимущественно широтное распространение, особенно между Северным и Южным тропиками и в полярных областях. Иногда, главным образом под влиянием рельефа и в зависимости от конфигурации материков, их расположение изменяется на меридиональное и субмеридиональное.

- Экваториальный климат
- Субэкваториальный климат
- Засушливый климат
- Полузасушливый климат
- Средиземноморский климат
- Умеренный климат
- Бореальный климат
- Полярный климат
- Горный климат
- Прибрежный климат

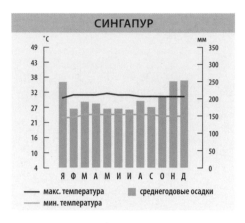

■ **ЭКВАТОРИАЛЬНЫЙ КЛИМАТ**

В Сингапуре температура в течение года почти не меняется. Ее годовая амплитуда составляет не более одного-двух градусов. Осадки обильны круглый год, их максимум приходится на ноябрь—декабрь. Обычна высокая влажность воздуха.

Экваториальный климат характерен для районов, которые расположены между Северным и Южным тропиками. Здесь большую часть года наблюдаются высокие температуры воздуха: максимальная — до 35 °C, минимальная — не ниже 18 °C. Осадки в этом типе климата обильны (ежемесячно до 100 мм), имеют ливневый характер и часто сопровождаются грозами. Но бывают относительно сухой и влажный периоды. Свет, тепло и влага создали благоприятные условия для многих форм жизни: густые многоярусные леса, разнообразие флоры и фауны.

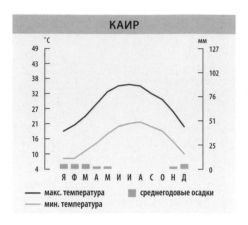

■ **ЗАСУШЛИВЫЙ КЛИМАТ**

В Каире в течение всего года выпадает небольшое количество осадков. Максимальные температуры воздуха наблюдаются здесь в середине года при практически безоблачном небе. Для этого региона характерны относительно низкая влажность и большие различия дневных и ночных температур.

В условиях аридного (сухого) климата образуются пустыни. Здесь среднегодовое количество осадков составляет менее 250 мм, а при высоких температурах испарение превышает осадки. В пустынях велики суточные колебания температуры. Днем поверхность сильно нагревается и быстро остывает после захода солнца. Многие аридные зоны находятся под воздействием областей высокого давления, где наблюдаются нисходящие токи воздуха, что приводит к отсутствию осадков.

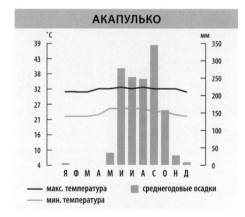

■ **СУБЭКВАТОРИАЛЬНЫЙ КЛИМАТ**

В Акапулько (Мексика) круглый год наблюдается высокая температура воздуха с небольшим понижением в зимний период. Основная часть осадков выпадает во время влажного сезона, с июня по сентябрь.

К северу и к югу от зоны экваториального климата располагаются районы субэкваториального климата с ярко выраженными сухим и влажным сезонами и относительно высокими температурами в течение года. Разница температур между самым холодным и самым жарким месяцем может достигать трех-четырех градусов. Смена сезонов происходит в результате перемещения области высокого давления летом в сторону полюсов, а зимой — к экватору. Продолжительность сухого сезона увеличивается по мере удаления от экватора.

■ **ПОЛУЗАСУШЛИВЫЙ КЛИМАТ**

Город Нджамена расположен в районе саванн к югу от Сахары в Республике Чад. Эта область называется Сахель. Здесь практически всегда жарко, и только немного прохладнее в течение короткого влажного периода с июля по сентябрь, когда выпадает более 80 % годовой нормы осадков.

В зонах полузасушливого климата расположены огромные пространства саванн и степей. Годовое количество осадков колеблется здесь от 250 до 760 мм, что достаточно для травянистой растительности, но мало для произрастания полноценных лесов. Полузасушливые районы протянулись от тропиков в умеренные широты, куда системы атмосферной циркуляции приносят небольшое количество осадков. Жестокие засухи в этих районах — явление довольно обычное.

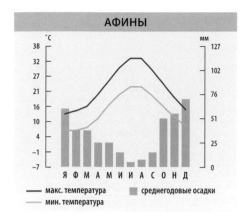

СРЕДИЗЕМНОМОРСКИЙ КЛИМАТ

На этом совмещенном графике приведен пример типичного средиземноморского климата с жарким сухим летом и прохладной дождливой зимой. Среднемесячные температуры воздуха и количество осадков показаны на примере Афин (Греция).

Средиземноморский тип климата характеризуется жарким сухим летом и мягкой влажной зимой. Он формируется под влиянием двух воздушных масс. Летние антициклоны приносят горячий и сухой воздух субтропиков на западные окраины материков, зимой они смещаются в сторону экватора, уступая место циклонам умеренных широт, которые несут осадки. С климатом связан и особый тип растительности, с характерными формами адаптации к летней сухости. Это жестколистные вечнозеленые леса и кустарники.

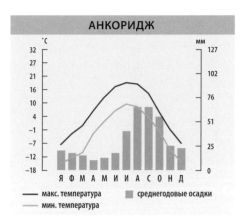

БОРЕАЛЬНЫЙ КЛИМАТ

В Анкоридже на Аляске длинная и очень холодная зима, которую сменяет короткое прохладное лето. В целом климат достаточно сухой, но в конце лета — начале осени здесь отмечается увеличение осадков.

Бореальный (северный) климат формируется только в Северном полушарии и совпадает с границами распространения хвойных лесов. На севере бореальная зона граничит с тундрой, на юге — с лиственными лесами умеренного пояса. Характерные особенности этого климата: относительно низкая среднегодовая температура, хорошо выраженные времена года — продолжительная холодная зима и относительно короткое теплое лето. Это круговая полоса, охватывающая земной шар. Ее общая площадь около 1,2 млрд га, около 30 % ее занимают бореальные леса Европы, Азии, Северной Америки.

ГОРНЫЙ КЛИМАТ

Гора Вашингтон в США имеет высоту 1921 м. Зима в этом районе холодная и ветреная, с частыми снегопадами, лето мягче, со средней температурой июля около 13 °C.

Влияние высоты и освещенности в горных районах создает мозаику условий, объединяемых понятием «горный климат». Горы перехватывают и изменяют направление движения воздушных масс, формируют собственные метеорологические образования. Общие особенности горного климата — пониженное атмосферное давление, повышенная интенсивность солнечной радиации, насыщенной ультрафиолетовым излучением, пониженная температура воздуха, рост с высотой количества осадков, сильные горнодолинные ветры. Высота, на которой начинается зона горного климата, зависит от широты местности.

УМЕРЕННЫЙ КЛИМАТ

Для столицы Германии Берлина характерны холодная, иногда снежная зима, но теплое лето с температурой воздуха около 24 °C. Максимальное количество осадков выпадает летом, но достаточно равномерно распределено в течение года.

В средних широтах, там, где около полугода температура воздуха выше 10 °C, наблюдается умеренный климат. Во всех этих районах четко выражены четыре времени года, а суровость зимы зависит от близости к морю. Вдоль западных берегов континентов преобладающие океанические ветры создают условия для морского климата, где температура самого холодного месяца редко падает ниже 0 °C и практически нет снежного покрова зимой. В условиях континентального умеренного климата на один-два месяца в году образуется устойчивый снежный покров.

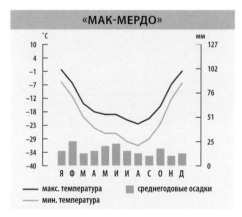

ПОЛЯРНЫЙ КЛИМАТ

Годовые колебания температуры и осадков на станции «Мак-Мердо» в Антарктиде — это классическая иллюстрация сурового полярного климата с исключительно холодной зимой. В этих суровых условиях могут существовать только высокоприспособленные формы жизни.

Климат полярных районов Северного и Южного полушарий определяется полярной ночью и полярным днем. Зима здесь очень долгая и темная, а лето короткое и холодное. Средняя температура самого теплого месяца года обычно ниже 10 °C. Осадки небольшие, в основном в виде снега, их среднегодовой объем составляет менее 250 мм. Суровые условия отразились на ландшафтах — они покрыты низкорослой тундровой растительностью или полярными льдами.

ПРИБРЕЖНЫЙ КЛИМАТ

В Сиднее климат мягкий. На летние температуры здесь влияет ярко выраженный морской бриз. Осадки в течение года распределены достаточно равномерно.

Климат на берегах океанов или других крупных водных объектов находится под сильным воздействием воздушных масс, формирующихся над водной поверхностью. Он сильно отличается от климата местности, расположенной даже не очень далеко от берега. Это происходит потому, что температура воды в течение года изменяется довольно медленно. Климат побережий характеризуется небольшими колебаниями температуры, прохладным летом и мягкой зимой, время наступления самых высоких и самых низких температур запаздывает по сравнению с континентальными областями.

Природные катастрофы

Центр исследования природных катастроф опубликовал мировую статистику по итогам 2004 г. В этом году в мире произошло 128 значительных наводнений, 121 ураган, 35 эпидемий, 30 землетрясений, 16 сходов крупных лавин. 15 раз были зарегистрированы экстремальные температуры воздуха. Было отмечено 13 засух, столько же цунами, 12 случаев массового распространения опасных насекомых (саранча, комары и пр.), 7 крупномасштабных лесных пожаров и 5 извержений вулканов. В десятке стран, столкнувшихся с наибольшим количеством стихийных бедствий, попала и Россия. Список выглядит следующим образом: Китай (25 бедствий), США (22), Индонезия (18), Филиппины (13), Япония (12), Турция и Бангладеш (по 10), Нигерия (9), Таиланд и Россия (по 8). Ущерб, нанесенный природными бедствиями в 2005 г., оценивается в 159 млрд долларов США. В той или иной степени от природных катастроф пострадало 157 млн человек. Это на 7 млн больше, чем в 2004 г. Рост числа стихийных бедствий связан, прежде всего, с увеличением количества наводнений и засух, затрагивающих большое число людей. По данным ООН, число наводнений в 2005 г. по сравнению с предыдущим увеличилось на 57 %, а засух — на 47 %.

ГЕОГРАФИЧЕСКОЕ РАСПРЕДЕЛЕНИЕ КАТАСТРОФ

За последние пятьдесят лет количество природных катастроф на Земле увеличилось почти в три раза. Наиболее распространенными опасными природными явлениями в мире являются тропические штормы и наводнения (по 32 %), землетрясения (12 %), другие природные процессы (14 %). Среди континентов мира наиболее подверженными действию опасных природных процессов являются Азия (38 %), Северная и Южная Америка (26 %), далее идут Африка (14 %), Европа (14 %) и Океания (8 %).

ДИНАМИКА УЩЕРБОВ

Количество людей, погибших от природных катастроф, за последние 35 лет возрастало ежегодно в среднем на 4,3 % и составило 3,8 млн человек, а количество пострадавших увеличивалось ежегодно на 8,6 % и достигло за этот же период времени 4,4 млрд человек. Максимум пришелся на 1970—1974 гг., когда засухи в Африке послужили причиной гибели 1793 тыс. человек. Еще одна вспышка смертности, связанная с засухой в ряде стран Азии, отмечалась в 1980—1984 гг. В конце 80-х и первой половине 90-х гг. XX в. число жертв природных катастроф оставалось примерно на одном уровне (52—58 тыс. человек в год), а в 1995—1999 гг. снизилось до 33 тыс. человек в год. Растет количество жертв, связанных с наводнениями, в то время как распределение по годам погибших от других видов катастроф не подчиняется какой-либо закономерности.

Наиболее опасными для жизни людей являются засухи: их жертвами оказалось почти 49 % погибших. Громадная угроза заложена в тайфунах и штормах. От них погибло около 26 % людей, испытавших силу природных катастрофических явлений. Землетрясения занимают третье место по количеству смертных случаев (17 % от общего числа погибших).

Стремительными темпами растут экономические потери от природных катастроф: в 60-х гг. прошлого столетия они составляли несколько миллиардов долларов, а в конце столетия достигли 85 млрд долларов. Суммарная величина экономических потерь в мире во второй половине XX в. составляет 895 млрд долларов. По прогнозам, к середине XXI столетия ежегодный ущерб может достигнуть 300 млрд долларов.

В настоящее время ежегодный прирост ущерба от природных катастроф составляет около 6 %, а темпы роста глобального валового продукта около 2,2 % в год. Расчеты показывают, что если эти темпы роста потерь и глобального валового продукта сохранятся, то уже к середине нынешнего столетия более половины всего прироста валового продукта будет уходить на покрытие ущерба от природных катастроф.

КАКИЕ СТРАНЫ СТРАДАЮТ БОЛЬШЕ

Подверженность различных стран природным катастрофам тесно связана с уровнем их социально-экономического развития. В соответствии с классификацией Мирового банка, все страны мира по их валовому национальному продукту на человека можно подразделить на три группы: с низким доходом (менее 635 долл./чел.), средним (635—7910 долл./чел.), и высоким доходом (более 7910 долл./чел.). В этих трех группах стран во второй половине XX столетия произошло сопоставимое количество природных катастроф. Однако последствия этих катастроф были совершенно различные. Количество погибших в странах с низким доходом на 1 млн населения в 7,7 раза больше, чем в странах со средним доходом, и 26 раз больше, чем в странах с высоким доходом. Картина с экономическими потерями обратная. В развитых странах экономические потери в 5 раз выше, чем в странах с малым доходом. Однако экономический и социальный ущерб от природных катастроф наиболее тяжелым бременем ложится именно на экономику бедных развивающихся стран.

Имеются примеры, когда экономические потери от природных катастроф в отдельных странах превышают величину валового национального продукта, в результате чего экономика этих стран оказывается в критическом состоянии. Так, например, прямой ущерб от землетрясения в Манагуа (1972) составил 209 % стоимости годового валового продукта Никарагуа. В США ущерб только от четырех крупнейших природных катастроф в 1989—1994 гг. (землетрясения в Ломо-Приета и Нортридже, тропический ураган «Эндрю» и наводнение на Среднем Западе) составил 88 млрд долларов, что оказало заметное влияние на экономику наиболее развитой страны мира. Уже сейчас многие развитые страны, такие как Япония, вынуждены тратить на борьбу с природными катастрофами 5—8 % своего годового бюджета (0,8 % валового национального продукта), что составляет 23—25 млрд долларов в год. В Китае ежегодный ущерб от природных катастроф составляет в среднем 3—6 % от валового национального продукта. В последнее десятилетие он равен в среднем 19 млрд долларов в год.

ПРИЧИНЫ ПРИРОДНЫХ КАТАСТРОФ

Увеличение количества природных катастроф в мире и ущерб от них связаны с рядом глобальных процессов в социальной и природной сферах. Одной из причин роста социальных и материальных потерь является неудержимое увеличение численности населения Земли. Другой причиной является рост техногенного воздействия человека на природную среду, что приводит к активизации опасных природных процессов, таких как наводнения, ураганы, смерчи, оползни, эрозия.

Глобальное потепление климата может оказать как положительное, так и отрицательное воздействие на природную среду. Но в первую очередь с ним связан рост природных катастрофических явлений, таких как опустынивание, заболачивание, подтопление, подъем уровня Мирового океана, сход ледников, деградация вечной мерзлоты и т. д.

В РОССИИ

Так же как и для мира в целом, для России характерен рост природных катастроф, особенно в последние годы. По данным МЧС, среднее количество чрезвычайных ситуаций природного характера в стране составляет сейчас около 280 событий в год, в то время как еще 10 лет назад их количество не превышало 220. К природным опасностям, распространенным на территории России, относится более 30 различных явлений, среди которых наибольшую угрозу представляют землетрясения, наводнения, ураганные ветры и штормы, извержения вулканов, цунами, провалы и опускания земной поверхности, оползни, сели, снежные лавины и сход ледников, аномальные температуры, лесные пожары. Наиболее частыми являются природные катастрофические явления атмосферного характера — бури, ураганы, смерчи, шквалы (28 % от общего количества природных чрезвычайных ситуаций). Далее идут землетрясения, составляющие 24 % от общего количества. Чрезвычайные ситуации, обусловленные наводнениями, достигают 19 % от общего числа. Опасные геологические процессы, такие как оползни, обвалы, карстовые провалы, составляют 4 %. Другие природные бедствия, среди которых наибольшую частоту проявления имеют крупные лесные пожары, в сумме составляют 25 %. В России, по имеющимся далеко не полным данным за 35 лет (1965—1999), от различных опасных природных процессов погибло более 4,5 тыс. и пострадало около 540 тыс. человек.

Наибольшие социальные и материальные потери приходятся на территории городов, где отмечается максимальная концентрация людей и техногенной инфраструктуры.

Вот несколько крупнейших природных катастроф, которые мы пережили за последние 10 лет.

Май 1995 г. Нефтегорское землетрясение: более 2 тыс. человек погибло, экономический ущерб составил более 200 млн долларов США.

Май 2001 г. Заторное наводнение в Якутии (г. Ленск): 7 погибших, более 50 тыс. человек пострадали, экономический ущерб — 200 млн долларов США.

Июнь 2002 г. Наводнение на юге России: 114 погибших, 335 тыс. человек пострадавших. Экономический ущерб — более 484 млн долларов США.

Сентябрь 2002 г. Сход ледника Колка: 136 человек погибли.

1978—1995 гг. Подъем уровня Каспийского моря на 245 см: выведено из землепользования более 400 тыс. га прибрежных территорий, пострадало около 100 тыс. человек, экономический ущерб — более 6 млрд долларов США.

Лесные пожары. Чрезвычайно разрушительным явлением на территории России являются лесные пожары. По данным Центра по проблемам экологии и продуктивности лесов, возглавляемого академиком А. С. Исаевым, ежегодно в России происходит от 12 до 37 тыс. лесных пожаров, которыми уничтожается ежегодно от 400 тыс. до 4 млн га лесов. Ущербы от лесных пожаров достигают 470 млн долларов в год, как это было в 1998 г.

ПРОГНОЗИРОВАНИЕ И ПРЕДУПРЕЖДЕНИЕ

До недавнего времени усилия многих стран, в том числе и России, были направлены на ликвидацию последствий опасных природных явлений, оказание помощи пострадавшим, организацию спасательных работ, предоставление материальных, технических и медицинских услуг и т. д. Однако рост числа катастрофических событий и связанного с ними ущерба делают эти усилия все менее эффективными и выдвигают в качестве приоритетной новую задачу: прогнозирование и предупреждение природных катастроф.

ПРИРОДНЫЕ КАТАСТРОФЫ ПОСЛЕДНИХ ЛЕТ

НАВОДНЕНИЯ

Венесуэла, декабрь 1999 г. Сильные наводнения из-за дождей, которые продолжались в течение недели. Чрезвычайное положение было объявлено на территории 5 северо-западных штатов и столичного федерального округа. Количество погибших, по сообщениям западных информационных агентств, превысило 10 тыс. (по другим данным, 30 тыс. и даже 50 тыс.) человек. Жилья лишились 200 тыс. семей. Ущерб составил 15 млрд долларов (до 30 млрд по другим данным), выплаты страховщиков — 0,5 млрд долларов.

Европа, октябрь—ноябрь 2000 г. Проливные дожди вызвали сильные наводнения, оползни, сели и разливы рек в южных районах Швейцарии, Франции, в восточных районах Испании и на севере Италии. Вышли из берегов реки Южной Англии. В Северо-Восточной и Центральной Италии было введено чрезвычайное положение. Река По прорвала дамбы, и ее воды обрушились на прилегающие населенные пункты. Из районов бедствия было эвакуировано около 43 тыс. человек. Огромные площади итальянских городов Турин и Милан были затоплены. Жертвами наводнений стали 30 человек. Ущерб составил 800 млн долларов США. Материальный ущерб от стихии в Швейцарии и Франции оценивался в 3,5 млрд долларов США. Особенно пострадали горные районы, где наводнение вызвало разрушительной силы оползни и обвалы. В восточных районах Испании за 2 дня выпала почти годовая норма осадков. Сотни жителей были эвакуированы. Ущерб, нанесенный провинциям, составил 7,5 млн долларов США.

В ноябре 2000 г. из-за многодневных ливней началось наводнение в Швеции, Австрии и Норвегии. Причиной этих дождей стал обширный атлантический циклон, который обрушился на Европу.

В ноябре 2000 г. в Австралии произошло сильнейшее за последние 50 лет наводнение. Оно было вызвано дождями, в результате которых разлились реки. Под водой оказалось более 200 тыс. км² полей, поселков и городов, затоплена часть штата Новый Южный Уэльс, в котором образовалось внутреннее море, своими размерами превосходящее территорию Великобритании. Наводнение погубило почти весь урожай хлопка и пшеницы. Ущерб составил около 500 млн австралийских долларов (более 250 млн долларов США).

УРАГАНЫ

Ураган в Бангладеш 26 апреля 1989 г. с порывами ветра до 60 км/ч погубил около 1300 человек. Смерчи в Бангладеш наблюдаются значительно реже, чем в США и даже в Западной Европе. Тем не менее смерч в г. Шатурия вошел в Книгу рекордов Гиннесса как самый страшный и разрушительный смерч за всю историю человечества. Жители Шатурии были заранее предупреждены о приближении смерча. Но город был буквально стерт с лица земли. Сообщалось о 1300 погибших и 50 тыс. оставшихся без крова. Остается только надеяться, что этот печальный «рекорд» разбушевавшейся стихии никогда не будет побит. Ураган в Европе в 1999 г. 25—26 декабря 1999 г. сильнейший ураган «Лотар» (скорость ветра доходила до 200 км/ч) и проливные дожди, вызвавшие наводнение, обрушились на европейские страны (Франция, Германия, Швейцария, Великобритания). За два дня ураган унес жизни более 70 человек. Стихийное бедствие привело к остановке железнодорожного транспорта в некоторых районах, к отмене полетов в аэропортах Парижа. В результате урагана около миллиона семей на севере Франции остались на рождественские праздники без электричества. Скорость ветра на юге Германии достигла 200 км/ч, а в парижском аэропорту Орли — 173 км/ч. Стихия совпала с массовыми выездами на новогодние праздники, и обледенелые дороги и сильный ветер стали причиной многочисленных автоаварий.

Ураган в Индии в 1999 г. Этот ураган стал самым сильным за последние 100 лет. Он произошел 30 октября в индийском штате Орисса и стал причиной гибели как минимум 3 тыс. человек. Ветер и проливные дожди привели к значительным разрушениям и оставили без жилья около 1,5 млн индийцев. Скорость ветра во время урагана достигала 260 км/ч. В результате урагана большинство телефонных линий и сетей электропередачи были повреждены. Дороги и коммуникации оказались разрушены. Интересный факт: почтовые голуби стали одним из главных средств передачи информации. Всего от стихии пострадало 20 млн человек, в ряде районов разразился голод.

Ураган «Катрина». В августе 2005 г. на южные штаты США обрушился сильнейший ураган «Катрина». За несколько дней он прокатился по побережью Флориды, Мексиканскому заливу и штату Луизиана, разрушая все на своем пути. Был затоплен Новый Орлеан, разрушены населенные пункты в прибрежных районах Луизианы, Миссисипи и Алабамы. Погибло более 1 тыс. человек. Общий ущерб от урагана оценивается в 125 млрд долларов. «Катрина» — одиннадцатый по счету «именной» ураган крайне тяжелого циклонального сезона 2005 г. Для сравнения: согласно статистике, за последние 60 лет среднее число подобных ураганов не превышало десяти.

ЛИВНИ И ТАЙФУНЫ

Ливни в Таджикистане. Здесь после трехлетней засухи, поставившей миллион местных жителей на грань голодной смерти, весной 2002 г. пошли дожди. Весенне-летние осадки, сменившие жесточайшую засуху, обернулись еще большими бедами. Десятки тысяч гектаров посевных площадей были смыты, а уцелевшие посевы затем истреблены полчищами саранчи, нагрянувшими вслед за дождями. Было уничтожено более 38 тыс. га посевов хлопчатника и почти 8 тыс. га пшеницы. Это, соответственно, 14 и 4 % от общего объема посевных площадей, отведенных под данные культуры. Ущерб составил около 0,5 млн долларов США, что для Таджикистана, еще не вполне оправившегося от разрушительной гражданской войны, было колоссальной суммой. Больше других пострадала Хатлонская область, специализирующаяся на выращивании хлопка.

Тайфун на Филиппинах. 2 сентября 1984 г. Филиппины серьезно пострадали от тайфуна «Айк». Скорость ветра составляла 220 км/ч. В результате 1363 человека погибли, 300 получили ранения, а более 1 млн остались без крова. Это было самое большое число оставшихся без крова в результате тайфуна.

Тайфун «Наби» в Японии. В начале сентября 2005 г. Япония пострадала от разрушительного тайфуна «Наби», который унес жизни 20 человек, привел к разрушению или повреждениям 400 зданий, оставил без электричества тысячи семей. Его сравнивали с прокатившимся по южным штатам США ураганом «Катрина». По международной шкале ему была присвоена самая высокая, пятая, категория. Скорость ветра составляла 160 км/ч в эпицентре. Десятки тысяч жителей были эвакуированы. Тайфун затронул Южную Корею, Курильские острова, Сахалин, Камчатку.

ЗАСУХИ

Засуха в Сахеле (Африка) в 1968—1973 гг. Сахель — узкая полоса африканских полупустынь, отделяющая Сахару от плодородных земель Африки и простирающаяся от Сенегала на западе до Судана на востоке. Эта четырехсоткилометровая полоска земли расширяется и сжимается в зависимости от количества выпадающих за год дождей. С 1968 по 1973 г. длилась сильнейшая засуха, превратившая Сахель в выжженную пустыню. В результате этой засухи в странах этой зоны — Сенегале, Гамбии, Мавритании, Мали и др. — погибло около 250 тыс. человек. Произошел массовый падеж скота (почти 40 %). При этом необходимо иметь в виду, что скотоводство составляет основу хозяйственной деятельности и источник существования большинства населения этих районов. Пересохли многие колодцы и даже такие крупные реки, как Нигер и Сенегал. Поверхность озера Чад сократилась до $1/3$ нормальных размеров.

Грузия. Летом 2000 г. сильнейшая засуха обрушилась на Восточную Грузию. В июле—августе 2000 г. температура воздуха в ряде районов превышала 40 °C. Такой жары здесь не было 36 лет (по другим данным, 100 лет). Не выпадали дожди. От засухи погибло более 70 % урожая. Ущерб составил более 50 млн долларов США. Пострадали все сельскохозяйственные культуры, в частности виноградники в основном винодельческом регионе страны — Кахетии, где начались пожары.

Испания. Летом 2005 г. сюда пришла невиданная засуха. Она началась в марте, а в июне—июле достигла своего апогея. Как отмечает Национальный институт Испании, засуха может затянуться на несколько лет, поскольку такие явления на Пиренейском полуострове всегда имеют циклический характер. Эта сильнейшая за последние 60 лет засуха обрушилась на западные районы Испании. В ее эпицентре оказались столица Каталонии Барселона, равно как и два других туристических центра — побережье Коста-Брава и район к югу от Аликанте.

СНЕГОПАДЫ

Приморье. На южную часть Приморского края в конце декабря 2000 г. обрушился мощный снежный циклон, сопровождаемый штормовым ветром. За несколько часов во Владивостоке, Находке, Уссурийске и других крупных городах выпала месячная норма осадков. 12 января 2001 г. на юге Приморья была зафиксирована самая низкая температура за последние полвека, –42 °C. Во Владивостоке похолодание тоже было близко к рекордному — почти –30 °C. Высокая влажность и сильные ветры, характерные для морского побережья, значительно усиливали мороз. Во всех школах Владивостока на 2 дня были отменены занятия для учеников 1—8 классов. А в некоторых районах Приморья зимние каникулы продлили на две недели.

Снегопады в Алжире. 27 января 2005 г. на Алжир обрушились сильные снегопады и штормовые ветры, которые привели к гибели 13 жителей. Еще 47 человек получили ранения. Большинство пострадавших стали жертвами дорожных аварий, вызванных непривычным для этих краев природным явлением. Под снегом оказалась столица и города, расположенные на побережье и северо-востоке страны. Ряд районов оказался отрезанным от остальной территории снежными заносами, глубина которых местами достигала одного метра. Таких погодных явлений здесь не наблюдалось с конца 1950-х гг.

Безопасность

КАК НУЖНО СЕБЯ ВЕСТИ ВО ВРЕМЯ СТИХИЙНЫХ БЕДСТВИЙ

БЫТЬ ГОТОВЫМ КО ВСЕМУ

Стихийные бедствия наносят огромный материальный ущерб и могут вызвать человеческие жертвы. Очень часто стихийные бедствия наступают внезапно, их трудно прогнозировать, однако там, где они достаточно часты, к ним можно заранее подготовиться и иметь под рукой все необходимое для выживания в чрезвычайной ситуации (фонарь, радиоприемник, предметы первой необходимости, аптечку, запас продуктов, теплую одежду).
Если стихийное бедствие неизбежно приближается, руководствуйтесь следующими правилами.

НАВОДНЕНИЕ

✳ Если у вас есть время, то, перед тем как покинуть дом, следует выключить газ и электричество, собрать с собой документы, вещи первой необходимости и небольшой запас продуктов (дня на два-три), медикаменты, перевязочные материалы.
✳ Если наводнение застало вас на открытом месте или в лесу, необходимо выйти на возвышенное место, забраться на дерево или попытаться уцепиться

за те предметы, которые способны удерживать человека на воде.
✳ Если на вашем пути разлившаяся река, проявите максимум осторожности, когда будете переправляться через нее. Прежде всего, поищите более мелкое место для переправы. Возьмите длинную палку, чтобы измерять глубину.
✳ Идите немного под углом против течения, чтобы оно не сносило вас и, главное, не могло сбить, двигаться следует боком вперед, отрывая ногу ото дна только после того, как плотно поставите другую.

БУРИ И СИЛЬНЫЕ ВЕТРЫ

✳ Узнав о приближении бури, плотно закройте и укрепите все двери и окна. Стекла укрепите крест-накрест полосками клейкой ленты.
✳ Приготовьте свечи (на случай отключения электричества). Отключите электроприборы и внешнюю телеантенну.
✳ Не оставляйте на улице ничего, что может унести ветер.
✳ Если приближается ураган, постарайтесь держаться подальше от берега моря, от рек и низин.
✳ Если ураган застиг вас на возвышенном и открытом месте, передвигайтесь в сторону какого-нибудь

укрытия (к скалам, к лесозащитной полосе), которое могло бы погасить силу ветра. Но берегитесь падающих сучьев и веток, тем более — деревьев.
✳ Бывает, что прежде чем вступить в решающую стадию, ураган немного стихает (центр урагана уходит вверх). Не обманитесь и оставайтесь на месте, потому что скоро ветер возобновится, но с другой стороны.

ГРОЗА

✳ Если вы находитесь на возвышении, немедленно спуститесь вниз. На открытом пространстве держитесь подальше от высоких предметов, например от одиноко растущих деревьев. Не ищите убежища в углублениях среди нагромождения камней.
✳ Почувствовав характерное щекотание кожи, а также то, что у вас волосы поднимаются дыбом, знайте, что молния ударит поблизости от вас. Не раздумывая, бросайтесь ничком на землю, это уменьшит риск поражения.
✳ Если вы в лодке, немедленно гребите к берегу, быть на воде во время грозы очень опасно.
✳ Если вы едете в машине, оставайтесь в ней. Это наиболее без-

опасное место во время грозы. Металлический корпус автомобиля защитит вас, даже если молния ударит прямо в него, она уйдет в землю, не причинив вам никакого вреда. А вот передвигаться на мотоцикле или велосипеде в такое время не стоит.
✳ В городе держитесь подальше от металлических заборов и вообще от всего металлического.
✳ Находясь в доме, выключите радио и телевизор. При грозе первым делом нужно закрыть окна.

ЛЕСНОЙ ПОЖАР

✳ Если пожар только-только начинает разгораться при вас, попытайтесь сбить пламя метелкой из веток. Двигайтесь от края к центру горящего места, так, чтобы ветер дул вам в спину, подгребайте за собой угли.
✳ Если поймете, что вам с пожаром не справиться, отступите и идите за помощью. При этом двигайтесь в подветренную сторону, чтобы не оказаться в кольце огня.
✳ Относительно безопасными местами являются вспаханное поле, большой пустырь или каменистая гряда. Следует избегать бурелома: сухие деревья и трава вспыхивают моментально.

Гидрометеорологические организации

АДРЕСА

Национальные и международные метеорологические организации наблюдают и прогнозируют погоду в тесном сотрудничестве друг с другом. Задачей метеорологической службы является исследование атмосферы и снабжение экономики страны соответствующей информацией о погоде и климате. Вебсайты многих метеоорганизаций содержат большой объем информации и графического материала о текущей погоде, о штормовых предупреждениях и погодных явлениях.

ВСЕМИРНАЯ МЕТЕОРОЛОГИЧЕСКАЯ ОРГАНИЗАЦИЯ (ВМО)
World Meteorological Organization (WMO)
7 bis, Avenue de la Paix
CP 2300-1211 Geneva 2, Switzerland.
www.wmo.ch
Большинство стран являются членами ВМО. Эта организация координирует Всемирную службу погоды, Всемирную программу исследования климата, обеспечивает поддержку других органов службы погоды, в том числе оказывает помощь развивающимся странам.

РОССИЯ
Федеральная служба России по гидрометеорологии и мониторингу окружающей среды («Росгидромет»)
123995, Москва, Д-242, ГСП-5, Нововаганьковский пер., д. 12.
www.meteorf.ru
В «Росгидромет» входят 22 территориальных управления по гидрометеорологии и мониторингу окружающей среды (УГМС), при этом большинство УГМС имеют в своем подчинении региональные центры по гидрометеорологии и мониторингу окружающей среды (ЦГМС), которые расположены в крупных городах.
В составе «Росгидромета» 18 научно-исследовательских институтов, два из них имеют статус Государственного научного центра (Гидрометцентр России и ААНИИ); оперативно-производственные подразделения: Главный

радиометеорологический центр (ГРМЦ), Главный авиаметеорологический центр (ГАМЦ), Главный вычислительный центр (ГВЦ), три военизированных службы активных воздействий на гидрометеорологические процессы. Начиная с 1999 г. создано более 20 метеорологических агентств для организации специализированного гидрометеорологического обеспечения. При службе функционируют пять техникумов, а также ряд других вспомогательных организаций.
Руководитель «Росгидромета» А. И. Бедрицкий в 2003 г. избран на пост президента Всемирной метеорологической организации.

УКРАИНА
Український гідрометеорологічний центр (УкрГМЦ)
Золотоворітська вул. 6-в, Київ 01034.
www.meteo.com.ua
На Украинский гидрометцентр возложены следующие функции: анализ погоды, гидрологического состояния, прогнозирование паводков и других стихийных явлений, оценка условий выращивания сельскохозяйственных культур, оперативное отслеживание радиоактивной обстановки, аварийные случаи химического загрязнения. К тому же имеются крупнейшие вычислительный центр и центр связи, которые передают информацию о погоде в виде закодированных карт
Центральна геофізична обсерваторія
Науки просп. 39, корп. 2, Київ 03680
Сферы деятельности: гидрометеорология, мониторинг, загрязнение

БЕЛАРУСЬ
Республиканский Гидрометеорологический центр (РГМЦ)
Республика Беларусь, 220023, г. Минск, пр. Независимости 110.
www.pogoda.by
Некоммерческая организация Министерства природных ресурсов и охраны окружающей среды. РГМЦ образован 1 октября 1999 г. Сеть гидрометеорологических наблюдений в республике насчитывает 478 постов и 52 станции.

Местные признаки погоды

Научное прогнозирование погоды в настоящее время имеет большую точность, прогнозы погоды ежедневно, несколько раз передаются средствами массовой информации и по Интернету. Однако такие прогнозы составляются обычно для большого района. Поэтому знание местных признаков, основанное на наблюдениях в определенном пункте, может помочь уточнить этот прогноз. Для определения ближайших перемен погоды недостаточно пользоваться только одним признаком, необходимо стремиться учесть весь доступный их комплекс. Внимательно наблюдая за изменениями, происходящими вокруг, вы можете уточнить существующий или составить свой прогноз погоды.

ПРИЗНАКИ СОХРАНЕНИЯ ХОРОШЕЙ ПОГОДЫ

После восхода солнца ветер усиливается, достигает наибольшей силы днем и к вечеру стихает.

В погожий день обычно образуются вот такие кучевые облака с плоскими верхушками.

В ложбинах, низменных местах вечером и ночью собирается стелящийся по земле туман, расходящийся после восхода солнца.

К 10 часам утра появляются кучевые облака, количество их постепенно увеличивается к 3—4 часам дня, а к вечеру облака исчезают.

На берегу моря или большого озера ветер днем дует в воды на сушу, а ночью наоборот, с суши на воду (бризы).

ПРИЗНАКИ УЛУЧШЕНИЯ ПОГОДЫ

Утром появляются кучевые облака, которые к вечеру исчезают.

Кучевые облака движутся в том же направлении, что и ветер у земли.

Ночью тихо и прохладно. В лесу значительно теплее, чем в поле. Луна садится при чистом небе.

После ненастной погоды вечером появляется солнце, при закате нет облаков в западной половине неба.

Зеленый луч на закате — будет хорошая погода.

Вечером появляется радуга, в которой резко выделяется зеленый цвет. Ночью выпадает сильная роса.

Дым поднимается вверх.

ПРИЗНАКИ УХУДШЕНИЯ ПОГОДЫ

Облака, постепенно заполняющие все небо, свидетельствуют о том, что увеличивается влажность и, возможно, скоро начнется дождь.

Ветер к вечеру не стихает, а усиливается. Приближается дождь.

После появления быстро движущихся перистых облаков небо покрывается прозрачным (как вуаль) слоем перисто-слоистых облаков. Они видны в форме кругов около солнца и луны.

На небе одновременно видны облака всех ярусов: кучевые, слоистые и перистые.

Беспорядок на небе свидетельствует о большой нестабильности атмосферы. Не исключена гроза.

Если развившееся кучевое облако переходит в грозовое и в верхней части его образуется «наковальня», то следует ожидать града.

Словарь терминов

Абсолютная влажность — количество водяных паров в единице объема воздуха.

Автоматическая метеостанция — длительное время работает без вмешательства человека. Наблюдения автоматически передаются по радио или через спутник.

Альбедо — отражательная способность земной поверхности.

Анемометр — прибор для измерения скорости ветра.

Антициклон — область повышенного давления воздуха в атмосфере, ветры в которой в Северном полушарии направлены по часовой стрелке, в Южном — против часовой стрелки.

Атмосфера — воздушный океан, окружающий Землю.

Атмосферное давление (давление воздуха) — давление, производимое атмосферой на земную поверхность. Определяется массой столба воздуха с основанием, равным единице. Изменения погоды, как правило, связаны с изменениями этого показателя.

Атмосферные осадки — вода в жидком или твердом состоянии, выпадающая из облаков (дождь, снег, крупа, град).

Атмосферный фронт — граница между воздушными массами, имеющими разную температуру.

Аэрозонд — небольшой непилотируемый самолет, фиксирующий метеоданные.

Барометр — прибор для измерения атмосферного давления.

Биосфера — область существования и функционирования ныне живущих организмов, охватывающая нижнюю часть атмосферы, всю гидросферу, поверхность суши и верхние слои литосферы. Учение о биосфере развито академиком В.И. Вернадским.

Вирга — дождь, который испаряется, не достигнув поверхности земли.

Влажность — количество водяного пара в воздухе.

Водородная связь — электростатическое взаимодействие между отрицательным зарядом кислорода одной молекулы воды и частичным положительным зарядом водорода соседней молекулы, обеспечивающее сцепление отдельных молекул воды.

Водяной пар — вода в газообразном состоянии.

Водяной смерч — вращающийся столб воды, образующийся при прохождении смерча над водной поверхностью.

Выветривание — процесс разрушения и изменения горных пород в условиях земной поверхности под влиянием механического и химического воздействия атмосферы, грунтовых и поверхностных вод и организмов.

Высокие широты — условное название приполярных областей на поверхности земного шара, ограниченных примерно 65° с. и ю. ш.

Гектопаскаль — единица измерения атмосферного давления в Международной системе единиц. 1 гПа = 100 Па. Числовая величина атмосферного давления в гектопаскалях равна числовой величине в миллибарах, т. е. 760 мм = 1013 мб = 1013 гПа.

Гигрометр — прибор для измерения влажности воздуха.

Гидросфера — непрерывная оболочка Земли, включающая всю воду в жидком, твердом, газообразном, химически и биологически связанном состоянии.

«Глаз» бури — область прояснения в центре тропического циклона.

Глобальное потепление — повсеместное повышение температуры атмосферы Земли.

Глобальные климатические модели — компьютерное моделирование глобальных климатических процессов, позволяющее прогнозировать изменение погоды.

Гололед — слой плотного льда, образующийся на поверхности земли и на предметах (деревьях, столбах, домах).

Гольфстрим — океаническое течение, которое несет теплые воды из Карибского моря в Северный Ледовитый океан.

Гравитация — сила, с которой тела притягиваются Землей.

Дифракция — преломление лучей солнечного света краями предметов, в результате чего белый свет разлагается на цветную полосу — спектр.

Дождевая тень — обедненные осадками подветренные склоны и прилегающие к ним территории крупных горных хребтов, перехватывающих влажные воздушные течения.

Зеленый луч — оптическое явление, возникающее при закате или восходе Солнца.

Изобара — линия на синоптической карте, соединяющая точки с одинаковым атмосферным давлением. Очерчивает области высокого и низкого давления. Места близкого расположения изобар обозначают сильный ветер.

Инверсия температуры — повышение температуры воздуха с высотой в том или ином слое атмосферы. Подавляет вертикальное перемешивание воздуха и часто является причиной образования смога.

Иней — тонкий неравномерный слой ледяных кристаллов.

Ископаемое (окаменелость) — остатки животных или растительных организмов, сохранившиеся в земной коре с прежних геологических эпох.

Ископаемое топливо — остатки организмов и продуктов их жизнедеятельности, с большим содержанием углерода и водорода, залегающие в виде геологических пластов.

Испарение — процесс превращения жидкости в пар (например, превращение воды в водяной пар).

Кислотный дождь — атмосферные осадки (в виде дождя, а также снега), содержащие повышенную концентрацию соединений серы, поступающих в атмосферу в результате выброса отходов металлургической и химической промышленности или извержения вулканов.

Климат — многолетний режим погоды в той или иной местности.

Конвекция — подъем отдельных более нагретых масс или потоков воздуха с одновременным опусканием более холодных масс. В процессе подъема может начаться конденсация и образование облаков.

Конденсация — процесс образования воды из водяного пара. Происходит, когда влажный воздух охлаждается до температуры точки росы, соприкасается с охлажденной поверхностью или с ядрами конденсации.

Криосфера — прерывистая оболочка Земли в пределах теплового взаимодействия атмосферы, гидросферы и литосферы. Характеризуется наличием или возможностью существования льда.

Кучево-дождевое облако — форма кучевого облака, сильно развитого по вертикали. Представляет собой самую крупную облачную формацию, несущую грозы. Верхушка облака имеет форму наковальни.

Кучевое облако — конвективное облако с плоским основанием и округлой пышной вершиной.

Ледниковая эпоха (ледниковье) — отрезок времени в геологической истории Земли, характеризующийся сильным похолоданием климата и развитием обширных материковых ледников не только в полярных, но и в умеренных широтах.

Литосфера — твердая каменистая оболочка Земли, включающая земную кору и верхнюю часть подстилающей ее верхней мантии Земли.

Межледниковье — промежуток времени, разделяющий две ледниковые эпохи.

Метеозонд — воздушный шар с метеорологическими приборами.

Метеорология — наука, изучающая погоду.

Микроклимат — местная разновидность климата, параметры которого зависят от подстилающей поверхности, близости к водным объектам или крупным населенным пунктам.

Молекула — мельчайшая частичка вещества, сохраняющая все его свойства.

Морское течение — движение воды в морях и океанах, обусловленное различными силами, в том числе действием ветра на поверхность моря.

Муссон — сезонный ветер, приносящий проливные дожди в тропические и субтропические районы.

Наводнение — значительное затопление местности в результате подъема уровня воды в реке, озере или море.

Насыщение — состояние, когда воздух при данной температуре не может больше вместить водяных паров; момент прекращения испарения; относительная влажность равна 100%. Чем теплее воздушная масса, тем больше водяного пара она может удерживать.

Неустойчивость атмосферы — состояние атмосферы, когда постоянно наблюдаются восходящие и нисходящие токи воздуха.

Низкие широты — условное название тропических и субтропических областей земного шара, расположенных примерно между 40° с. и ю. ш.

Ноосфера — высшая стадия развития биосферы, связанная с возникновением и становлением в ней цивилизованного человечества, когда его разумная деятельность становится главным фактором целесообразного развития. Включает: антропосферу, техносферу, измененную человеком живую и неживую природу, социосферу.

Озон — газ, трехатомная модификация кислорода, поглощающий большую часть вредного ультрафиолетового излучения и предотвращающий потери тепла Землей.

Озоновый слой — слой в пределах стратосферы на высоте 10—50 км, отличающийся повышенной концентрацией озона. Защищает Землю от ультрафиолетовой радиации.

Опустынивание — процесс превращения плодородных земель в пустыню в результате уменьшения количества осадков.

Относительная влажность — показатель, характеризующий степень насыщения воздуха водяным паром.

Парниковые газы — газы, которые препятствуют отдаче тепла Землей.

Парниковый эффект — защитное действие атмосферы в процессе лучистого теплообмена Земли с мировым пространством. Некоторые промышленные газы, называемые «парниковыми», усиливают естественный парниковый эффект.

Переохлажденные капельки — капельки воды, имеющие температуру ниже точки замерзания, но все еще находящиеся в жидком состоянии.

Перистое облако — белое, легкое, прозрачное облако, состоящее из кристалликов льда. Образуется в верхних слоях атмосферы.

Полушарие — половина сферической поверхности земного шара. Евразия и Северная Америка находятся в Северном полушарии, Австралия и Южная Америка — в Южном.

Полярное сияние — живописное свечение разреженного воздуха в верхних слоях атмосферы. Наблюдается преимущественно в высоких широтах обоих полушарий.

Полярный круг (Северный и Южный) — граница между умеренными и полярными широтами, проходящая примерно по 66° с. и ю. широты соответственно.

Прецессия — колебания оси Земли с периодом 26 тыс. лет и угловой амплитудой 27°27′.

Прогнозная карта — карта, на которой дан прогноз погоды.

Протуберанцы — светящиеся образования из раскаленных газов, наблюдаемые на краю диска Солнца. В проекции на солнечный диск заметны в виде темных волокон.

Пурга — снежная буря с очень сильным ветром.

Пыльная буря — перенос большого количества почвы или песка сильным ветром в пустынях, полупустынях и распаханных степях.

Равноденствие — момент времени, когда Солнце при своем видимом годичном перемещении по эклиптике пересекает небесный экватор: солнечные лучи касаются обоих полюсов, а земная ось перпендикулярна лучам. Весеннее равноденствие 21—22 марта, осеннее — 22—23 сентября. При равноденствии Северное и Южное полушария освещены одинаково, на всей Земле (исключая районы полюсов) день равен ночи, на одном полюсе Солнце восходит, на другом — заходит.

Радиозонд — прибор для автоматической регистрации температуры, давления и влажности воздуха в высоких слоях атмосферы.

Радуга — оптическое явление в атмосфере в виде одной или нескольких разноцветных дуг. Возникает в результате процессов преломления, отражения и дифракции света в каплях дождя.

Синоптическая карта — карта погоды текущего времени.

Синоптическое прогнозирование — прогнозирование погоды на основе анализа карт, на которых зафиксированы показатели метеонаблюдений, зарегистрированные одновременно на как можно большей территории.

Слоистые облака — облака в виде однородного слоя без определенных очертаний, серого цвета.

Соленость — условная величина, рассчитываемая по сумме галогенов (хлор, бром, фтор), содержащихся в морской воде, и отражающая вес в граммах всех солей, растворенных в 1 кг морской воды, измеряется в десятых долях процента и обозначается знаком ‰ (промилле).

Солнцестояние — момент прохождения центром Солнца точек эклиптики, наиболее удаленных от экватора. Различают летнее и зимнее солнцестояние. В день летнего солнцестояния (21—22 июня) достигается самая большая продолжительность дня в Северном полушарии. В Южном полушарии в это время самый короткий день. В день зимнего солнцестояния (21—22 декабря) картина обратная: самый короткий день в Северном полушарии, самый длинный — в Южном.

Спектр — составные части белого цвета — красный, оранжевый, желтый, зеленый, голубой, синий, фиолетовый.

Средние широты (умеренные широты) — условное название зон, расположенных на поверхности земного шара между Северным тропиком и Северным полярным кругом и Южным тропиком и Южным полярным кругом. Для климата этих зон характерны хорошо выраженные переходные сезоны (весна, осень).

Стратосфера — слой атмосферы Земли между тропосферой и мезосферой. Расположена на высоте от 8—16 до 45—55 км.

Струйное течение — сильное узкое воздушное течение, в верхней тропосфере и нижней стратосфере. В умеренных широтах струйные течения ярче выражены зимой.

Сублимация — переход водяных паров из газообразного состояния в твердое и обратно, минуя жидкую фазу.

Тайфун — название урагана в западной части Тихого океана.

Теплый фронт — теплый воздух натекает на отступающий холодный, спокойно поднимаясь вверх по плоскости раздела и охлаждаясь, что сопровождается образованием облаков и осадков.

Термометр — прибор для измерения температуры.

Торнадо — вращающийся столб воздуха до 1,6 км в диаметре, движущийся со скоростью до 105 км/ч. Скорость ветра внутри него может достигать 480 км/ч.

Точка росы — температура, до которой должен охладиться воздух, чтобы находящийся в нем водяной пар достиг состояния насыщения.

Тропики — параллели соответственно с северной и южной широтой 23,5°, Северный (тропик Рака) и Южный (тропик Козерога). В день летнего солнцестояния (21—22 июня) Солнце в полдень находится в зените над Северным тропиком, а во время зимнего солнцестояния (21—22 декабря) — над Южным тропиком. На любой широте между тропиками Солнце бывает в зените дважды в году. К северу от Северного тропика и к югу от Южного тропика Солнце в зените не бывает.

Тропический циклон — название урагана в Австралии и странах Индийского океана.

Тропопауза — переходный слой от тропосферы к стратосфере, толщиной от нескольких сотен до 2—3 км. Высота тропопаузы и ее температура изменяются в зависимости от широты.

Тропосфера — нижняя, основная часть атмосферы, наиболее подверженная воздействию земной поверхности. В этом слое атмосферы мы живем, и здесь происходит 99 % погодных явлений.

Туман — скопление мелких водяных капель или ледяных кристаллов в приземном слое атмосферы.

Ураган — ветер разрушительной силы, скорость которого превышает 30 м/с.

Фронт окклюзии — сложный фронт, образующийся при смыкании теплого и холодного фронтов.

Фронтальная система — зона взаимодействия между воздушными массами, имеющими разную температуру и влажность. Здесь происходят основные явления погоды.

Хлорфторуглероды (ХФУ) — газы промышленного происхождения. Попадая в атмосферу, разрушают озоновый слой.

Холодный фронт — атмосферный фронт между массами холодного и теплого воздуха, перемещающийся в сторону теплого. Обычно сопровождается похолоданиями, шквалами, ливнями, грозами. На синоптических картах обозначается линией с треугольниками.

Циклогенез — формирование области низкого давления в нижних слоях атмосферы.

Циклон — огромный вихрь в атмосфере, в котором давление понижается к центру. Образуется на атмосферных фронтах, когда теплая воздушная масса активно вытесняется вверх холодным воздухом. Обычно характеризуется неустойчивой погодой.

Цунами — гигантские волны, появляющиеся в результате землетрясений, чей эпицентр находится под дном океана.

Широта — расстояние в градусах от экватора.

Шкала Бофорта — шкала для определения скорости ветра, разработанная Вильямом Бофортом в 1805 г.

Шкала Цельсия — температурная шкала, в которой точка таяния льда принята за 0 °C, кипения воды — 100 °C. Используется во многих странах мира.

Шкала Фаренгейта — температурная шкала, принятая в США (°F), в которой опорными точками являются температура смеси снега и нашатыря (0 °F) и нормальная температура человеческого тела (100 °F), а величина градуса определяется как сотая часть интервала между опорными точками. 0 °C = 32 °F, 100 °C = 212 °F.

Штормовой нагон воды — образование волн, вызванное понижением давления над поверхностью моря при прохождении урагана. На побережье может вызвать значительные разрушения.

Эль-Ниньо — теплое течение в экваториальных водах, омывающее северо-западное побережье Южной Америки. Когда оно ярко выражено и устойчиво, наблюдаются аномалии температур и влажности в различных частях земного шара. Холодная фаза этого явления называется Ла-Нинья.

Эффект Кориолиса — обусловлен вращением Земли и проявляется в том, что все тела, движущиеся относительно земной поверхности, в Северном полушарии получают ускорение, направленное вправо, а в Южном — влево от направления их движения.

Южное колебание — сопутствующие Эль-Ниньо атмосферные явления, которые наблюдаются в Южном полушарии. Из-за теплой водной поверхности конвективный подъем воздуха отмечается в восточной части Тихого океана, а не в западной, как обычно. В результате область сильных дождей смещается из западных районов Тихого океана в восточные.

Указатель

Вышли в свет книги:

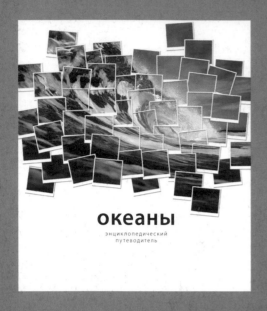

океаны
энциклопедический
путеводитель

птицы
энциклопедический
путеводитель

погода
энциклопедический
путеводитель

Готовится к изданию: **человек**

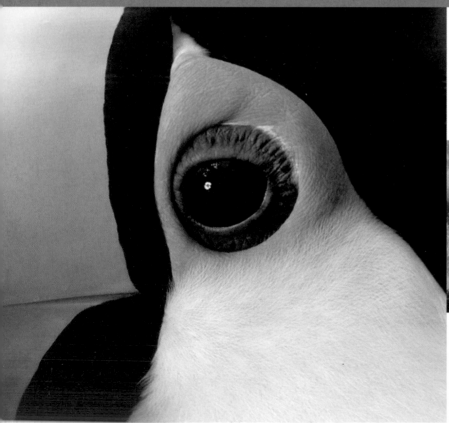

В новой серии

«Энциклопедический путеводитель»

выходят в свет великолепно иллюстрированные справочные издания, посвященные таким интересным для самого широкого круга читателей темам, как погода Земли, мир птиц, тайны океанов, тело человека и другие. Каждая книга открывает перед нами огромный мир, иногда совершенно незнакомый, но всегда захватывающе увлекательный. Каждая страница – это встреча с новой информацией и превосходными иллюстрациями.

Порой мы по привычке полагаем, что человеку уже известно все об окружающем мире и о нем самом. Ничего подобного! В этом легко убедиться, взяв в руки любой из новых путеводителей.

Любознательные читатели откроют для себя величайшие богатства и тайны природы!

Прекрасные книги для семейной библиотеки!

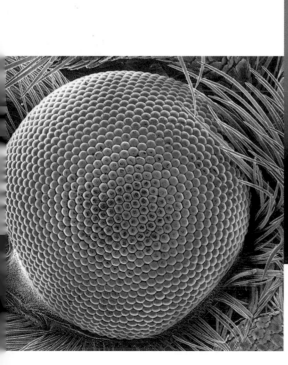

Универсальное справочно-энциклопедическое издание

Серия «Энциклопедический путеводитель»

ПОГОДА

ООО «Издательская Группа Аттикус» —
обладатель товарного знака Machaon.
119991, Москва, 5-й Донской проезд, д. 15, стр. 4.
Тел. (495) 933-76-00, факс (495) 933-76-20.
E-mail: sales@machaon.net
www.machaon.net

ГС № 77.99.02.953.Д.008333.09.06 от 14.09.2006.

Подписано в печать 19.06.2007. Формат 60×100/8.
Бумага мелованная. Печать офсетная. Печ. л. 38,0.
Тираж 15 000 экз.

ОПТОВАЯ И МЕЛКООПТОВАЯ ТОРГОВЛЯ:

В Санкт-Петербурге — «Махаон-СПб»:
198096, Санкт-Петербург, ул. Кронштадтская, 11,
4-й эт., офис 19.
Тел./факс (812) 783-52-84.
E-mail: machaon-spb@mail.ru

На территории Украины — «Махаон-Украина»:
04073, Киев, Московский просп., 6, 2-й этаж.
Тел./факс (044) 490-99-01.
E-mail: machaon@i.kiev.ua

В Москве:
Книжная ярмарка в СК «Олимпийский».
129090, Москва, Олимпийский просп., д. 16,
станция метро «Проспект Мира».
Тел. (495) 937-78-58.

Отпечатано в Словакии.